2025年度版　みんなが欲しかった！
社労士の年度別過去問題集　5年分

解答・解説編

CONTENTS

本書は、問題編と、解答・解説編で、２冊に分解できる「セパレートBOOK形式」を採用しています。

★セパレートBOOKの作りかた★

①白い厚紙から、色紙のついた冊子を抜き取ります。
※色紙と白い厚紙は、のりで接着されています。乱暴に扱いますと、破損する危険性がありますので、ていねいに抜き取るようにしてください。

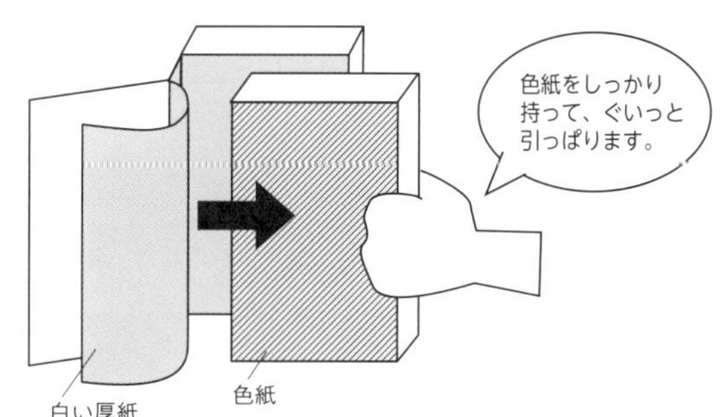

②本体のカバーを裏返しにして、抜き取った冊子にかぶせ、きれいに折り目をつけて使用してください。

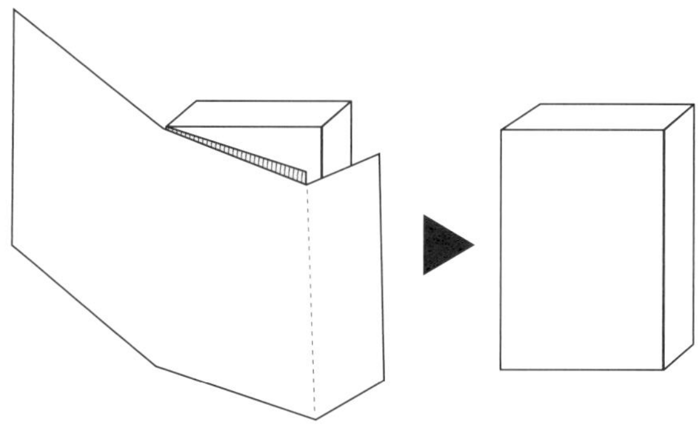

※抜き取るさいの損傷についてのお取替えはご遠慮願います。

凡　例　本書の執筆においては、次のとおり略称を用いています。

法1	→法1条
法1－Ⅰ	→法1条1項
法1－Ⅰ①	→法1条1項1号
法	→各科目の法令（例：労働基準法内の法は「労働基準法」）
令	→施行令
則	→施行規則
(40)	→昭和40年（例：(40)法附則→昭和40年法附則、(25)法附則→平成25年法附則）
労基法	→労働基準法
安衛法	→労働安全衛生法
労災法	→労働者災害補償保険法
労審法	→労働保険審査官及び労働保険審査会法
行審法	→行政不服審査法
行訴法	→行政事件訴訟法
整備法	→失業保険法及び労働者災害補償保険法の一部を改正する法律及び労働保険の保険料の徴収等に関する法律の施行に伴う関係法律の整備等に関する法律
労組法	→労働組合法
労契法	→労働契約法
労働時間等設定改善法	→労働時間等の設定の改善に関する特別措置法
個紛法	→個別労働関係紛争の解決の促進に関する法律
パート・有期法	→短時間労働者及び有期雇用労働者の雇用管理の改善等に関する法律
均等法	→雇用の分野における男女の均等な機会及び待遇の確保等に関する法律
育介法	→育児休業、介護休業等育児又は家族介護を行う労働者の福祉に関する法律
次世代法	→次世代育成支援対策推進法
女性活躍推進法	→女性の職業生活における活躍の推進に関する法律
最賃法	→最低賃金法
労働施策総合推進法	→労働施策の総合的な推進並びに労働者の雇用の安定及び職業生活の充実等に関する法律
派遣法	→労働者派遣事業の適正な運営の確保及び派遣労働者の保護等に関する法律
能開法	→職業能力開発促進法
職安法	→職業安定法
高齢法	→高年齢者の雇用の安定等に関する法律
障雇法	→障害者の雇用の促進等に関する法律
健保法	→健康保険法
国年法	→国民年金法
厚年法	→厚生年金保険法
改正前法	→平成25年改正法施行前厚生年金保険法
年金時効特例法	→厚生年金保険の保険給付及び国民年金の給付に係る時効の特例等に関する法律
国保法	→国民健康保険法
船保法	→船員保険法
高医法	→高齢者の医療の確保に関する法律
介保法	→介護保険法
児手法	→児童手当法
社審法	→社会保険審査官及び社会保険審査会法
確拠法	→確定拠出年金法
確給法	→確定給付企業年金法

社労士法　→社会保険労務士法
整備省令　→失業保険法及び労働者災害補償保険法の一部を改正する法律及び労働保険の保険料の徴収等に関する法律の施行に伴う労働省令の整備等に関する省令
基金令　→国民年金基金令
支給金則　→労働者災害補償保険特別支給金支給規則
有機則　→有機溶剤中毒予防規則
女性則　→女性労働者基準規則
改定率改定令　→国民年金法による改定率の改定等に関する政令
厚労告　→厚生労働省告示
基発　→厚生労働省労働基準局長名通達
発基　→厚生労働省労働基準局関係の労働事務次官名通達
基収　→厚生労働省労働基準局長が疑義に応えて発する通達
基労管発　→厚生労働省労働基準局労災補償部労災管理課長名通達
基労補発　→厚生労働省労働基準局労災補償部補償課長名通達
労発　→(旧)労働省労政局長名通達
発労徴　→次官又は官房長が発する労働保険徴収課関係の通達
基災発　→(旧)労働省労働基準局労災補償部長名で発する通達
労徴発　→(旧)労働保険徴収課長名で発する通達
基災収　→(旧)労働省労働基準局労災補償部長が疑義に答えて発する通達
基補発　→厚生労働省労働基準局補償課長通知
雇児発　→厚生労働省雇用均等・児童家庭局長通知
基徴発　→厚生労働省労働基準局労働保険徴収課長が発する通達
失保収　→失業保険法時代の失業保険課長が疑義に答えて発する通達
保発　→厚生労働省(旧厚生省)保険局長名通達
保保発　→厚生労働省保険局保険課長名通達
保文発　→民間に対して出す厚生省保険局長名通知
発保　→厚生労働事務次官名通達
保険発　→(旧)厚生省医療局保険課長名通達
老発　→厚生労働省老人保健福祉局長名通達
庁保険発　→(旧)社会保険庁運営部医療課長名通達
庁保発　→(旧)社会保険庁医療部長又は保険部長名通達
保医発　→厚生労働省保険局医療課長名通達
年管発　→厚生労働省大臣官房年金管理審議官名通達
年管管発　→厚生労働省年金局事業管理課長名通達
年発　→厚生労働省年金局長名通達
行政手引　→雇用保険に関する業務取扱要領

令和 6 年度
（2024年度・第56回）
解答・解説

合格基準点

選択式	総得点**25点**以上、かつ、 各科目**3点**以上（労務管理その他の労働に関する一般常識は **2 点**以上）
択一式	総得点**44点**以上、かつ、 各科目**4点**以上

受験者データ

受験申込者数	53,707人
受験者数	43,174人
合格者数	2,974人
合格率	6.9%

繰り返し記録シート(令和6年度)

解いた回数	科目	問題No.	点数	解いた回数	科目	点数
選択式1回目	労基安衛	問1	／5	択一式1回目	労基安衛	／10
	労災	問2	／5		労災徴収	／10
	雇用	問3	／5		雇用徴収	／10
	労一	問4	／5		労一社一	／10
	社一	問5	／5		健保	／10
	健保	問6	／5		厚年	／10
	厚年	問7	／5		国年	／10
	国年	問8	／5		合計	／70
		合計	／40			

解いた回数	科目	問題No.	点数	解いた回数	科目	点数
選択式2回目	労基安衛	問1	／5	択一式2回目	労基安衛	／10
	労災	問2	／5		労災徴収	／10
	雇用	問3	／5		雇用徴収	／10
	労一	問4	／5		労一社一	／10
	社一	問5	／5		健保	／10
	健保	問6	／5		厚年	／10
	厚年	問7	／5		国年	／10
	国年	問8	／5		合計	／70
		合計	／40			

解いた回数	科目	問題No.	点数	解いた回数	科目	点数
選択式3回目	労基安衛	問1	／5	択一式3回目	労基安衛	／10
	労災	問2	／5		労災徴収	／10
	雇用	問3	／5		雇用徴収	／10
	労一	問4	／5		労一社一	／10
	社一	問5	／5		健保	／10
	健保	問6	／5		厚年	／10
	厚年	問7	／5		国年	／10
	国年	問8	／5		合計	／70
		合計	／40			

令和６年度
（2024年度・第56回）
解答・解説
選択式

正解一覧

問	記号	番号	正解
問1	A	⑩	児童が満15歳に達した日以後の最初の３月31日が終了するまで
	B	⑨	指揮命令下
	C	⑬	自由な意思に基づく
	D	⑱	フォークリフト
	E	⑰	遅滞なく
問2	A	⑤	8
	B	②	5
	C	⑰	月の翌月
	D	⑩	自己
	E	⑳	被扶養利益の喪失
問3	A	②	一般被保険者又は高年齢被保険者であるとき
	B	②	2
	C	③	28
	D	④	120
	E	③	雇用保険法の適用除外
問4	A	⑭	拘束時間、休息期間
	B	③	45.8%
	C	⑪	規範
	D	⑨	著しく不合理である
	E	⑧	１年
問5	A	⑧	100%
	B	②	18.9
	C	⑱	社会保障及び国民保健の向上
	D	⑫	共同連帯
	E	⑲	費用負担
問6	A	⑤	患者に対する情報提供を前提として
	B	⑩	資格を取得した日の前日まで引き続き１年以上被保険者（任意継続被保険者又は共済組合の組合員である被保険者を除く。）
	C	⑮	被扶養者
	D	③	家族訪問看護療養費
	E	④	家族療養費
問7	A	⑰	費用
	B	②	150万円
	C	⑫	脱退一時金
	D	⑭	当該初診日から起算して５年
	E	⑨	乙のみ行うことができる
問8	A		
	B	⑨	適正かつ確実に実施する
	C	⑫	納付受託者
	D	②	婚姻をしていない
	E	⑯	配偶者、子、父母、孫、祖父母又は兄弟姉妹

問１　労働基準法及び労働安全衛生法

根拠　労基法56-Ⅰ、最一小H12.3.9三菱重工長崎造船所事件、最二小S48.1.19シンガー・ソーイング・メシーン事件、安衛法45-ⅠⅡ、令15-Ⅰ①、Ⅱ、則97、151の21～151の24

A	⑩	児童が満15歳に達した日以後の最初の３月31日が終了するまで	CH1 Sec9②	正解率 80%
B	⑨	指揮命令下	CH1 Sec4①	正解率 86%
C	⑬	自由な意思に基づく	—	正解率 96%
D	⑱	フォークリフト	—	正解率 64%
E	⑰	遅滞なく	CH2 Sec10④	正解率 79%

問２　労働者災害補償保険法

根拠　法９-Ⅰ、11-Ⅰ、則14-Ⅲ②③、最大判H27.3.4フォーカスシステムズ事件

A	⑤	8	CH3 Sec5①	正解率 94%
B	②	5	CH3 Sec5①	正解率 94%
C	⑰	月の翌月	CH3 Sec7①	正解率 96%
D	⑩	自己	CH3 Sec7③	正解率 98%
E	⑳	被扶養利益の喪失	—	正解率 53%

問３　雇用保険法

根拠　法６-①③、24の２-Ⅲ②、37の５-Ⅰ、61の７-Ⅰカッコ書、61の８-Ⅱ

A	②	一般被保険者又は高年齢被保険者であるとき	CH4 Sec9⑤	正解率 89%
B	②	2	CH4 Sec9⑤	正解率 92%
C	③	28	CH4 Sec9⑤	正解率 90%
D	④	120	CH4 Sec4①	正解率 43%
E	③	雇用保険法の適用除外	CH4 Sec2①	正解率 79%

問4 労務管理その他の労働に関する一般常識

根拠 均等法9-Ⅳ、最三小H8.3.26朝日火災海上保険（高田）事件、「令和5年版厚生労働白書（厚生労働省）」P177、216

A	⑭	拘束時間、休息期間	—	正解率 22%
B	③	45.8%	—	正解率 62%
C	⑪	規範	—	正解率 81%
D	⑨	著しく不合理である	—	正解率 42%
E	⑧	1年	—	正解率 61%

問5 社会保険に関する一般常識

根拠 国保法1、高医法1、「2022（令和4）年国民生活基礎調査の概況（厚生労働省）」、「令和3年度介護保険事業状況報告（年報）（厚生労働省）」

A	⑧	100%	—	正解率 45%
B	②	18.9	—	正解率 54%
C	⑱	社会保障及び国民保健の向上	CH10 Sec1①	正解率 69%
D	⑫	共同連帯	CH10 Sec1③	正解率 88%
E	⑲	費用負担	CH10 Sec1③	正解率 80%

問6 健康保険法

根拠 法63-Ⅱ③、86-Ⅰ、106、111-ⅠⅡ、R6.3.27厚労告122号、R6.3.27保医発0327第10号

A	⑤	患者に対する情報提供を前提として	CH7 Sec5⑤	正解率 53%
B	⑩	資格を取得した日の前日まで引き続き1年以上被保険者（任意継続被保険者又は共済組合の組合員である被保険者を除く。）	CH7 Sec6⑨	正解率 71%
C	⑮	被扶養者	CH7 Sec5⑩	正解率 91%
D	③	家族訪問看護療養費	CH7 Sec5⑩	正解率 85%
E	④	家族療養費	CH7 Sec5⑩	正解率 31%

解説

Bについては、資格喪失後の出産育児一時金の受給要件を満たす者が任意継続

被保険者となっていたケースと考えればよい。資格喪失後の出産育児一時金は、一般の被保険者の資格を喪失した日の前日まで、引き続き１年以上被保険者（任意継続被保険者又は共済組合の組合員である被保険者を除く。）であったことを必要とするが、その者が任意継続被保険者となっていた場合は、一般の被保険者の資格を喪失した日は、任意継続被保険者の資格を取得した日と一致するため、⑩が正解となる。

問７　厚生年金保険法

根拠　法24の４－Ⅰ、41－Ⅰ、52－Ⅶ、58－Ⅰ②、80－Ⅱ、法附則16の３－Ⅱ、29－Ⅸ、令14

				正解率
A	⑰	費用	CH9 Sec10②	86%
B	②	150万円	CH9 Sec3③	96%
C	⑫	脱退一時金	CH9 Sec9⑤	92%
D	⑭	当該初診日から起算して５年	CH9 Sec7①	74%
E	⑨	乙のみ行うことができる	CH9 Sec6⑦	67%

解説

Ｅについて、障害厚生年金の増進改定請求は、65歳以上の者であって、かつ、障害厚生年金の受給権者（当該障害厚生年金と同一の支給事由に基づく国民年金法による障害基礎年金の受給権を有しないものに限る。）については、行うことができないため、甲は、今後、障害の程度が増進した場合であっても、障害年金の改定請求を行うことはできない。

問８　国民年金法

根拠　法37の２－Ⅰ②、52の３－ⅠⅡ、92の３－Ⅰ、92の４－Ⅰ

				正解率
A		（改正により削除）		
B	⑨	適正かつ確実に実施する	CH8 Sec3⑤	78%
C	⑫	納付受託者	―	11%
D	②	婚姻をしていない	CH8 Sec6⑤	93%
E	⑯	配偶者、子、父母、孫、祖父母又は兄弟姉妹	CH8 Sec7③	94%

令和6年度
(2024年度・第56回)
解答・解説
択一式

正解一覧

科目	問	正解
労基安衛	問1	D
	問2	C
	問3	E
	問4	A
	問5	C
	問6	D
	問7	A
	問8	B
	問9	D
	問10	C
労災徴収	問1	A
	問2	D
	問3	C
	問4	D
	問5	C
	問6	C・D
	問7	B
	問8	E
	問9	B
	問10	D

科目	問	正解
雇用徴収	問1	A
	問2	B
	問3	D
	問4	C
	問5	E
	問6	A
	問7	E
	問8	C
	問9	D
	問10	D
労一社一	問1	D
	問2	A
	問3	B
	問4	E
	問5	C
	問6	E
	問7	D
	問8	B
	問9	B
	問10	C

科目	問	正解
健保	問1	E
	問2	B
	問3	E
	問4	B
	問5	E
	問6	D
	問7	D
	問8	B
	問9	C
	問10	D
厚年	問1	C
	問2	B
	問3	D
	問4	C
	問5	C
	問6	A
	問7	D
	問8	C
	問9	E
	問10	D

科目	問	正解
国年	問1	C
	問2	C
	問3	A
	問4	B
	問5	D
	問6	E
	問7	D
	問8	B
	問9	D
	問10	E

労働基準法及び労働安全衛生法

問１　正解　D　　正解率 84%

A　×　根拠 法１　　CH1 Sec1①

法１条の「人たるに値する生活」とは、日本国憲法25条１項の「健康で文化的な生活」を内容とするものであり、「賃金の最低額を保障することによる最低限度の生活」をいうのではない。なお、「健康で文化的な生活」の内容は、具体的には、一般の社会通念によって決まるものとされる。

確認してみよう！

人たるに値する生活

労働者が人たるに値する生活を営むためには、その標準家族の生活をも含めて考えること。標準家族の範囲はその時その社会の一般通念によって理解さるべきものである。

B　×　根拠 法３、最大判S48.12.12三菱樹脂事件　　CH1 Sec1②

最高裁判所の判例では、「労働基準法３条は労働者の信条によって賃金その他の労働条件につき差別することを禁じているが、これは、雇入れ後における労働条件についての制限であって、雇入れそのものを制約する規定ではない。」としている。

確認してみよう！

労働基準法３条は、労働者の労働条件について信条による差別取扱を禁じているが、特定の信条を有することを解雇の理由として定めることも、労働条件に関する差別取扱として、右規定に違反するものと解される（最大判S48.12.12三菱樹脂事件）。

C　×　根拠 法４、H9.9.25基発648号、H24.12.20基発1220第４号他　　CH1 Sec1②

設問の理由により男女間で賃金格差が生じた場合には、法４条違反となる。

得点UP！

男性労働者について、その配偶者（妻）の所得額の如何にかかわらず家族手当を支給しているのに、女性労働者については、その配偶者（夫）の所得が一定額以上（所得税法上、配偶者控除の対象となる額を超える等）ある場合には家族手当を支給しないとすることは、法４条違反となる。

D ○ 根拠 法10、S61.6.6基発333号 CH1 Sec1③

確認してみよう！

移籍型出向（出向先との間にのみ労働契約関係がある場合）の出向労働者については、出向先についてのみ労働基準法等の適用がある。

E × 根拠 法11、S22.9.13発基17号 CH1 Sec3①

設問のものは、賃金に該当する。なお、通貨以外のもので支払われる賃金については、その物又は利益を通貨に換算評価することが必要であり、その評価額は、法令に別段の定がある場合の外、労働協約に定めなければならない。

得点UP！

⑴ 労働者に支給される物又は利益にして、次の①又は②のいずれかに該当するものは、賃金とみなす（賃金に該当する。）。
　① 所定貨幣賃金の代わりに支給するもの、即ち、その支給により貨幣賃金の減額を伴うもの。
　② 労働契約において、予め貨幣賃金の外にその支給が約束されているもの。
⑵ 上記⑴に掲げるものであっても、次の①又は②のいずれかに該当するものは、賃金とみなさない（賃金に該当しない。）。
　① 代金を徴収するもの。但しその代金が甚だしく低額なものはこの限りではない。
　② 労働者の福利厚生施設に当たるもの。

問2 正解 C（ア○ イ× ウ○） 正解率 60%

ア ○ 根拠 H11.3.31基発168号 CH1 Sec1③

なお、一の事業であるか否かは主として場所的観念によって決定するが、場所的に分散しているものであっても、出張所、支所等で、規模が著しく小さく、組織的関連ないし事務能力等を勘案して一の事業という程度の独立性がないもの（例：新聞社の通信部）については、直近上位の機構と一括して一の事業として取り扱う。

確認してみよう！

事業

⑴　個々の事業に対して労働基準法を適用するに際しては、当該事業の名称又は経営主体等にかかわることなく、相関連して一体をなす労働の態様によって事業としての適用を定める。

⑵　事業とは、工場、鉱山、事務所、店舗等の如く一定の場所において相関連する組織のもとに業として継続的に行われる作業の一体をいうのであって、必ずしもいわゆる経営上一体をなす支店、工場等を総合した全事業を指称するものではない。

イ　×　根拠　法10、11　　CH1 Sec1③

労働基準法において「使用者」とは、「事業主又は事業の経営担当者その他その事業の労働者に関する事項について、事業主のために行為をするすべての者」をいう。なお、賃金に関する記述は正しい。

ウ　○　根拠　民法623、労契法６他　　—

労働契約とは、一定の対価（賃金）と一定の労働条件の下に、自己の労働力の処分を使用者に委ねることを約する契約である。雇用契約は、自由対等な私人間を規制する民法上の契約概念であるが、労働契約は、資本主義社会における労使間の著しい経済的優越関係とこれによる労働者の資本への隷属状態に着目してこれに規制を加えようとする労働者保護法規の発展とともに確立された契約概念である。したがって、労働契約は、民法上の雇用契約にのみ限定して解されるべきものではなく、委任契約、請負契約等、労務の提供を内容とする契約も労働契約として把握される可能性をもっている。

問３　正解　E　　正解率　74%

A　○　根拠　法14-Ⅱ、R5.3.30厚労告114号　　CH1 Sec2⑤

なお、設問の場合において、使用者は、労働者が更新しないこととする理由について証明書を請求したときは、遅滞なくこれを交付しなければならない。

B　○　根拠　法15-Ⅰ、則５-Ⅰ①の３、Ⅴ　　CH1 Sec2②

なお、日雇労働者に対しては、雇入れ日における就業の場所及び従事すべき業務を明示すれば足り、「変更の範囲」を明示する必要はない（日雇労働については、その日の就業の場所及び従事すべき業務を明示すれば、「労働契約の期間中における変更の範囲」も明示したものと考えられる。)。

得点UP!

就業の場所及び従事すべき業務の変更の範囲とは、当該労働契約の期間中における変更の範囲を意味する。このため、(当初の有期労働契約の締結時に)契約が更新された場合にその更新後の契約期間中に命じる可能性がある就業の場所及び業務については、明示が求められるものではない。

C ○ 根拠 法16、S22.9.13発基17号 　CH1 Sec2③

確認してみよう!

★ 労働基準法16条

使用者は、労働契約の不履行について違約金を定め、又は損害賠償額を予定する契約をしてはならない。

D ○ 根拠 法18-Ⅳ、則5の2 　CH1 Sec2③

なお、設問の場合において、その利子が、金融機関の受け入れる預金の利率を考慮して厚生労働省令で定める利率(年5厘)による利子を下るときは、その厚生労働省令で定める利率による利子をつけたものとみなす。

E × 根拠 法23 　CH1 Sec2⑤

法23条は、労働者の足止め策防止と労働者又はその遺族の生活確保の見地から、通常の賃金支払に関する法24条の規定の特例として設けられたものと解されている。したがって、就業規則において労働者の退職又は死亡の場合の賃金支払期日を通常の支払日と別に規定している場合はもちろんのこと、そのような定めがなく、通常の賃金と同一日に支払うことになっている場合においても、強行法規たる法23条の規定により、権利者から請求があれば、7日以内に支払わなければならない。

確認してみよう!

★ 労働基準法23条

① 使用者は、労働者の死亡又は退職の場合において、権利者の請求があった場合においては、7日以内に賃金を支払い、積立金、保証金、貯蓄金その他名称の如何を問わず、労働者の権利に属する金品を返還しなければならない。

② 上記①の賃金又は金品に関して争がある場合においては、使用者は、異議のない部分を、上記①の期間中に支払い、又は返還しなければならない。

得点UP!
退職手当は、通常の賃金の場合と異なり、予め就業規則等で定められた支払時期に支払えば足りる。

問４　正解　A　正解率 80%

A　×　根拠 則７の２－Ⅰ③イ　—
設問文中の「500万円」を「100万円」と読み替えると、正しい記述となる。

B　○　根拠 則７の２－Ⅰ③ロ　—

C　○　根拠 則７の２－Ⅰ③ハ　—

D　○　根拠 則７の２－Ⅰ③ニ　—

E　○　根拠 則７の２－Ⅰ③ヘ　—

問５　正解　C（イ・エ・オの三つ）　正解率 37%

ア　×　根拠 法32の２－Ⅰ、89、S22.9.13発基17号　CH1 Sec5①
使用者は、「労使協定」により、又は「就業規則その他これに準ずるもの」により、１か月以内の一定の期間を平均し１週間当たりの労働時間が法定労働時間を超えない定めをしたときは、１か月単位の変形労働時間を適用することができるものとされている。設問の常時10人未満の労働者を使用する使用者には、就業規則の作成義務は課されていないので、「その他これに準ずるもの（就業規則に準ずるもの）」にその定めをすることにより、１か月単位の変形労働時間制を適用することも可能である。

イ　○　根拠 法33－Ⅰ、34－Ⅰ　CH1 Sec6②
法33条１項本文では、「災害その他避けることのできない事由によって、臨時の必要がある場合においては、使用者は、行政官庁の許可を受けて、その必要の限度において法32条から法32条の５まで若しくは法40条の労働時間を延長し、又は法35条の休日に労働させることができる。」と規定されているが、法34条（休憩時間）の規定の例外を定めるものではないので、休憩時間は与えなければならない。

ウ　×　根拠 法38の２、R3.3.25基発0325第２号　—

テレワークにおいて、次の(1)(2)のいずれも満たす場合には、事業場外みなし労働時間制を適用することができる。

(1) 情報通信機器が、使用者の指示により常時通信可能な状態におくこととされていないこと。

次の場合については、いずれも(1)を満たすと認められ、情報通信機器を労働者が所持していることのみをもって、制度が適用されないことはない。

- 勤務時間中に、労働者が自分の意思で通信回線自体を切断することができる場合
- 勤務時間中は通信回線自体の切断はできず、使用者の指示は情報通信機器を用いて行われるが、労働者が情報通信機器から自分の意思で離れることができ、応答のタイミングを労働者が判断することができる場合
- 会社支給の携帯電話等を所持していても、その応答を行うか否か、又は折り返しのタイミングについて労働者において判断できる場合

(2) 随時使用者の具体的な指示に基づいて業務を行っていないこと。

次の場合については(2)を満たすと認められる。

- 使用者の指示が、業務の目的、目標、期限等の基本的事項にとどまり、一日のスケジュール（作業内容とそれを行う時間等）をあらかじめ決めるなど作業量や作業の時期、方法等を具体的に特定するものではない場合

エ ○ 根拠 法38の3－Ⅰ⑥、則24の2の2－Ⅲ① CH1 Sec7②

オ ○ 根拠 法41の2－Ⅰ CH1 Sec4⑤

決議の届出が高度プロフェッショナル制度の効力の発生要件である。

問6 正解 D 正解率 50%

A × 根拠 法39－ⅠⅢ、則24の3－Ⅳ CH1 Sec8③

年次有給休暇のいわゆる比例付与の対象となるのは、「1週間の所定労働時間が30時間未満」かつ「1週間の所定労働日数が4日以下（週以外の期間によって所定労働日数が定められている場合には、1年間の所定労働日数が216日以下）」の労働者である。設問の労働者は週5日労働であるため、比例付与の対象とならず、当該労働者に付与される年次有給休暇は「10労働日」である。

B × 根拠 法39－ⅠⅢ、則24の3－Ⅰ CH1 Sec8③

設問の労働者は１週間の所定労働時間が32時間であるため、比例付与の対象とならず、当該労働者に付与される年次有給休暇は「10労働日」である。**A**の解説参照。

C ✕ 根拠 法39-Ⅶ、則24の５-Ⅰ、H30.9.7基発0907第１号 —

設問の場合、「令和７年３月31日」までに時季を定めることにより与えなければならない。使用者は、年次有給休暇を当該年次有給休暇に係る基準日（設問の場合、令和６年10月１日）より前の日（設問の場合、令和６年４月１日）から10労働日以上与えることとしたときは、当該年次有給休暇の日数のうち５日については、基準日より前の日であって、10労働日以上の年次有給休暇を与えることとした日（設問の場合、令和６年４月１日）から１年以内の期間（設問の場合、令和７年３月31日まで）に、その時季を定めることにより与えなければならないこととされている。

D ○ 根拠 法39-ⅦⅧ、H30.9.7基発0907第１号、H30.12.28基発1228第15号

CH1 Sec8④

使用者は、年次有給休暇の日数が10労働日以上である労働者に対し、年次有給休暇の日数のうち５日については、基準日から１年以内の期間に、労働者ごとにその時季を定めることにより与えなければならないが、労働者の時季指定又は計画的付与により年次有給休暇を与えた場合においては、当該「与えた日数」分については、時季を定めることにより与えることを要しないものとされている。この場合、労働者が半日単位で年次有給休暇を取得した日数分については、0.5日として「与えた日数」に含まれるが、労働者が時間単位で年次有給休暇を取得した日数分については、「与えた日数」に含まれない。

確認してみよう！

年次有給休暇の半日単位による付与については、年次有給休暇の取得促進の観点から、労働者がその取得を希望して時季を指定し、これに使用者が同意した場合であって、本来の取得方法による休暇取得の阻害とならない範囲で適切に運用される限りにおいて、問題がないものとして取り扱う（時間単位年休と異なり、労使協定の締結等は要件とされない。）。なお、半日単位の年次有給休暇の日数は0.5日として取り扱われる。

E ✕ 根拠 法39-Ⅹ

CH1 Sec8①

「産前産後の女性が労働基準法65条の規定によって休業した期間」は、出勤し

たものとみなすが、「生理日の就業が著しく困難な女性が同法68条の規定によって就業しなかった期間」は、出勤したものとみなさない。

確認してみよう！

出勤したものとみなす期間

次に掲げる期間は、年次有給休暇に係る出勤率の算定に当たり、出勤したものとみなすこととされている。

① 労働者が業務上負傷し、又は疾病にかかり療養のために休業した期間
② 育児介護休業法に規定する育児休業又は介護休業をした期間
③ 産前産後の女性が労働基準法65条の規定によって休業した期間
※ 上記①～③のほか、「年次有給休暇を取得した日」「労働者の責に帰すべき事由によるとはいえない不就労日（当事者間の衡平等の観点から出勤日数に算入するのが相当でないものを除く。）」は、出勤したものとして取り扱われる。

問7 正解 A　正解率 62%

A ✕ 根拠 法89、H11.3.31基発168号　CH1 Sec10②

就業規則の絶対的必要記載事項の一部又は相対的必要記載事項中、当然当該事業場が適用を受けるべき事項を記載しない就業規則も、その効力発生についての他の要件を具備する限り有効である。なお、このような就業規則を作成し届け出ても、使用者の法89条違反の責任は免れない。

B 〇 根拠 法95-Ⅰ　CH1 Sec10⑥

C 〇 根拠 法89、H11.3.31基発168号　CH1 Sec10①

D 〇 根拠 法89、H11.3.31基発168号　CH1 Sec10②

E 〇 根拠 法89、S23.12.25基収4281号　CH1 Sec10②

確認してみよう！

★ 就業規則の記載事項

	絶対的必要記載事項
①	始業及び終業の時刻、休憩時間、休日、休暇並びに労働者を２組以上に分けて交替に就業させる場合においては就業時転換に関する事項
②	賃金（臨時の賃金等を除く。）の決定、計算及び支払の方法、賃金の締切り及び支払の時期並びに昇給に関する事項
③	退職に関する事項（解雇の事由を含む。）
	相対的必要記載事項
④	退職手当の定めをする場合においては、適用される労働者の範囲、退職手当の決定、計算及び支払の方法並びに退職手当の支払の時期に関する事項
⑤	臨時の賃金等（退職手当を除く。）及び最低賃金額の定めをする場合においては、これに関する事項
⑥	労働者に食費、作業用品その他の負担をさせる定めをする場合においては、これに関する事項
⑦	安全及び衛生に関する定めをする場合においては、これに関する事項
⑧	職業訓練に関する定めをする場合においては、これに関する事項
⑨	災害補償及び業務外の傷病扶助に関する定めをする場合においては、これに関する事項
⑩	表彰及び制裁の定めをする場合においては、その種類及び程度に関する事項
⑪	上記①～⑩に掲げるもののほか、当該事業場の労働者のすべてに適用される定めをする場合においては、これに関する事項

問８ 正解 Ｂ　正解率 79%

Ａ ○ 根拠 法11-Ⅰ、12-Ⅰ、令２-③、３、４　CH2 Sec2②③

Ｗ市にある本社は、その業種は「その他の業種」であり、安全管理者を選任する義務はない。また、使用する労働者数が「常時30人」（常時50人未満）であり、衛生管理者も選任する義務はない。

確認してみよう！

安全管理者を選任する事業場

業　種	使用労働者数
①　林業、鉱業、建設業、運送業及び清掃業	常時50人以上
②　製造業（物の加工業を含む。）、電気業、ガス業、熱供給業、水道業、通信業、各種商品卸売業、家具・建具・じゅう器等卸売業、各種商品小売業、家具・建具・じゅう器小売業、燃料小売業、旅館業、ゴルフ場業、自動車整備業及び機械修理業	常時50人以上
③　その他の業種	使用労働者数にかかわらず、選任不要

衛生管理者を選任する事業場

・（業種にかかわらず）常時50人以上の労働者を使用する事業場

B　×　根拠　法10-Ⅰ、令2-③　CH2 Sec2①

W市にある本社は、その業種は「その他の業種」であり、使用する労働者数が「常時30人」（常時1,000人未満）であるから、総括安全衛生管理者を選任する必要はない。

確認してみよう！

総括安全衛生管理者を選任する事業場

業　種	使用労働者数
①　林業、鉱業、建設業、運送業及び清掃業	常時100人以上
②　製造業（物の加工業を含む。）、電気業、ガス業、熱供給業、水道業、通信業、各種商品卸売業、家具・建具・じゅう器等卸売業、各種商品小売業、家具・建具・じゅう器小売業、燃料小売業、旅館業、ゴルフ場業、自動車整備業及び機械修理業	常時300人以上
③　その他の業種	常時1,000人以上

C　○　根拠　法11-Ⅰ、12-Ⅰ、令3、4、則7-Ⅰ④　CH2 Sec2③

X市にある第1工場及びY市にある第2工場は、その業種は製造業であり、それぞれ常時50人以上の労働者を使用していることから、いずれの工場でも安全管理者及び衛生管理者を選任しなければならない（**A**の確認してみよう！参照）。また、X市にある第1工場は、使用する労働者数が常時300人（200人を超え500人以下）であることから、衛生管理者を2人以上選任しなければならない。

確認してみよう！

衛生管理者の選任数

使用する労働者数	衛生管理者の選任数
常時　50人以上 ～ 200人以下	１人以上
常時 200人超 ～ 500人以下	２人以上
常時 500人超 ～1,000人以下	３人以上
常時1,000人超 ～2,000人以下	４人以上
常時2,000人超 ～3,000人以下	５人以上
常時3,000人超 ～	６人以上

D ○ 根拠 法14、令６-⑦、則16-Ⅰ、別表１、S48.3.19基発145号 CH2 Sec2⑥

「動力により駆動されるプレス機械を５台以上有する事業場において行う当該機械による作業」については「プレス機械作業主任者」の選任を要することとされている。したがって、Ｘ市にある第１工場及びＹ市にある第２工場には、それぞれプレス機械作業主任者を選任しなければならない。また、作業主任者の選任は、作業場所を単位として行わなければならず、交替制で行われる作業の場合には、労働者を直接指揮する必要があるので各直ごとに選任しなければならない(なお、例外として、ボイラー取扱作業主任者、第１種圧力容器取扱作業主任者及び乾燥設備作業主任者については各直ごとの選任を要しないものとされている。)。

E ○ 根拠 法12の２、則12の２、S47.9.18発基91号、S47.9.18基発602号 CH2 Sec2⑤

事業者は、安全管理者の選任を要する事業場及び衛生管理者を要する事業場以外の事業場で、常時10人以上50人未満の労働者を使用する事業場ごとに、安全衛生推進者〔「その他の業種（安全管理者の選任を要する業種以外の業種）」の事業場については、衛生推進者〕を選任しなければならないこととされている。この「常時10人以上50人未満」の数には短時間労働者の数も含まれるものとされており、また、営業活動を行っているＺ市にある営業所は「その他の業種」に該当するため、Ｚ市にある営業所には、衛生推進者を選任しなければならない。

問９ 正解 D　正解率 43%

A ○ 根拠 法66の８-Ⅰ、則52の２-Ⅰ CH2 Sec9①

なお、休憩時間を除き１週間当たり40時間を超えて労働させた場合におけるその超えた時間の算定は、毎月1回以上、一定の期日を定めて行わなければならないとされており、事業者は、当該超えた時間の算定を行ったときは、速やかに(おおむね2週間以内をいう。)、当該超えた時間が1月当たり80時間を超えた労働者に対し、当該労働者に係る当該超えた時間に関する情報を通知しなければならない。

B ○ 根拠 法66の8の2－Ⅰ、則52の7の2－Ⅰ　CH2 Sec9①

なお、休憩時間を除き1週間当たり40時間を超えて労働させた場合におけるその超えた時間の算定は、毎月1回以上、一定の期日を定めて行わなければならないとされており、事業者は、当該超えた時間の算定を行ったときは、速やかに、当該超えた時間が1月当たり100時間を超えた労働者に対し、当該労働者に係る当該超えた時間に関する情報を通知しなければならない。また、研究開発業務従事者に対する面接指導（法66条の8の2,1項）は、超えた時間の算定に係る期日後、遅滞なく行うものとされている。

確認してみよう！

研究開発業務従事者について、休憩時間を除き1週間当たり40時間を超えて労働させた場合におけるその超えた時間が1月当たり100時間を超えない場合であっても、当該超えた時間が80時間を超え、かつ、疲労の蓄積が認められる場合には、法66条の8,1項（長時間労働者に対する面接指導）の規定による面接指導の対象となるため、当該労働者から面接指導の申出があれば、事業者は、面接指導を行わなければならない。

C ○ 根拠 法66の8の3、H31.3.29基発0329第2号　CH2 Sec9①

労働時間の状況の把握の対象となる労働者には、労働基準法41条2号に規定する監督若しくは管理の地位にある者又は機密の事務を取り扱う者も含まれる。

確認してみよう！

労働時間の状況の把握は、労働者の健康確保措置を適切に実施するためのものであり、その対象となる労働者は、高度プロフェッショナル制度対象労働者を除き、①研究開発業務従事者、②事業場外労働のみなし労働時間制の適用者、③裁量労働制の適用者、④管理監督者等、⑤派遣労働者、⑥短時間労働者、⑦有期契約労働者を含めた全ての労働者である。

得点UP！

派遣労働者に対する労働時間の状況の把握は、派遣先に実施義務が課されている。

D　×　根拠 法66の８－Ⅰ、66の８の２－Ⅰ、H18.2.24基発0224003号、H31.3.29基発0329第２号　―

設問文の「面接指導に要した時間に係る賃金の支払については、当然には事業者の負担すべきものではなく、事業者が支払うことが望ましいとされている」とする部分が誤りである。「長時間労働者に対する面接指導」を受けるのに要した時間に係る賃金の支払いについては、当然には事業者の負担すべきものではなく、事業者が支払うことが望ましいとされているが、「研究開発業務従事者に対する面接指導」については、「事業者がその事業の遂行に当たり、当然実施されなければならない性格のものであり、所定労働時間内に行われる必要がある」とされ、さらに「その実施に要する時間は労働時間と解されるので、当該面接指導が時間外に行われた場合には、当然、割増賃金を支払う必要がある」とされている。なお、面接指導に要する費用に関する記述は正しい。

E　○　根拠 法66の８－Ⅰ、派遣法45－Ⅰ～Ⅲ、H18.2.24基発0224003号他　―

問10　正解　C　　正解率 52%

A　×　根拠 法88－Ⅰ　CH2 Sec10③

設問の法88条１項の計画は、工事の開始の日の「14日前」ではなく、「30日前」までに、厚生労働省令で定めるところにより、労働基準監督署長に届け出なければならない。

確認してみよう！

法88条１項の計画は、法28条の2,1項に規定する危険性又は有害性等の調査及びその結果に基づき講ずる措置並びに労働安全衛生マネジメントシステムに関する指針に従って事業者が行う自主的活動の措置を講じているものとして、労働基準監督署長が認定した事業者については、届け出ることを要しない。

B　×　根拠 法88－Ⅱ　CH2 Sec10③

設問の計画は、「都道府県労働局長」ではなく、「厚生労働大臣」に届け出なければならない。

C　○　根拠 法88－Ⅲ　CH2 Sec10③

D　×　根拠 法88－Ⅰ、令12－Ⅰ③、則85、クレーン則３－Ⅰ、５、44　―

危険な作業を必要とするものとして計画の届出（法88条１項の届出）が必要と

されるクレーンから除かれるのは、つり上げ荷重が「3トン未満（スタッカー式クレーンは1トン未満）」のものである。

得点UP!

危険な作業を必要とするものとして計画の届出（法88条1項の届出）が必要とされるクレーンは、特定機械等に該当するクレーン〔つり上げ荷重が3トン以上（スタッカー式クレーンは1トン以上）のクレーン〕である。

E ✕ 根拠 法88-Ⅰ、則85、別表7-①　―

危険な作業を必要とするものとして計画の届出が必要とされる動力プレス（機械プレスでクランク軸等の偏心機構を有するもの及び液圧プレスに限る。）から、圧力能力5トン未満のものを除くとする定めはない。

労働者災害補償保険法（労働保険の保険料の徴収等に関する法律を含む。）

問１　正解　A　　正解率 21%

A　×　根拠 則８、H20.4.1基発0401042号　　CH3 Sec2③

「経路の近くにある公衆トイレを使用する行為」は、則８条が定める日常生活上必要な行為に含まれない。則８条に定められている日常生活上必要な行為は、以下のとおりである。

① 日用品の購入その他これに準ずる行為
② 職業能力開発促進法に規定する公共職業能力開発施設の行う職業訓練（職業能力開発総合大学校において行われるものを含む。）、学校教育法に規定する学校において行われる教育その他これらに準ずる教育訓練であって職業能力の開発向上に資するものを受ける行為
③ 選挙権の行使その他これに準ずる行為
④ 病院又は診療所において診察又は治療を受けることその他これに準ずる行為
⑤ 要介護状態にある配偶者、子、父母、孫、祖父母及び兄弟姉妹並びに配偶者の父母の介護（継続的に又は反復して行われるものに限る。）

確認してみよう！
通常経路の途中で行うような「ささいな行為」（経路の近くにある公衆便所を使用する場合、帰途に経路の近くにある公園で短時間休息する場合や、経路上の店でタバコ、雑誌等を購入する場合、駅構内でジュースの立飲みをする場合、経路上の店で渇をいやすため極く短時間、お茶、ビール等を飲む場合、経路上で商売している大道の手相見、人相見に立寄って極く短時間手相や人相をみてもらう場合等）は、通勤に係る「逸脱・中断」に該当しない。

B　○　根拠 則８-①、H20.4.1基発0401042号　　CH3 Sec2③

Aの解説参照。

確認してみよう！
帰途で惣菜等を購入する場合、独身者が食堂に食事に立ち寄る場合、クリーニング店に立ち寄る場合等は、「日用品の購入その他これに準ずる行為」に該当する。

C　○　根拠 則８-④、H20.4.1基発0401042号　　CH3 Sec2③

Aの解説参照。

確認してみよう！

施術所において、柔道整復師、あん摩マッサージ指圧師、はり師、きゅう師等の施術を受ける行為は、「病院又は診療所において診察又は治療を受けることその他これに準ずる行為」に該当する。

D ○ 根拠 則8-② CH3 Sec2③

Aの解説参照。

E ○ 根拠 則8-⑤ CH3 Sec2③

Aの解説参照。

問2 正解 D 正解率 61%

A × 根拠 法7-Ⅰ③、S49.6.19基収1739号 CH3 Sec2③

設問の場合、通勤災害と認められる。通勤は、一般には労働者が事業主の支配管理下にあると認められる事業場構内（会社の門など）に到達した時点で終了するものであるが、設問のようにマイカー通勤者が車のライト消し忘れなどに気づき駐車場に引き返すことは一般にあり得ることであって、通勤とかけ離れた行為でなく、この場合、いったん事業場構内に入った後であっても、まだ、時間の経過もほとんどないことなどから通勤による災害として取り扱われる。

B × 根拠 法7-Ⅰ③、S49.3.4基収289号 CH3 Sec2③

設問の場合、通勤災害と認められる。マイカー通勤の共稼ぎの労働者で、配偶者の勤務先が同一方向にあって、しかも労働者の通勤経路からさほど離れていなければ、2人の通勤を自家用車の相乗りで行い、(労働者の勤務先を通り越して)配偶者の勤務先を経由することは、通常行われることであり、このような場合は、合理的な経路として取り扱われる。

得点UP！

マイカー通勤の共稼ぎの労働者で、配偶者の勤務先が同一方向にあるが、迂回する距離が3キロメートル（片道1.5キロメートル）と離れているときは、著しく距離が遠まわりであり、合理的な経路として取り扱うことは困難であるとして、逸脱中の災害に該当する（通勤災害に該当しない）とした事案（S49.8.28基収2169号）がある。

C × 根拠 法7-Ⅰ③、S52.12.23基収981号 CH3 Sec2③

設問の場合、通勤災害と認められる。入院中の配偶者の看護のため病院に寝泊まりすることは社会慣習上通常行われることであり、かつ、手術当日から長期間継続して寝泊まりしていた事実があることからして、被災当日の当該病院は、被災労働者にとって就業のための拠点としての性格を有する「住居」と認められる。

D 〇 根拠 法７－Ⅰ①、S50.12.25基収1724号 CH3 Sec2①

設問の場合は、「通勤災害」ではなく、「業務災害」と認められる。設問の災害は、次の①及び②の理由から、業務災害として取り扱われる。

① 事業場施設内における業務に就くための出勤又は業務を終えた後の退勤で「業務」と接続しているものは、業務行為そのものではないが、業務に通常付随する準備後始末行為と認められる。

② 設問の災害に係る退勤は、終業直後の行為であって、業務と接続する行為と認められること、当該災害が労働者の積極的な私的行為又は恣意行為によるものとは認められないこと、及び当該災害は、通常発生しうるような災害であることからみて事業主の支配下に伴う危険が現実化した災害であると認められる。

E × 根拠 法７－Ⅰ③、S50.6.9基収4039号 CH3 Sec2③

設問の場合、通勤災害と認められない。通勤災害に係る「通勤による疾病」とは、通勤による負傷又は通勤に関連ある諸種の状態（突発的又は異常なできごと等）が原因となって発病したことが医学的に明らかに認められるものをいうが、設問の労働者の通勤途中に発生した急性心不全による死亡については、特に発病の原因となるような通勤による負傷又は通勤に関連する突発的なできごと等が認められないことから「通勤に通常伴う危険が具体化したもの」とは認められない。

問３ 正解 C（イ・エ・オの三つ） 正解率 47％

ア × 根拠 R5.9.1基発0901第２号 CH3 Sec2①

頭部外傷等の器質性脳疾患に付随する精神障害、アルコールや薬物等による精神障害は、対象疾病には含まれない。

イ 〇 根拠 R5.9.1基発0901第２号 CH3 Sec2①

得点UP!

精神障害を発病して治療が必要な状態にある者は、一般に、病的状態に起因した思考から自責的・自罰的になり、ささいな心理的負荷に過大に反応するため、悪化の原因は必ずしも大きな心理的負荷によるものとは限らないこと、また、自然経過によって悪化する過程においてたまたま業務による心理的負荷が重なっていたにすぎない場合もあることから、業務起因性が認められない精神障害の悪化の前に強い心理的負荷となる業務による出来事が認められても、直ちにそれが当該悪化の原因であると判断することはできない（原則）。設問文**イ**及び解説文**ウ**の内容は、「悪化した部分について業務起因性が認められる」こととなる例外に関する記述である。

ウ　×　根拠 R5.9.1基発0901第２号　CH3 Sec2①

認定基準別表第１の特別な出来事がなくとも、悪化の前に業務による強い心理的負荷が認められる場合には、当該業務による強い心理的負荷、本人の個体側要因（悪化前の精神障害の状況）と業務以外の心理的負荷、悪化の態様やこれに至る経緯（悪化後の症状やその程度、出来事と悪化との近接性、発病から悪化までの期間など）等を十分に検討し、業務による強い心理的負荷によって精神障害が自然経過を超えて著しく悪化したものと精神医学的に判断されるときには、悪化した部分について業務起因性が認められる。

エ　○　根拠 R5.9.1基発0901第２号　CH3 Sec2①

なお、設問の場合、新たな疾病について、改めて認定要件に基づき業務起因性が認められるかを判断することとなる。

得点UP!

★ 症状安定後の新たな発病

「既存の精神障害について、一定期間、通院・服薬を継続しているものの、症状がなく、又は安定していた状態で、通常の勤務を行っている状況にあって、その後、症状の変化が生じたものについては、精神障害の発病後の悪化としてではなく、症状が改善し安定した状態が一定期間継続した後の新たな発病として、認定要件に照らして判断すべきものがある」こととされている。

オ　○　根拠 R5.9.1基発0901第２号　CH3 Sec2①

問４　正解　D　正解率 50%

A　○　根拠 R3.3.18基管発0318第１号・基補発0318第６号・基保発0318第１号

CH3 Sec4③

複数事業労働者については、複数就業先における全ての事業場における就労状況等を踏まえて、休業（補償）等給付に係る「労働することができない」を判断する必要がある。例えば、複数事業労働者が、現に一の事業場において労働者として就労した場合には、原則、「労働することができない」とは認められない。ただし、複数事業労働者が、現に一の事業場において労働者として就労しているものの、他方の事業場において通院等のため、所定労働時間の全部又は一部について労働することができない場合には、「労働することができない」に該当すると認められることがある。

確認してみよう！

「労働することができない」とは、必ずしも負傷直前と同一の労働ができないという意味ではなく、一般的に働けないことをいう。したがって、軽作業に就くことによって症状の悪化が認められない場合、あるいはその作業に実際に就労した場合には、休業（給付）等給付の対象とはならない。

B ○ 根拠 R3.3.18基管発0318第１号･基補発0318第６号･基保発0318第１号

—

確認してみよう！

★ 複数事業労働者の休業（補償）等給付に係る「賃金を受けない日」の判断

複数事業労働者の休業（補償）等給付に係る「賃金を受けない日」の判断については、まず複数就業先における事業場ごとに行う。その結果、一部の事業場でも賃金を受けない日に該当する場合には、当該日は「賃金を受けない日」に該当するものとして取り扱う。一方、全ての事業場において賃金を受けない日に該当しない場合は、当該日は「賃金を受けない日」に該当せず、休業（補償）等給付は行われない。

C ○ 根拠 R2.8.21基発0821第２号 CH3 Sec3①

得点UP!

複数業務要因災害における平均賃金相当額の算定

複数業務要因災害は原則として脳・心臓疾患及び精神障害を想定しているが、複数業務要因災害として認定される場合については、どの事業場においても業務と疾病等との間に相当因果関係が認められないものであることから、設問の場合（業務災害の場合）と異なり、遅発性疾病等の診断が確定した日においていずれかの事業場に使用されている場合は、当該事業場について当該診断確定日（賃金の締切日がある場合は直前の賃金締切日をいう。）以前3か月に支払われた賃金により平均賃金相当額を算定する。また、遅発性疾病等の診断が確定した日において全ての事業場を離職している場合は、遅発性疾病等の診断が確定した日から直近の離職日（最終離職日）を基準に、その日（賃金の締切日がある場合は直前の賃金締切日をいう。）以前3か月間に支払われた賃金により算定し当該金額を基礎として、診断によって疾病発生が確定した日までの賃金水準の上昇又は変動を考慮して算定する。

D ✕ 根拠 R2.8.21基発0821第2号 CH3 Sec3①

複数事業労働者の疾病が業務災害による遅発性疾病である場合で、その診断が確定した日において、災害発生事業場を離職している場合の、非災害発生事業場に係る平均賃金相当額については、算定事由発生日に当該事業場を離職しているか否かにかかわらず、「遅発性疾病等の診断が確定した日」ではなく「災害発生事業場を離職した日」から3か月前の日を始期として、災害発生事業場における離職日までの期間中に、非災害発生事業場から賃金を受けている場合は、災害発生事業場を離職した日の直前の賃金締切日以前3か月間に非災害発生事業場において支払われた賃金により算定する。

E ○ 根拠 R2.8.21基発0821第2号 CH3 Sec3①

問5 正解 C（ア・イ・ウの三つ） 正解率 27%

ア ○ 根拠 法16の4－Ⅰ① CH3 Sec6①

遺族補償年金を受ける権利は、その権利を有する遺族が次のいずれかに該当するに至ったときは、消滅する。

① 死亡したとき。

② 婚姻（届出をしていないが、事実上婚姻関係と同様の事情にある場合を含む。）をしたとき。

③ 直系血族又は直系姻族以外の者の養子（届出をしていないが、事実上養子縁組関係と同様の事情にある者を含む。）となったとき。

④　離縁によって、死亡した労働者との親族関係が終了したとき。

⑤　子、孫又は兄弟姉妹については、18歳に達した日以後の最初の３月31日が終了したとき（労働者の死亡の時から引き続き厚生労働省令で定める障害の状態にあるときを除く。）。

⑥　厚生労働省令で定める障害の状態にある夫、子、父母、孫、祖父母又は兄弟姉妹については、その事情がなくなったとき〔夫、父母又は祖父母については、労働者の死亡の当時60歳（法附則による暫定措置により55歳）以上であったとき、子又は孫については、18歳に達する日以後の最初の３月31日までの間にあるとき、兄弟姉妹については、18歳に達する日以後の最初の３月31日までの間にあるか又は労働者の死亡の当時60歳（法附則による暫定措置により55歳）以上であったときを除く。〕。

イ　○　根拠　法16の４－Ⅰ②　　CH3 Sec6①

アの解説参照。

ウ　○　根拠　法16の４－Ⅰ③　　CH3 Sec6①

アの解説参照。

エ　×　根拠　法16の４－Ⅰ⑤　　CH3 Sec6①

子・孫については、18歳に達した日以後の最初の３月31日が終了したときであっても、労働者の死亡の時から引き続き厚生労働省令で定める障害の状態にあるときは、その者の有する遺族補償年金の受給権は消滅しない。**ア**の解説参照。

オ　×　根拠　法16の４－Ⅰ⑤　　CH3 Sec6①

兄弟姉妹については、18歳に達した日以後の最初の３月31日が終了したときであっても、労働者の死亡の時から引き続き厚生労働省令で定める障害の状態にあるときは、その者の有する遺族補償年金の受給権は消滅しない。**ア**の解説参照。

問６　正解　Ｃ・Ｄ　　正解率　21%

Ａ　○　根拠　S52.3.30発労徴21号・基発192号　　CH3 Sec9①

なお、海外派遣者の特別加入は派遣元の団体又は事業主が日本国内で実施している事業について成立している保険関係に基づいて認められるものであるので、労災保険の保険関係が成立している事業をもたない団体又は事業主から承認の申請があった場合には、承認することはできない。

B ○ 根拠 S52.3.30発労徴21号・基発192号　CH3 Sec9①

なお、単なる留学の目的で海外に派遣される者の場合には、海外において行われる事業に従事する者としての要件を満たさないので、特別加入の対象とはならない。また、現地採用者は、特別加入の対象とならない。

C × 根拠 S52.3.30発労徴21号・基発192号　―

海外派遣者として特別加入している者が、同一の事由について派遣先の事業の所在する国の労災保険から保険給付が受けられる場合にも、我が国の労災保険給付との間の調整は行う必要がない。

D × 根拠 H3.2.1基発75号　―

海外派遣者として特別加入している者の赴任途上及び帰任途上の災害については、所定の要件を満たす場合には、保険給付が行われる。具体的には、赴任途上における災害のうち次の①～④の要件をすべて満たす場合には、赴任途上における業務上の事由による災害（赴任途上災害）とすることとされており、海外派遣者として特別加入している者に係る赴任途上災害についても同様に取り扱うこととされている。

① 新たに採用された労働者が、採用日以後の日において、その採用に伴う移転のため住居地から採用事業場等に赴く（新規赴任）途上又は転勤を命ぜられた労働者が、その転勤に伴う移転のため転勤前の住居地等から赴任先事業場等に赴く（転勤）途上に発生した災害であること。

② 赴任先事業主の命令に基づき行われる赴任であって社会通念上合理的な経路及び方法による赴任であること。

③ 赴任のために直接必要でない行為あるいは恣意的行為に起因して発生した災害でないこと。

④ 当該赴任に対し赴任先事業主より旅費が支給される場合であること。

E ○ 根拠 S52.3.30発労徴21号・基発192号　―

※ 本問については、誤った選択肢について択一すべきところ、本来正答とされるべき選択肢**C**以外にも選択肢**D**が誤った内容のものであったため、選択肢**C**及び**D**が正答とされた。

問７　正解　B（アとウ）　正解率 74%

ア　○　根拠　法12の２の２－Ⅱ　CH3 Sec7⑧

確認してみよう！

支給制限

① 労働者が、故意に負傷、疾病、障害若しくは死亡又はその直接の原因となった事故を生じさせたときは、政府は、保険給付を行わない。

② 労働者が故意の犯罪行為若しくは重大な過失により、又は正当な理由がなくて療養に関する指示に従わないことにより、負傷、疾病、障害若しくは死亡若しくはこれらの原因となった事故を生じさせ、又は負傷、疾病若しくは障害の程度を増進させ、若しくはその回復を妨げたときは、政府は、保険給付の全部又は一部を行わないことができる。

イ　×　根拠　法16の９－Ⅰ　CH3 Sec6③

設問のような規定はない。なお、法16条の9,1項においては、「労働者を故意に死亡させた者は、遺族補償給付を受けることができる遺族としない。」と規定されている。

ウ　○　根拠　法14の２、則12の４　CH3 Sec4③

エ　×　根拠　法12の５－Ⅰ　CH3 Sec7④

保険給付を受ける権利は、労働者の退職によって変更されることはない。したがって、労働者が退職した場合であっても、支給要件を満たす限り、保険給付を受けることができる。

オ　×　根拠　法12の３－Ⅰ　CH3 Sec7⑨

偽りその他不正の手段により保険給付を受けた者があるときは、政府は、その保険給付に要した費用に相当する金額の全部又は一部を「その者」から徴収することができる。なお、この場合において、事業主が虚偽の報告又は証明をしたためその保険給付が行われたものであるときは、政府は、その事業主に対し、保険給付を受けた者と連帯して徴収金を納付すべきことを命ずることができるとされている。

問８　正解　E　正解率 73%

A　○　根拠　法８－Ⅰ、則７　CH5 Sec2②

請負事業の一括の対象となるのは、労災保険に係る保険関係が成立している事業のうち建設の事業であり、雇用保険に係る保険関係については一括されない。

B ○ 根拠 法８－Ⅰ CH5 Sec2②

なお、元請負人が事業主とされたからといっても、労働関係の当事者として下請負人やその使用する労働者に対して使用者となるわけではない。

C ○ 根拠 法８－Ⅱ、則８ CH5 Sec2③

確認してみよう！

下請負事業の分離に係る申請

労働保険徴収法８条２項に定める下請負事業の分離に係る認可を受けようとする元請負人及び下請負人は、保険関係が成立した日の翌日から起算して10日以内に、所定の事項を記載した申請書（下請負人を事業主とする認可申請書）を所轄都道府県労働局長に提出しなければならない。ただし、やむを得ない理由により、この期限内に当該申請書の提出をすることができなかったときは、期限後であっても提出することができる。

D ○ 根拠 法８－Ⅱ、則８ CH5 Sec2③

Cの 確認してみよう！ 参照。なお、「やむを得ない理由」には、天災その他不可抗力等により期限内に申請書を提出することができない場合のほか、請負方式の特殊事情から事業開始前にした請負契約が成立せず、したがって、期限内に申請書を提出することが困難であると認められる場合等がある。

E × 根拠 法８－Ⅱ、則９ CH5 Sec2③

法８条２項に定める下請負事業の分離に係る認可を受けるためには、当該下請負事業の概算保険料の額に相当する額が160万円以上、「又は」、請負金額（消費税等相当額を除く。）が１億8,000万円以上であることが必要である。

問９ 正解 B

正解率 70%

A ○ 根拠 法21の２－Ⅰ、則38の４ CH5 Sec5⑤

確認してみよう！

口座振替の納付の対象となる労働保険料

①	概算保険料
②	延納により納付する概算保険料
③	確定保険料

B　×　根拠 法21の２-Ⅰ、則38の４　CH5 Sec5⑤

「納入告知書によって行われる納付についても認められる」とする記述が誤りである。納入告知書によって行われる納付については、労働保険料の口座振替による納付制度の対象とならない。なお、その他の記述は正しい。

確認してみよう！

納入告知書によって納付する労働保険料等

①	認定決定に係る確定保険料及び追徴金
②	認定決定に係る印紙保険料及び追徴金
③	有期事業のメリット制の適用による確定保険料の差額徴収
④	特例納付保険料

C　○　根拠 法21の２-Ⅰ、則38の２　―

D　○　根拠 法21の２-Ⅰ、則38-ⅠⅡ⑦　CH5 Sec4②

E　○　根拠 法21の２-Ⅰ、則38の３　―

なお、当該保険料の納付に関し必要な事項について金融機関に電磁的記録を送付したときは、設問の納付書を金融機関に送付する必要はない。

問10　正解　D　　正解率 42%

A　○　根拠 則73　CH5 Sec1③

確認してみよう！

代理人の選任・解任

⑴　事業主は、あらかじめ代理人を選任した場合には、労働保険徴収法施行規則によって事業主が行わなければならない事項を、その代理人に行わせることができる。

⑵　事業主は、上記⑴の代理人を選任し、又は解任したときは、所定の事項を記載した届書により、その旨を所轄労働基準監督署長又は所轄公共職業安定所長に届け出なければならない。当該届書に記載された事項であって代理人の選任に係るものに変更を生じたときも、同様とする。

B ○ 根拠 法42、則74 —

確認してみよう！

報告等の命令

⑴ 行政庁は、厚生労働省令で定めるところにより、保険関係が成立し、若しくは成立していた事業の事業主又は労働保険事務組合若しくは労働保険事務組合であった団体に対して、労働保険徴収法の施行に関し必要な報告、文書の提出又は出頭を命ずることができる。

⑵ 上記⑴による命令は、所轄都道府県労働局長、所轄労働基準監督署長又は所轄公共職業安定所長が文書によって行うものとする。

C ○ 根拠 法41-Ⅰ、H21.2.27基発0227003号、徴収関係事務取扱手引Ⅰ —

労働保険料その他労働保険徴収法の規定による徴収金を徴収し、又はその還付を受ける権利は、これらを行使することができる時から２年を経過したときは、時効によって消滅する。

得点UP！

これらを行使することができる時（時効の起算日）

精算返還金に係る時効の起算日は、次のとおりである。

⑴ 継続事業における年度更新期間（６月１日～７月10日）の確定精算に伴う精算返還金は、６月１日である。ただし、当該申告書が法定期限内に提出されたときは、その提出された日の翌日となる。

⑵ 継続事業の廃止及び有期事業の終了に伴う精算返還金は、事業の廃止又は終了の日の翌日である。ただし、当該申告書が法定期限内に提出されたときは、その提出された日の翌日となる。

⑶ 有期事業においてメリット制の適用により労働保険料が引き下げられた場合に生ずる精算返還金は、その旨の通知のあった日の翌日である。

D × 根拠 法41-Ⅰ、H21.2.27基発0227003号、徴収関係事務取扱手引Ⅰ —

Cの 得点UP！ 参照。

E ○ 根拠 法41-Ⅱ、徴収関係事務取扱手引Ⅰ CH5 Sec9⑥

政府が行う労働保険料その他労働保険徴収法の規定による徴収金の徴収の告知又は督促は、時効の更新の効力を生ずる。

時効の更新の効力を生ずる「徴収の告知又は督促」

①	認定決定した概算保険料についての通知（法15条３項）
②	追加徴収に係る概算保険料の追加納付額についての通知（法17条２項）
③	認定決定した確定保険料についての納入の告知（法19条４項）
④	有期事業に係るメリット制の適用に伴う確定保険料の差額（不足額）についての納入の告知（法20条４項）
⑤	追徴金についての納入の告知（法21条３項）
⑥	認定決定した印紙保険料及びこれに係る追徴金についての納入の告知（法25条１項、３項）
⑦	特例納付保険料についての納入の告知（法26条４項）
⑧	延滞金についての通知（法28条）
⑨	労働保険料等についての督促状による督促（法27条）

雇用保険法（労働保険の保険料の徴収等に関する法律を含む。）

問１　正解　A　　正解率 82%

A ✕ 根拠 法４－Ⅰ、行政手引20351　　CH4 Sec2②

代表取締役は被保険者とならない。

確認してみよう！

取締役の労働者性

株式会社の取締役は、原則として、被保険者としない。取締役であって同時に会社の部長、支店長、工場長等従業員としての身分を有する者は、報酬支払等の面からみて労働者的性格の強い者であって、雇用関係があると認められるものに限り被保険者となる。

B ○ 根拠 法４－Ⅰ、行政手引20352　　—

適用事業の事業主に雇用されつつ、自営業を営む者又は他の事業主の下で委任関係に基づきその事務を処理する者（雇用関係にない法人の役員等）については、当該適用事業の事業主の下での就業条件が被保険者となるべき要件を満たすものである場合には、被保険者として取り扱うこととされている。

C ○ 根拠 法４－Ⅰ、行政手引20352　　CH4 Sec2②

D ○ 根拠 法４－Ⅰ、行政手引20351　　—

中小企業等協同組合法に基づく企業組合の組合員は、組合との間に中小企業等協同組合法に基づく組合関係が存在することはもちろんであるが、次の①②の２つの要件を満たしている場合で、企業組合と組合員との間において組合関係とは別に雇用関係も存在することが明らかに認められる場合は、被保険者となる。

① 組合と組合員との間に使用従属の関係があること（組合員が組合の行う事業に従事し、組合に労働を提供する場合に、組合員以外の者で組合の行う事業に従事する者と同様に組合の支配に服し、その規律の下に労働を提供していること。）。

② 組合との使用従属関係に基づく労働の提供に対し、その対償として賃金が支払われていること。

E ○ 根拠 法４－Ⅰ、６－④、則３の２－③、行政手引20303　　CH4 Sec2②

なお、大学の夜間学部及び高等学校の夜間等の定時制の課程の者等以外のもの（「昼間学生」という）は、夜間等において就労しても、原則として被保険者とはならない。

問２ 正解 B　　正解率 53%

A × 根拠 法13-Ⅰ、14　　CH4 Sec3②

算定対象期間は、原則として離職の日以前２年間であるが、当該期間に疾病、負傷その他厚生労働省令で定める理由により引き続き30日以上賃金の支払を受けることができなかった被保険者については、当該理由により賃金の支払を受けることができなかった日数を２年に加算した期間（その期間が４年を超えるときは、４年間）となる（受給要件の緩和）。

設問においては、Ｚ社の離職日である令和６年２月29日以前２年間は、令和４年３月１日から令和６年２月29日であるが、このうちＺ社就職日（令和５年11月５日）前の期間は雇用保険法の被保険者ではないため、「疾病、負傷その他厚生労働省令で定める理由により引き続き30日以上賃金の支払を受けることができなかった被保険者」には該当せず、受給要件の緩和は行われない。したがって、設問においては、Ｚ社離職の日以前２年間が算定対象期間となり、当該期間内にある被保険者期間は「３と２分の１か月」となる。

※　なお、設問の者は、Ｚ社を私傷病により離職したため、特定理由離職者に該当すると考えられる。したがって、「離職の日以前２年間の算定対象期間に、被保険者期間が通算して12箇月に満たない（基本手当の受給資格要件を満たさない）とき」は、離職の日以前１年間の算定対象期間により受給資格要件としての被保険者期間を計算するが、結果としてその期間は、３と２分の１か月であることに変わりはない。

B ○ 根拠 法13-Ⅰ、14　　CH4 Sec3②

Ａの解説参照。

C × 根拠 法13-Ⅰ、14　　CH4 Sec3②

Ａの解説参照。

D × 根拠 法13-Ⅰ、14　　CH4 Sec3②

Ａの解説参照。

E × 根拠 法13-Ⅰ、14　　CH4 Sec3②

Ａの解説参照。

問3 正解 D　正解率 70%

A ○ 根拠 法21、37-Ⅸ　CH4 Sec4②

傷病手当には、基本手当の待期の規定が準用されている。

B ○ 根拠 法37-Ⅳ　CH4 Sec4②

C ○ 根拠 法37-Ⅰ、則63-Ⅰ　CH4 Sec4②

なお、当該支給日がないときは、受給期間の最後の日から起算して1箇月を経過した日までに受けなければならないとされている。

D × 根拠 法37-Ⅷ　CH4 Sec4②

設問の場合は、傷病手当は支給されない。

確認してみよう！

傷病の認定を受けた受給資格者が、当該認定を受けた日について、健康保険法の規定による傷病手当金、労働基準法の規定による休業補償、労働者災害補償保険法の規定による休業補償給付、複数事業労働者休業給付又は休業給付その他これらに相当する給付であって法令（法令の規定に基づく条例又は規約を含む。）により行われるもののうち政令で定めるものの支給を受けることができる場合には、傷病手当は、支給しない。

E ○ 根拠 37-Ⅲ　CH4 Sec4②

問4 正解 C　正解率 15%

A ○ 根拠 法7、則7-Ⅰ Ⅲ　CH4 Sec2⑤

B ○ 根拠 則19-Ⅰ　—

C × 根拠 法7、則7-Ⅰ②、36-⑨　—

設問の者は、則7条1項1号に掲げる書類（雇用保険被保険者離職証明書及び賃金台帳その他の離職の日前の賃金の額を証明することができる書類）及び第36条各号に掲げる理由により離職したことを証明することができる書類（設問においては「当該退職勧奨により離職したことを証明する書類」）を添えて提出することとなる。設問の添付書類に、「賃金台帳その他の離職の日前の賃金の額を証明することができる書類」が含まれていないため誤りとなる。なお、行政手引に記載されている細かい取扱いを誤りの論点としている可能性もあるが、TACとしては、上記の内容を論点とした。

D ○ 根拠 法69-Ⅰ、行政手引50206　雇用保険に係る不服申立て及び訴訟に関する業務取扱要領 ―

E ○ 根拠 則19-Ⅳ ―

問５ 正解 E（エとオ） 正解率 67%

ア × 根拠 法34-Ⅰ ―

自己の労働による収入を届け出ないことは、原則として不正の行為に該当するが、減額の対象とならない額の届出については、これを届け出なくても不正の行為であるとして取り扱うことはできないこととされている。

イ × 根拠 法10の４-Ⅰ CH4 Sec10③

設問の「３倍」を「２倍」と読み替えると、正しい記述となる。

ウ × 根拠 法10の４-Ⅰ CH4 Sec10③

政府が返還することを命ずることができる失業等給付は、偽りその他不正の行為によって支給を受けた失業等給付の全部又は一部であって、不正受給者が適法に受給した失業等給付には及ばない。

エ ○ 根拠 則139の４-Ⅱ ―

オ ○ 根拠 法34-Ⅰただし書 CH4 Sec10⑤

偽りその他不正の行為により求職者給付又は就職促進給付の支給を受け、又は受けようとした者には、これらの給付の支給を受け、又は受けようとした日以後、基本手当を支給しない。ただし、やむを得ない理由がある場合には、基本手当の全部又は一部を支給することができる。

得点UP!

やむを得ない理由がある場合

基本手当の全部又は一部を支給することができる「やむを得ない理由」があるか否かの判断は、不正をなすに至った動機、不正の度合、反省の情の程度等の諸条件を総合的に検討した上で決定されることとされており、これらの条件のうち単に1つの条件を満たすことによってのみ決定されるものではない。それぞれの条件について具体例を挙げると、次のようなものがある。

(1) 不正をなすに至った動機にやむを得ない理由ありと認められる次のような場合
　① 受給者の生計が著しく貧困であり、かつ、社会通念上やむを得ないと認められる支出の必要に迫られている場合。例えば、生活保護法による生活保護を受け、又は生活保護を受けるべき基準に達している場合であって、家族の病気あるいは養育のため緊急な支出を必要としているときなどが該当する。
　② 他人の圧迫により不正受給を余儀なくされた場合。例えば、事業主が、支給終了まで基本手当その他の求職者給付を受給すれば、その後は賃金を支払うという条件で雇用するといった場合であって、受給によって生計を維持する必要に迫られているときなどが該当する。
(2) 不正の度合が軽微であって、受給権のすべてを剥奪することが酷に失する場合
　① 不正の原因たる事実がごく軽微な場合
　② 不正の意図が軽微な場合
(3) 反省の情が顕著な場合
　① 不正行為が発見される前に、自発的に届け出た場合
　② 不正行為が発見される前に、不正受給金を自発的に返納した場合

問6　正解　A　　正解率 53%

A　○　根拠 法61の6　　CH4 Sec9①

なお、高年齢再就職給付金についても同様である。

B　×　根拠 法61の2-Ⅳ　　CH4 Sec7①

設問の就業促進手当（再就職手当）を受けた者には、同一の就職につき高年齢再就職給付金は支給されない。

確認してみよう!

高年齢再就職給付金の支給を受けることができる者が、同一の就職につき就業促進手当（再就職手当に限る。以下同じ。）の支給を受けることができる場合において、その者が就業促進手当の支給を受けたときは高年齢再就職給付金を支給せず、高年齢再就職給付金の支給を受けたときは就業促進手当を支給しない。

C　×　根拠 法61-Ⅴ①、61の2-Ⅲ　　CH4 Sec9②

高年齢再就職給付金の受給資格者に対して再就職後の支給対象月に支払われた

賃金の額が、基本手当の日額の算定の基礎となった賃金日額に30を乗じて得た額の「100分の64」に相当する額未満であるとき、当該受給資格者に対して支給される高年齢再就職給付金の額は、支給対象月に支払われた賃金の額の「100分の10」となる。

D ✕ 根拠 法61-Ⅶ　CH4 Sec9①

設問の「変更後の支給限度額は当該変更から３か月間、変更前の支給限度額の額とみなされる」とする規定はない。なお、支給対象月に支払われた賃金の額が支給限度額以上となった場合、当該支給対象月について高年齢雇用継続基本給付金は支給されない。

E ✕ 根拠 法61-Ⅱ　CH4 Sec9①

高年齢雇用継続基本給付金は、育児休業給付金の支給を受けることができる休業をした場合には、その月の初日から末日まで引き続いて当該休業をした月については支給されないが、それ以外の月（月の一部のみ当該休業をした場合）については、他の要件を満たす限り支給される。設問においては、その月の初日から末日まで引き続いて休業していたか否かが明確でなく、支給されない場合もあり得ることから、「支給される」とする記述は誤りである。

問7　正解　E　正解率 57%

A 〇 根拠 法62-Ⅰ①、則102の３-Ⅰ②イ(4)　—

B 〇 根拠 法62-Ⅰ①、則102の３-Ⅴ　—

C 〇 根拠 法62-Ⅰ①、則102の３-Ⅶ　—

D 〇 根拠 法62-Ⅰ①、則102の３-Ⅰ④イ　—

E ✕ 根拠 法62-Ⅰ①、則102の３-Ⅰ③、Ⅲ　—

設問の雇用調整助成金の支給は、原則として、支給日数が100日に達するまで受けることができるのであって、設問のように「届出の際に当該事業主が指定した日から起算して３年間」受けることができるのではない。

問8　正解　C　正解率 55%

A ✕ 根拠 法附則３　CH5 Sec1③

設問の場合、「適用事業に該当するに至った日」に、法律上当然に雇用保険に係る保険関係が成立する。保険関係成立届は、保険関係が新たに成立した場合に提出するものであり、保険関係成立届の提出は保険関係の成立の要件ではない。

B ✕ 根拠 法39-Ⅰ、則70-① CH5 Sec1②

設問の事業は、二元適用事業（労災保険に係る保険関係と雇用保険に係る保険関係ごとに別個の2つの事業として取り扱い、一般保険料の算定、納付等の手続はそれぞれこの2つの事業ごとに二元的に処理する事業）として定められている。

確認してみよう！

二元適用事業

次に掲げる事業については、当該事業を労災保険に係る保険関係及び雇用保険に係る保険関係ごとに別個の事業とみなして労働保険徴収法を適用する。

①	都道府県及び市町村の行う事業
②	都道府県に準ずるもの及び市町村に準ずるものの行う事業
③	港湾労働法の港湾運送の行為を行う事業
④	農林の事業又は畜産、養蚕、水産の事業（船員が雇用される事業を除く。）
⑤	建設の事業

C ○ 根拠 法4の2-Ⅱ、則5-Ⅰ①、Ⅱ CH5 Sec1③

D ✕ 根拠 法附則4 CH5 Sec1④

設問の場合、厚生労働大臣の認可があった「日の翌日」に、保険関係が消滅する。

E ✕ 根拠 法5 CH5 Sec1④

設問の場合、その事業についての保険関係は、「その翌日」に消滅する。

問9 正解 D　正解率 16%

A ○ 根拠 則42-ⅡⅤ CH5 Sec7②

なお、雇用保険印紙購入通帳の有効期間の更新を受けようとする事業主は、当該雇用保険印紙購入通帳の有効期間が満了する日の翌日の1月前から当該期間が満了する日までの間に、当該雇用保険印紙購入通帳を添えて、所定の事項を記載した申請書を所轄公共職業安定所長に提出して、新たに雇用保険印紙購入通帳の交付を受けなければならない。

B ○ 根拠 則42-Ⅵ —

なお、事業主は、雇用保険印紙購入通帳を滅失し、又はき損した場合であって、当該保険年度中に雇用保険印紙を購入しようとするときについても、その旨を所轄公共職業安定所長に申し出て、再交付を受けなければならない。

C ○ 根拠 則42-Ⅷ —

なお、事業主は、事業の廃止等により雇用保険印紙を購入する必要がなくなったときについても、速やかに、その所持する雇用保険印紙購入通帳を所轄公共職業安定所長に返納しなければならない。

D × 根拠 法24、則54、55 —

雇用保険印紙と印紙保険料納付計器を併用して印紙保険料を納付する場合には、印紙保険料納付状況報告書と併せて「印紙保険料納付計器使用状況報告書」によって報告しなければならない。

確認してみよう！

印紙保険料に係る報告

⑴ 雇用保険印紙購入通帳の交付を受けている事業主は、所定の事項を記載した報告書（印紙保険料納付状況報告書）によって、毎月における雇用保険印紙の受払状況を翌月末日までに、所轄都道府県労働局歳入徴収官に報告しなければならない。

⑵ 印紙保険料納付計器を設置した事業主は、所定の事項を記載した報告書（印紙保険料納付計器使用状況報告書）によって、毎月における印紙保険料納付計器の使用状況を翌月末日までに、当該印紙保険料納付計器を設置した事業場の所在地を管轄する公共職業安定所長を経由して、納付計器に係る都道府県労働局歳入徴収官に報告しなければならない。

E ○ 根拠 則52-ⅠⅡ —

問10 正解 D　正解率 78%

A × 根拠 法５、19-Ⅰ、則38-Ⅰ CH5 Sec5①

設問の場合には同年「５月20日」までに提出しなければならない。継続事業における確定保険料申告書は、原則として次の保険年度の６月１日から40日以内（すなわち７月10日まで）に提出しなければならないとされているが、保険年度の中途に保険関係が消滅した場合には、保険関係が消滅した日から50日以内に提出しなければならないとされている。設問のように、３月31日に事業が廃止された場合には、その翌日（4月1日）に保険関係が消滅することから、4月1日から50日以内（5月20日まで）に提出しなければならないこととなる。

B ✕ 根拠 法5、19-Ⅱ、則38-Ⅰ　CH5 Sec5①

設問の場合には同年「5月20日」までに提出しなければならない。有期事業における確定保険料申告書は、保険関係が消滅した日から50日以内に提出しなければならないとされている。設問のように、3月31日に事業が終了した場合には、その翌日（4月1日）に保険関係が消滅することから、4月1日から50日以内（5月20日まで）に提出しなければならないこととなる。

C ✕ 根拠 則34　CH5 Sec2①

設問の報告書（一括有期事業報告書）は、その事業が継続している場合には、次の保険年度の6月1日から起算して40日以内（すなわち「7月10日」まで）に提出しなければならない。なお、保険関係が消滅した場合には、その消滅した日から起算して50日以内に提出しなければならない。

D ○ 根拠 法11-Ⅱ、19-Ⅰ、S24.10.5基災収5178号　CH5 Sec3③

前保険年度の末日までに支払が確定した賃金であれば、前保険年度間に現実に支払われていないものであっても、前保険年度の確定保険料として申告すべき一般保険料の額を算定する際の賃金総額に含まれる。

E ✕ 根拠 法21-Ⅲ、則26、38-Ⅴ　CH5 Sec5④

設問文中の「事業主が通知を受けた日から起算して30日を経過した日」を「通知を発する日から起算して30日を経過した日」と読み替えると、正しい記述となる。

労務管理その他の労働及び社会保険に関する一般常識

問１　正解　D　　正解率 35%

A　○　根拠「令和４年労働安全衛生調査（実態調査）（事業所調査）（厚生労働省）」

―

B　○　根拠「令和４年労働安全衛生調査（実態調査）（事業所調査）（厚生労働省）」

―

C　○　根拠「令和４年労働安全衛生調査（実態調査）（事業所調査）（厚生労働省）」

―

D　×　根拠「令和４年労働安全衛生調査（実態調査）（事業所調査）（厚生労働省）」

―

困難や課題と感じている内容（複数回答）をみると、「代替要員の確保」の割合が最も多く、次いで「上司や同僚の負担」となっている。なお、設問前段の記述は正しい。

E　○　根拠「令和４年労働安全衛生調査（実態調査）（事業所調査）（厚生労働省）」

―

問２　正解　A　　正解率 71%

A　×　根拠「令和４年労使間の交渉等に関する実態調査（厚生労働省）」　―

正社員以外の労働者に関して使用者側と話合いが持たれた事項（複数回答）をみると、「正社員以外の労働者（派遣労働者を除く）の労働条件」の割合が最も高く、次いで「同一労働同一賃金に関する事項」、「正社員以外の労働者（派遣労働者を含む）の正社員への登用制度」の順となっている。

B　○　根拠「令和４年労使間の交渉等に関する実態調査（厚生労働省）」　―

C　○　根拠「令和４年労使間の交渉等に関する実態調査（厚生労働省）」　―

D　○　根拠「令和４年労使間の交渉等に関する実態調査（厚生労働省）」　―

E　○　根拠「令和４年労使間の交渉等に関する実態調査（厚生労働省）」　―

問3　正解　B　　正解率 69%

A ✕ 根拠 労契法6、H24.8.10基発0810第2号　　CH6 Sec2①

合意の要素は、「労働者が使用者に使用されて労働すること」及び「使用者がこれに対して賃金を支払うこと」であり、労働条件を詳細に定めていなかった場合であっても、労働契約そのものは成立し得る。

確認してみよう！

労働契約の成立の要件としては、契約内容について書面を交付することまでは求められない。

B ○ 根拠 労契法7、H24.8.10基発0810第2号　　—

なお、法7条の「労働者に周知させていた」は、その事業場の労働者及び新たに労働契約を締結する労働者に対してあらかじめ周知させていなければならないものであり、新たに労働契約を締結する労働者については、労働契約の締結と同時である場合も含まれる。

確認してみよう！

労働契約法7条

労働者及び使用者が労働契約を締結する場合において、使用者が合理的な労働条件が定められている就業規則を労働者に周知させていた場合には、労働契約の内容は、その就業規則で定める労働条件によるものとする。ただし、労働契約において、労働者及び使用者が就業規則の内容と異なる労働条件を合意していた部分については、法12条（就業規則違反の労働契約）に該当する場合を除き、この限りでない。

C ✕ 根拠 労契法10、11条、H24.8.10基発0810第2号　　—

労働基準法89条（就業規則の作成及び届出の義務）及び90条（就業規則の作成の手続）に規定する就業規則に関する手続が履行されていることは、労働契約法10条本文の「労働契約の内容である労働条件は、当該変更後の就業規則に定めるところによる」という法的効果を生じさせるための要件ではないものの、同条本文の就業規則変更の合理性判断に際しては、就業規則の変更に係る諸事情が総合的に考慮されることから、使用者による労働基準法89条及び90条の遵守の状況は、合理性判断に際して考慮され得るものである。

確認してみよう！

労働契約法10条

使用者が就業規則の変更により労働条件を変更する場合において、変更後の就業規則を労働者に周知させ、かつ、就業規則の変更が、労働者の受ける不利益の程度、労働条件の変更の必要性、変更後の就業規則の内容の相当性、労働組合等との交渉の状況その他の就業規則の変更に係る事情に照らして合理的なものであるときは、労働契約の内容である労働条件は、当該変更後の就業規則に定めるところによるものとする。ただし、労働契約において、労働者及び使用者が就業規則の変更によっては変更されない労働条件として合意していた部分については、法12条（就業規則違反の労働契約）に該当する場合を除き、この限りでない。

得点UP！

法10条の「労働契約の内容である労働条件は、当該変更後の就業規則に定めるところによる」という法的効果が生じるのは、就業規則の変更という方法によって労働条件を変更する場合において、使用者が「変更後の就業規則を労働者に周知させ」たこと及び「就業規則の変更が合理的なものである」ことという要件を満たした場合である。

D　×　根拠　労契法17-Ⅰ、H24.8.10基発0810第２号　—

法17条１項（有期労働契約期間中の解雇）の「やむを得ない事由」があるか否かは、個別具体的な事案に応じて判断されるものであるが、契約期間は労働者及び使用者が合意により決定したものであり、遵守されるべきものであることから、「やむを得ない事由」があると認められる場合は、解雇権濫用法理における「客観的に合理的な理由を欠き、社会通念上相当であると認められない場合」以外の場合よりも狭いと解されるものである。

確認してみよう！

労働契約法17条１項

使用者は、期間の定めのある労働契約（有期労働契約）について、やむを得ない事由がある場合でなければ、その契約期間が満了するまでの間において、労働者を解雇することができない。

得点UP！

法17条1項は、「解雇することができない」旨を規定したものであることから、使用者が有期労働契約の契約期間中に労働者を解雇しようとする場合の根拠規定になるものではなく、使用者が当該解雇をしようとする場合には、民法628条が根拠規定となるものであり、「やむを得ない事由」があるという評価を基礎付ける事実についての主張立証責任は、使用者側が負う。

E × 根拠 労契法18-Ⅰ　　CH6 Sec2①

設問のような「当該使用者が、当該労働者に対し、・・・労働契約の申込みをしたものとみなす」とする規定はない。労働契約法18条1項によれば、「同一の使用者との間で締結された2以上の有期労働契約（契約期間の始期の到来前のものを除く。以下同じ。）の契約期間を通算した期間が5年を超える**労働者**が、当該使用者に対し、現に締結している有期労働契約の契約期間が満了する日までの間に、当該満了する日の翌日から労務が提供される期間の定めのない労働契約の締結の**申込みをしたとき**は、使用者は当該申込みを**承諾したものとみなす**」こととされている。

問4 正解 **E（エとオ）**　　正解率 65%

ア ○ 根拠 職安法5の4-Ⅱ　　—

得点UP！

公共職業安定所、特定地方公共団体及び職業紹介事業者、募集情報等提供事業を行う者並びに労働者供給事業者は、職業安定法に基づく業務に関して広告等（新聞、雑誌その他の刊行物に掲載する広告、文書の掲出又は頒布その他厚生労働省令で定める方法）により求人等に関する情報を提供するときは、正確かつ最新の内容に保つための措置を講じなければならない。

イ ○ 根拠 最賃法8　　CH6 Sec2⑨

なお、設問の最低賃金法8条の規定に違反した者（地域別最低賃金及び船員に適用される特定最低賃金に係るものに限る。）は、30万円以下の罰金に処せられる。

ウ ○ 根拠 障雇法34、35、H27.3.25厚労告116号　　—

得点UP！

次に掲げる措置を講ずることは、障害者であることを理由とする差別に該当しない。
① 積極的差別是正措置として、障害者でない者と比較して障害者を有利に取り扱うこと
② 合理的配慮を提供し、労働能力等を適正に評価した結果として障害者でない者と異なる取扱いをすること
③ 合理的配慮に係る措置を講ずること（その結果として、障害者でない者と異なる取扱いとなること）
④ 障害者専用の求人の採用選考又は採用後において、仕事をする上での能力及び適性の判断、合理的配慮の提供のためなど、雇用管理上必要な範囲で、プライバシーに配慮しつつ、障害者に障害の状況等を確認すること

エ ✕ 根拠 労施法９ CH6 Sec3①

労働施策総合推進法９条は、「事業主は、労働者がその有する能力を有効に発揮するために必要であると認められるときとして厚生労働省令で定めるときは、労働者の募集及び採用について、厚生労働省令で定めるところにより、その年齢にかかわりなく均等な機会を与えなければならない。」と定めている。

オ ✕ 根拠 パート有期法８、H30.12.28厚労告430号 —

「短時間労働者・有期雇用労働者及び派遣労働者に対する不合理な待遇の禁止等に関する指針（平成30.12.28厚労告430号）」では、パートタイム・有期雇用労働法８条及び９条に基づき、短時間・有期雇用労働者の待遇に関して、原則となる考え方及び具体例を示しており、設問のケースは、「問題となる例」として挙げられている。なお、「基本給の一部について、労働者の業績又は成果に応じて支給しているＡ社において、所定労働時間が通常の労働者の半分の短時間労働者であるＸに対し、その販売実績が通常の労働者に設定されている販売目標の半分の数値に達した場合には、通常の労働者が販売目標を達成した場合の半分を支給している」ケースは、同指針において、パートタイム・有期雇用労働法上「問題とならない例」として挙げられている。

問５ 正解 Ｃ 正解率 66%

Ａ ○ 根拠 社労士法２-Ⅰ、Ｓ57.1.29庁保発２号 CH10 Sec2③

確認してみよう！

社会保険労務士は、次に掲げる事務を行うことを業とする。

1号業務	
（申請手続等業務）	
①	労働社会保険諸法令に基づいて行政機関等に提出する申請書等を作成すること
②	申請書等について、その提出に関する手続を代わってすること
③	労働社会保険諸法令に基づく申請等について、又は当該申請等に係る行政機関等の調査若しくは処分に関し当該行政機関等に対してする主張若しくは陳述について、代理すること（「事務代理」という）
（紛争解決手続代理業務）	
④	個別労働紛争解決促進法に規定する紛争調整委員会におけるあっせんの手続並びに障害者雇用促進法、労働施策総合推進法、男女雇用機会均等法、労働者派遣法、育児介護休業法及びパートタイム・有期雇用労働法に規定する調停の手続について、紛争の当事者を代理すること
⑤	都道府県知事の委任を受けて都道府県労働委員会が行う個別労働関係紛争（一定の紛争を除く）に関するあっせんの手続について、紛争の当事者を代理すること
⑥	個別労働関係紛争（紛争の目的の価額が120万円を超える場合には、弁護士が同一の依頼者から受任しているものに限る）に関する民間紛争解決手続であって、厚生労働大臣が指定する団体が行うものについて、紛争の当事者を代理すること
2号業務	
⑦	労働社会保険諸法令に基づく帳簿書類（上記①の書類を除く。）を作成すること
3号業務	
⑧	事業における労務管理その他の労働に関する事項及び労働社会保険諸法令に基づく社会保険に関する事項について相談に応じ、又は指導すること

B ○ 根拠 社労士則16の3 —

なお、Aの 確認してみよう！ 参照。

C × 根拠 社労士法14の2－ⅠⅡ、26、27 CH10 Sec2③

設問の場合、社労士法26条（名称の使用制限）及び同法27条（業務の制限）違反となる。

確認してみよう！

・社会保険労務士でない者は、社会保険労務士又はこれに類似する名称を用いてはならない（法26-Ⅰ）。
・社会保険労務士又は社会保険労務士法人でない者は、原則として、他人の求めに応じ報酬を得て、1号業務又は2号業務を業として行ってはならない（法27）。

D ○ 根拠 社労士法14の6－Ⅱ、14の8－Ⅰ CH10 Sec2③

なお、全国社会保険労務士会連合会（連合会）が登録を拒否しようとする場合においては、連合会に置かれた資格審査会の議決に基づいてしなければならない。

E ○ 根拠 社労士法20、25の20 CH10 Sec2③

問6 正解 E 正解率 46%

A × 根拠 確給法77－ⅠⅡ —

基金の分割は、実施事業所の一部について行うことはできない。なお、設問前半の記述は正しい。

B × 根拠 確給法78－Ⅰ —

設問の場合は、その増加又は減少に係る厚生年金適用事業所の事業主の「全部」の同意及び労働組合等の同意を得なければならない。

C × 根拠 確給法85－Ⅰ —

設問の「3分の2以上」を「4分の3以上」と読み替えると、正しい記述となる。

D × 根拠 確給法89－Ⅲ —

事業主は、その実施する確定給付企業年金の清算人となることはできない。

E ○ 根拠 確給法89－Ⅵ —

問7 正解 D 正解率 55%

A ○ 根拠 確拠法19－Ⅲ CH10 Sec2①

事業主は、政令で定めるところにより、年1回以上、定期的に企業型年金加入者に係る掛金を拠出するものとされているが、企業型年金規約で定めるところにより、企業型年金加入者も自ら掛金を拠出することができるとされている。

B ○ 根拠 確拠法21の2－Ⅰ CH10 Sec2①

事業主は、事業主掛金を企業型年金規約で定める日までに資産管理機関に納付するものとする。また、企業型年金加入者掛金を拠出する企業型年金加入者は、企業型年金加入者掛金を企業型年金規約で定める日までに事業主を介して（給与から天引き）資産管理機関に納付するものとする。

C ○ 根拠 確拠法31 —

確認してみよう！

企業型年金の給付は、老齢給付金、障害給付金及び死亡一時金とし、当分の間、一定の要件に該当する企業型年金加入者であった者は、脱退一時金の支給を請求することができる。

D × 根拠 確拠法66-Ⅰ —

個人型年金加入者は、氏名及び住所その他の事項を、「当該個人型年金加入者が指定した運用関連業務を行う確定拠出年金運営管理機関」ではなく「国民年金基金連合会」に届け出なければならない。

E ○ 根拠 確拠法68-Ⅱ CH10 Sec2①

確認してみよう！

個人型年金加入者は、政令で定めるところにより、年１回以上、定期的に掛金を拠出する。

問８ 正解 B 正解率 55%

A × 根拠 国保法４-Ⅴ —

設問の責務を負うのは、「市町村（特別区を含む。）」ではなく「都道府県」である。

確認してみよう！

① 国は、国民健康保険事業の運営が健全に行われるよう必要な各般の措置を講ずるとともに、第１条に規定する目的の達成に資するため、保健、医療及び福祉に関する施策その他の関連施策を積極的に推進するものとする。
② 都道府県は、安定的な財政運営、市町村の国民健康保険事業の効率的な実施の確保その他の都道府県及び当該都道府県内の市町村の国民健康保険事業の健全な運営について中心的な役割を果たすものとする。
③ 市町村は、被保険者の資格の取得及び喪失に関する事項、国民健康保険の保険料の徴収、保健事業の実施その他の国民健康保険事業を適切に実施するものとする。
④ 都道府県及び市町村は、②③の責務を果たすため、保健医療サービス及び福祉サービスに関する施策その他の関連施策との有機的な連携を図るものとする。
⑤ 都道府県は、②④のほか、国民健康保険事業の運営が適切かつ円滑に行われるよう、国民健康保険組合その他の関係者に対し、必要な指導及び助言を行うものとする。

B ○ 根拠 国保法19-Ⅱ CH10 Sec1①

C × 根拠 国保法32の４ ―

設問の「監事」を「理事」と読み替えると、正しい記述となる。

D × 根拠 国保法92、93-Ⅰ ―

国民健康保険審査会は、被保険者を代表する委員、保険者を代表する委員及び「公益を代表する委員」各３人をもって組織する。

E × 根拠 国保法107-② ―

市町村若しくは国保組合又は国民健康保険団体連合会は、事業状況を「厚生労働大臣」ではなく「当該市町村若しくは国保組合又は国民健康保険団体連合会をその地域内に含む都道府県を統括する都道府県知事」に報告しなければならない。なお、厚生労働大臣に事業状況を報告しなければならないのは、都道府県である。

問９ 正解 B（アとウ） 正解率 63%

ア ○ 根拠「令和５年版厚生労働白書（厚生労働省）」P.256 ―

イ × 根拠「令和５年版厚生労働白書（厚生労働省）」P.256 ―

高齢者世帯に関してみれば、その収入の「約８割」ではなく「約６割」を公的年金等が占めている。なお、「全人口の約３割が公的年金の受給権を有している」とする記述は正しい。

ウ ○ 根拠「令和５年版厚生労働白書（厚生労働省）」P.258 ―

エ × 根拠「令和５年版厚生労働白書（厚生労働省）」P.265他 ―

2024（令和６）年４月１日現在、「23か国」との間で協定が発効している。なお、その他の記述は正しい。

確認してみよう！

社会保障協定（発効済※1）（令和６年11月１日現在：23か国）

発効年月	相手国	通算※2	発効年月	相手国	通算※2
H12年２月	ドイツ	○	H24年３月	ブラジル	○
H13年２月	イギリス	×	H24年３月	スイス	○
H17年４月	韓国	×	H26年１月	ハンガリー	○
H17年10月	アメリカ	○	H28年10月	インド	○
H19年１月	ベルギー	○	H29年８月	ルクセンブルク	○
H19年６月	フランス	○	H30年８月	フィリピン	○
H20年３月	カナダ	○	R元年７月	スロバキア	○
H21年１月	オーストラリア	○	R元年９月	中国	×
H21年３月	オランダ	○	R４年２月	フィンランド	○
H21年６月	チェコ	○	R４年６月	スウェーデン	○
H22年12月	アイルランド	○	R６年４月	イタリア	×
H22年12月	スペイン	○			

※１　署名済の国は、オーストリア（未発効）を含めて24か国

※２　年金加入期間の通算規定：○＝あり、×＝なし

オ　×　根拠　社会保障に関する日本国とグレート・ブリテン及び北部アイルランド連合王国との間の協定、社会保障に関する日本国と大韓民国との間の協定他。　—

英国、韓国、中国及びイタリアとの協定については、「保険料の二重負担防止」のみである。**エ**の確認してみよう！参照。

問10　正解　C　　正解率 22%

A　×　根拠　船保法72-Ⅰ、令６　　CH10 Sec1②

船員保険の被保険者が職務外の事由により死亡したとき、又は船員保険の被保険者であった者が、その資格を喪失した後「３か月以内」に職務外の事由により死亡したときは、被保険者又は被保険者であった者により生計を維持していた者であって、「埋葬を行うもの」に対し、埋葬料として、５万円を支給する。

B　×　根拠　国保法58-Ⅰ　　CH10 Sec1①

市町村及び国保組合は、被保険者の死亡に関しては、条例又は規約の定めるところにより、葬祭費の支給又は葬祭の給付を行うものとする。ただし、特別の理由があるときは、その全部又は一部を行わないことができるとされている（死亡に関する給付は相対的必要給付であり、必ずしも埋葬料として５万円が支給され

るわけではない。)。

C ○ 根拠 健保法136-Ⅰ、令35 CH7 Sec8⑩

D × 根拠 健保法100-Ⅱ CH7 Sec6⑥

設問の場合には、埋葬を行った者に対し、埋葬料の金額（５万円）の範囲内においてその埋葬に要した費用に相当する金額が支給される。

E × 根拠 高医法86-Ⅰ CH7 Sec1③

後期高齢者医療広域連合は、被保険者の死亡に関しては、条例の定めるところにより、葬祭費の支給又は葬祭の給付を行うものとする。ただし、特別の理由があるときは、その全部又は一部を行わないことができるとされている（死亡に関する給付は相対的必要給付であり、必ずしも埋葬料として５万円が支給されるわけではない。)。

健康保険法

問1 正解 E 正解率 27%

A × 根拠 法7の30 CH7 Sec1③

協会の事業年度ごとの業績についての評価の結果を公表しなければならないとされているのは、「協会」ではなく、「厚生労働大臣」である。厚生労働大臣は、協会の事業年度ごとの業績について、評価を行わなければならないとされており、また、その評価を行ったときは、遅滞なく、協会に対し、当該評価の結果を通知するとともに、これを公表しなければならないとされている。

B × 根拠 法38-⑦ CH7 Sec2⑧

任意継続被保険者が任意継続被保険者でなくなることを保険者に申し出た場合において、その資格を喪失するのは、その「申出が受理された日」の属する月の末日が到来したときにおけるその翌日である。

C × 根拠 法36-②、則29-Ⅰ、H27.9.30保保発0930第9号 CH7 Sec2⑦

設問の場合には、その雇用契約が締結されないことが確実となった日又は当該1月を経過した日のいずれか「早い」日をもって使用関係が終了したものとして取り扱う。なお、その他の記述は正しい。

※設問の「一般労働者派遣事業」は、現行法では「労働者派遣事業」となっている。

D × 根拠 法65-Ⅲ①、H10.7.27老発485号・保発101号 CH7 Sec3①

設問の保険医療機関の指定の取消し後5年を経過しない医療機関に係る再指定の取扱いについては、①人口5万人未満市町村（その指定の取消により当該地域が無医地区等となるものに限る。）その他地域医療の確保を図るために再指定をしないと支障が生じると認められる医療機関については指定取消し後2年未満においても再指定を認めることができるものとされており、また、②不正請求の金額又はその金額及び件数の割合が軽微であると認められる医療機関については、指定取消し後2年以上5年未満で再指定を認めることができるものとされている。

E ○ 根拠 法47-Ⅱ CH7 Sec4⑧

設問は、健康保険組合における任意継続被保険者の標準報酬月額の特例に関する問題である。

確認してみよう！

任意継続被保険者の標準報酬月額は、①任意継続被保険者が一般の被保険者の資格を喪失した時の標準報酬月額と、②当該被保険者の属する保険者の全被保険者における前年度の９月30日の標準報酬月額を平均した額を標準報酬月額の基礎となる報酬月額とみなした時の標準報酬月額のいずれか少ない額をもってその者の標準報酬月額とするのが原則とされているが、健康保険組合においては、上記①の額が②の額を超える任意継続被保険者について、規約で定めるところにより、①の額をもってその者の標準報酬月額とすることができる。なお、①の額については、当該健康保険組合が、②の額を超え、①の額未満の額の範囲内においてその規約で定める額があるときは、当該規約で定めた額を標準報酬月額の基礎となる報酬月額とみなした時の標準報酬月額とすることができる。

問２　正解　B　　正解率　43%

A　○　根拠　法３－Ⅰ②ロ、⑨、(24)法附則46－ⅤⅦⅫ、R4.9.28保保発0928第６号

CH7 Sec2⑥

B　×　根拠　法73　　—

厚生労働大臣は、設問の指導をする場合において、「必要があると認めるときは」、原則として、診療又は調剤に関する学識経験者を「その関係団体の指定」により、立ち会わせるものとされている。

C　○　根拠　法151、152　　CH7 Sec7①

D　○　根拠　法７の29－Ⅰ～Ⅲ　　CH7 Sec1③

E　○　根拠　法173　　CH7 Sec8⑥

問３　正解　E（エとオ）　　正解率　37%

ア　○　根拠　法26－Ⅳ、S25.6.21保文発1420号　　CH7 Sec1④

イ　○　根拠　法150－Ⅴ　　CH7 Sec10①

出産費貸付制度は、法150条５項の規定による福祉事業の一環として実施されている。

確認してみよう！

保険者は、被保険者等の療養のために必要な費用に係る資金若しくは用具の貸付けその他の被保険者等の療養若しくは療養環境の向上又は被保険者等の出産のために必要な費用に係る資金の貸付けその他の被保険者等の福祉の増進のために必要な事業を行うことができる。

ウ ○ 根拠 則20-Ⅰ　CH7 Sec2④

なお、「健康保険法施行規則22条の規定により申請する場合」とは、任意適用事業所の取消に係る認可申請を行う場合のことである。

エ × 根拠 法附則３-Ⅳ　CH7 Sec4⑧

特例退職被保険者の標準報酬月額については、当該特定健康保険組合が管掌する前年（１月から３月までの標準報酬月額については、前々年）の９月30日における特例退職被保険者「以外の」全被保険者の同月の標準報酬月額を平均した額の範囲内においてその規約で定めた額を標準報酬月額の基礎となる報酬月額とみなしたときの標準報酬月額とする。

オ × 根拠 法160-Ⅴ　CH7 Sec7③

設問の協会の健康保険事業の収支の見通しについては、協会に対して作成及び公表の義務について規定されているが、厚生労働大臣への届出については規定されていない。

問４　正解　B　　正解率 33%

A ○ 根拠 法63-Ⅱ、S17.1.28社発82号、S27.9.29保発56号　CH7 Sec5②

B × 根拠 法76-Ⅴ、H14.12.25保発1225001号　—

設問後半が誤りである。設問の「公費負担医療に係る診療報酬請求書の審査及び支払いに関する事務」については、社会保険診療報酬支払基金が行うこととされ、健康保険組合が自ら行うことはできない。なお、その他の記述は正しい。

C ○ 根拠 令30　CH7 Sec1④

なお、「健康保険法第28条第１項に規定する健康保険組合」とは、健康保険事業の収支が均衡しない健康保険組合であって、政令で定める要件に該当するものとして厚生労働大臣の指定を受けたもの（「指定健康保険組合」という。）をいい、指定健康保険組合は、政令で定めるところにより、その財政の健全化に関する計画（「健全化計画」という。）を定め、厚生労働大臣の承認を受けなければならないとされている。

D ○ 根拠 令24-Ⅰ CH7 Sec1④

なお、健康保険組合は、毎年度、収入支出の予算を作成し、当該年度の開始前に、厚生労働大臣に届け出なければならない。

E ○ 根拠 法99-Ⅱ、則84の２-Ⅰ CH7 Sec6①

問５ 正解 E　正解率 33%

A ○ 根拠 法120 CH7 Sec9①

B ○ 根拠 法150の10、令44の２ —

C ○ 根拠 法193-Ⅰ、Ｓ3.7.6保発514号 CH7 Sec10③

確認してみよう！

保険料等を徴収し、又はその還付を受ける権利及び保険給付を受ける権利は、これらを行使することができる時から２年を経過したときは、時効によって消滅する。

D ○ 根拠 法213の２-② —

E × 根拠 法48、則24-Ⅰ⑨ —

設問後半が誤りである。被保険者資格取得届における住所の記載について、「当該被保険者が健康保険組合が管掌する健康保険の被保険者であって、当該健康保険組合が当該被保険者の住所に係る情報を求めないときは、被保険者の住所は記載が不要である。」旨の規定はない。

問６ 正解 D　正解率 46%

A × 根拠 法160-XIII、205-Ⅰ、則159-Ⅰ⑧ —

健康保険組合が管掌する健康保険の一般保険料率の変更における厚生労働大臣の権限（認可の権限）は、地方厚生局長に委任されているが、当該変更が健康保険組合の設立、合併又は分割を伴う場合は除かれている（委任されていない。）。

B × 根拠 法７の６-Ⅱ、則２の３-① —

協会の定款の変更は、厚生労働大臣の認可を受けなければ効力を生じないとするのが原則であるが、その変更が事務所の所在地の変更等の事項である場合には、認可を受けなくても効力を生ずる。なお、この場合は、遅滞なく、これを厚生労働大臣に届け出なければならない。

C ✕ 根拠 法35、S3.7.3保発480号 CH7 Sec2⑦

被保険者の資格の取得に係る「使用されるに至った日」とは、事業主と被保険者との間において「事実上の使用関係が発生した日」である。

D ○ 根拠 法41-Ⅰ、H15.2.25保保発0225004号・庁保険発3号 CH7 Sec4④

E ✕ 根拠 法58-Ⅰ、S32.9.2保険発123号 CH7 Sec9②

設問における「全部又は一部」という意味は、偽りその他不正の行為により受けた分が給付の価額の一部であるということが考えられるので、「全部又は一部」としたものであって、偽りその他不正の行為により受けた分は「すべて」という趣旨である。情状によってはその一部だけを徴収してもよいという意味ではない。

問7 正解 D 正解率 74%

A ✕ 根拠 法162 CH7 Sec7④

健康保険組合は、規約で定めるところにより、事業主の負担すべき一般保険料額又は介護保険料額の負担の割合を「増加」することができるのであり、設問のように「増減」することができるのではない。

B ✕ 根拠 法63-Ⅲ③、S32.9.2保険発123号 CH7 Sec3①

健康保険組合である保険者の開設する病院若しくは診療所又は薬局が、当該健康保険組合以外の保険者の診療を行うためには、保険医療機関（保険薬局）としての指定を受けなければならない。

C ✕ 根拠 法61、S2.2.18保理719号 CH7 Sec9④

設問の場合、相続権者が、被保険者の死亡後におけるその被保険者が請求権を有する傷病手当金又は療養費等の請求をすることができる。傷病手当金又は療養費の支給を受ける権利は、公法上の債権であるが金銭債権であり、相続権者が当然請求権を有するものであるから、請求権を有する被保険者が死亡したときは、その相続人が請求権を承継し、その相続人によって受領されるという取扱いになっている。

D ○ 根拠 法63-Ⅲ、則53-Ⅰ③ CH7 Sec5①

E × 根拠 法53、S32.2.1保発３号 CH7 Sec9⑥

健康保険組合の付加給付は、法定の保険給付に併せて給付されるものであるから、健康保険法の目的を逸脱するもの、この制度で定める医療の内容又は医療の給付の範囲を超えるもの、若しくは保健施設的なものは廃止するものとされており、また、法定給付期間を超えるものについても原則として廃止することとされているが、家族療養費の付加給付については、「現に療養に要した費用の範囲内で実施すること」は、差し支えないとされている。

問８ 正解 B

正解率 65%

A × 根拠 法181-Ⅰ CH7 Sec7⑦

設問の延滞金は、徴収金額に、「督促状の到達」ではなく、「納期限」の翌日から徴収金完納又は財産差押えの日の前日までの期間の日数に応じて、設問の所定の割合を乗じて計算したものである。なお、設問中の「保険者」は、正しくは「保険者等」である。

B ○ 根拠 法101、S24.3.26保文発523号 CH7 Sec6③

出産育児一時金は、妊娠４月以上の出産であれば、業務中の事故により早産した場合であっても、支給される。

確認してみよう！

妊娠４月以上の出産であれば、出産、死産、早産、流産（人工妊娠中絶も含む。）のいずれを問わず、出産に関する給付の対象となる。

C × 根拠 法150の２-ⅠⅢ —

設問の場合には、あらかじめ、社会保障審議会の「意見を聴かなければならない」とされている。

D × 根拠 法７の35 —

設問後段が誤りである。協会は、その役員に対する報酬及び退職手当の支給の基準を定めるに当たっては、これを厚生労働大臣に届け出るとともに、公表しなければならないが、厚生労働大臣の承認を受ける旨は規定されていない。

E ✕ 根拠 法87-Ⅰ、S26.5.6保文発1443号 CH7 Sec5⑥

設問後半が誤りである。義手義足は療養の過程において、その傷病の治療のため必要と認められる場合に療養費として支給する取扱いとされており、症状固定後に装着した義肢の単なる修理に要する費用を療養費として支給することは、認められない。

問9 正解 C（イ・エ・オの三つ） 正解率 48%

ア ✕ 根拠 法68 CH7 Sec3①

設問後半が誤りである。病院及び病床を有する診療所に係る指定については、設問にあるような保険医療機関の指定の申請のみなしに係る取扱いは規定されていない。なお、個人開業の保険医療機関（病院及び病床を有する診療所を除く。）については、指定の効力を失う日前6か月から同日前3か月までの間に、別段の申出がないときは、保険医療機関の指定の申請があったものとみなされる。

イ ○ 根拠 法65-ⅠⅢ⑴、67 CH7 Sec3①

ウ ✕ 根拠 法64 CH7 Sec3②

設問後段が誤りである。保険医等の登録については、登録の抹消、取消しがない限り、その効力を失うことはない。

エ ○ 根拠 法89-ⅠⅡ CH7 Sec3③

なお、指定居宅サービス事業者、指定地域密着型サービス事業者又は指定介護予防サービス事業者の指定の取消し若しくは効力の停止又は指定の失効があった場合でも、当該指定訪問看護事業者とみなされたものの地位に影響は及ばない。

オ ○ 根拠 法92-Ⅲ —

問10 正解 D 正解率 76%

A ✕ 根拠 法102-Ⅰ CH7 Sec6②

設問の場合は、出産日である令和5年12月25日以前42日（多胎妊娠の場合においては98日）から出産の日後56日までの間について出産手当金が支給される。現に被保険者である者に支給される出産手当金については、出産日の前日まで引き続く1年以上の被保険者期間は支給要件とされていない。

B ✕ 根拠 S23.11.17保文発781号　CH7 Sec2⑩

被扶養者の認定に当たっては、保険事故発生時の状況によって被扶養者であるか否かを決するべきではなく、保険事故発生後においても、扶養の事実があれば被扶養者とすることができるとされている。

C ✕ 根拠 法159-Ⅰ①　CH7 Sec7④

設問の被保険者乙の育児休業は、その開始した日の属する月と終了する日の翌日が属する月が異なるので、育児休業等期間中の保険料免除の対象となる期間は、その育児休業を開始した日の属する月からその育児休業が終了する日の翌日が属する月の前月までとなる。設問の場合、令和５年12月31日に育児休業を終了しているので、その翌日が属する月の前月である令和５年12月までが、保険料免除の対象となる。したがって、令和６年１月分の当該被保険者に関する保険料は、育児休業等期間中の保険料免除の対象とならず、徴収される。

確認してみよう！

育児休業等をしている被保険者（産前産後休業期間中の保険料免除の規定の適用を受けている被保険者を除く。）が使用される事業所の事業主が、保険者等に申出をしたときは、次の①、②に掲げる場合の区分に応じ、当該①、②に定める月の当該被保険者に関する保険料（その育児休業等の期間が１月以下である者については、標準報酬月額に係る保険料に限る。）は、徴収しない。

① その育児休業等を開始した日の属する月とその育児休業等が終了する日の翌日が属する月とが異なる場合･･･その育児休業等を開始した日の属する月からその育児休業等が終了する日の翌日が属する月の前月までの月

② その育児休業等を開始した日の属する月とその育児休業等が終了する日の翌日が属する月とが同一であり、かつ、当該月における育児休業等の日数として厚生労働省令で定めるところにより計算した日数が14日以上である場合･･･当該月

D ○ 根拠 法３-Ⅰ⑨　CH7 Sec2⑥

設問の被保険者丙は、令和６年１月１日の入社当時は、週所定労働時間が４時間×３日＝12時間であり、当該会社の正社員の週所定労働時間が８時間×５日＝40時間であるから、いわゆる４分の３基準を満たす30時間に満たないため、被保険者の資格を取得しなかった。その後、被保険者丙の週所定労働時間は令和６年４月15日から８時間×４日＝32時間となったため、当該４分の３基準を満たすことになった。そのため、被保険者丙は、同日から被保険者の資格を取得するに至ることとなる。なお、本問は、適用除外の要件のうち、短時間労働者に係る週所定労働時間のみに着目した問題であるとして正しい肢と判断している。

E ✕ 根拠 (24)法附則46-Ⅴ、R4.9.28保保発0928第5号・第6号 CH7 Sec2⑥

設問の「一般の被保険者とは異なる短時間被保険者」という考え方はない。設問の手続きを採ることによって、保険者等に対して当該事業主の1又は2以上の適用事業所に使用される特定4分の3未満短時間労働者について「一般の被保険者」の資格取得の申出（任意特定適用事業所の申出）をすることができる。

厚生年金保険法

問1 正解 C　正解率 88%

A ✕ 根拠 法90-Ⅰ CH9 Sec10⑦

厚生労働大臣による被保険者の資格に関する処分に不服がある者は、「社会保険審査官に対して審査請求」をし、その決定に不服がある者は、「社会保険審査会に対して再審査請求」をすることができる。

確認してみよう！

厚生労働大臣による被保険者の資格、標準報酬又は保険給付に関する処分に不服がある者は、社会保険審査官に対して審査請求をし、その決定に不服がある者は、社会保険審査会に対して再審査請求をすることができる。

B ✕ 根拠 法91-Ⅰ CH9 Sec10⑦

厚生労働大臣による保険料の賦課の処分に不服がある者は、「社会保険審査会」に対して審査請求をすることができる。

C ○ 根拠 法附則29-Ⅵ CH9 Sec7⑧

D ✕ 根拠 法90-Ⅰただし書 CH9 Sec10⑦

厚生年金保険原簿の訂正請求に対する厚生労働大臣の訂正をしない旨の決定については、社会保険審査官に対する審査請求の対象とされていない（行政不服審査法に基づき、厚生労働大臣に対して審査請求をすることはできる。）。

E ✕ 根拠 法90-Ⅴ CH9 Sec10⑦

被保険者の資格又は標準報酬に関する処分が確定したときは、その処分についての不服を当該処分に基づく保険給付に関する処分についての不服の理由とすることができない。

問２　正解　B　　正解率 73%

A　×　根拠 法78の27、令３の13-ⅠⅡ　　CH9 Sec9①

設問の場合、第２号厚生年金被保険者期間に基づく老齢厚生年金に加給年金額が加算される。２以上の種別の被保険者であった期間を有する者に係る老齢厚生年金について加給年金額が加算される場合は、各号の厚生年金被保険者期間のうち一の被保険者の種別に係る被保険者であった期間（以下「一の期間」という。）に基づく老齢厚生年金について加給年金額を加算する。この場合における優先順位は次の通りである。

①　最も早い日において受給権を取得した老齢厚生年金

②　最も早い日において受給権を取得した老齢厚生年金が２以上あるときは、各号の厚生年金被保険者期間のうち最も長い一の期間に基づく老齢厚生年金

③　最も長い一の期間が２以上ある場合は、第１号厚生年金被保険者、第２号厚生年金被保険者、第３号厚生年金被保険者、第４号厚生年金被保険者の優先順位で決定された期間に基づく老齢厚生年金

B　○　根拠 法87-Ⅰ③　　CH9 Sec10⑥

納付義務者の住所若しくは居所が国内にないため、又はその住所及び居所がともに明らかでないため、公示送達の方法によって督促したときは、延滞金は徴収されない。

確認してみよう！

次の場合には、延滞金は徴収されない。

①	督促状に指定した期限までに保険料を完納したとき
②	保険料額が1,000円未満であるとき
③	計算した延滞金の額が100円未満であるとき
④	納期を繰り上げて徴収するとき
⑤	納付義務者の住所若しくは居所が国内にないため、又はその住所及び居所がともに明らかでないため、公示送達の方法によって督促したとき
⑥	滞納につきやむを得ない事情があると認められるとき

C　×　根拠 法87-Ⅳ　　CH9 Sec10⑥

延滞金の額として計算した金額が「100円未満」であるときは、延滞金は、徴収しない。Bの 確認してみよう！ 参照。

D　×　根拠 法86-Ⅵ　　CH9 Sec10⑥

市町村が、設問の処分の請求を受け、市町村税の例によって処分する場合にお

いては、厚生労働大臣は、徴収金の「100分の４」に相当する額を当該市町村に交付しなければならない。

E ✕ 根拠 法100の６－Ⅱ —

設問の徴収職員は、滞納処分等に係る法令に関する知識並びに実務に必要な知識及び能力を有する日本年金機構の職員のうちから、厚生労働大臣の認可を受けて、「日本年金機構の理事長」が任命する。

問３ 正解 D

正解率 71%

A ○ 根拠 法39－Ⅲ CH9 Sec9⑥

なお、国民年金法による年金たる給付と厚生労働大臣以外の実施機関が支給する年金たる保険給付との間においては、設問の規定による内払処理は行われない。

B ○ 根拠 法附則４の３－Ⅰ CH9 Sec2⑤

高齢任意加入被保険者に関する記述である。なお、適用事業所に使用される高齢任意加入被保険者の場合は、事業主が保険料の半額を負担し、かつ、被保険者及び自己の負担する保険料の納付義務を負うことについて同意した場合を除いて、被保険者が保険料を全額負担し、かつ、その納付義務を負う。

C ○ 根拠 則５の５ CH9 Sec2⑨

なお、第１号厚生年金被保険者は、その住所を変更したときは、速やかに、変更後の住所及び変更の年月日を事業主に申し出なければならないとされている。

D ✕ 根拠 法19－Ⅱ CH9 Sec2⑦

設問の場合、令和６年５月分については、厚生年金保険の被保険者期間に算入しない。被保険者の資格を取得した月にその資格を喪失したときは、その月を１か月として被保険者期間に算入する。ただし、その月に更に被保険者又は国民年金の被保険者（第２号被保険者を除く。）の資格を取得したときは、この限りでない。

E ○ 根拠 法28 CH9 Sec2⑪

設問の規定は、第１号厚生年金被保険者以外の種別に係る被保険者についても適用される。

問４ 正解　C（ア・イ・オの三つ）　正解率 54%

ア ○ 根拠 法44の３－Ⅰ　CH9 Sec4⑧

老齢厚生年金の受給権を取得したときに障害厚生年金の受給権者であった者は、老齢厚生年金の支給繰下げの申出をすることができない。

イ ○ 根拠 法44の３－Ⅰ　CH9 Sec4⑧

老齢厚生年金の受給権を取得したときに遺族厚生年金の受給権者であった者は、老齢厚生年金の支給繰下げの申出をすることができない。

ウ × 根拠 法44の３－Ⅰ　CH9 Sec4⑧

老齢厚生年金の受給権を取得したときに老齢基礎年金の受給権者であった者は、その他の条件を満たしていれば、老齢厚生年金の支給繰下げの申出をすることができる。

エ × 根拠 法44の３－Ⅰ　CH9 Sec4⑧

老齢厚生年金の受給権を取得したときに障害基礎年金の受給権者であった者は、その他の条件を満たしていれば、老齢厚生年金の支給繰下げの申出をすることができる。

オ ○ 根拠 法44の３－Ⅰ　CH9 Sec4⑧

老齢厚生年金の受給権を取得したときに遺族基礎年金の受給権者であった者は、老齢厚生年金の支給繰下げの申出をすることができない。

問５ 正解　C（イとエ）　正解率 59%

ア × 根拠 法60－Ⅰ、(60)法附則59－Ⅰ　CH9 Sec7④

死亡した者が「長期要件」に該当する場合には、遺族厚生年金の年金額を算定する際に、死亡した者（昭和21年４月１日以前に生まれた者）の生年月日に応じた給付乗率の読替えが行われる。

イ ○ 根拠 法38－Ⅰ、58－Ⅰ①、59－Ⅰ②　CH9 Sec7①、Sec9⑧

丙は、甲の死亡に基づく遺族厚生年金と乙の死亡に基づく遺族厚生年金の受給権を有することとなるが、これらの年金は併給することはできないため、どちらか一方を選択して受給することとなる。

ウ × 根拠 法59－Ⅰ①　CH9 Sec7③

設問の父及び母に、遺族厚生年金の受給権は発生しない。父母については、被保険者等の死亡当時55歳以上である場合に限り、遺族厚生年金を受けることができる遺族とされる。

エ ○ 根拠 法61-Ⅰ CH9 Sec7④

配偶者以外の者に遺族厚生年金を支給する場合において、受給権者の数に増減を生じたときは、増減を生じた月の翌月から、年金の額を改定する。

オ × 根拠 法60-Ⅰ① CH9 Sec7④

設問の妻には、夫の受給していた老齢厚生年金の額（繰下げによる加算額を含まない。）の４分の３に相当する額が遺族厚生年金として支給される。

問6 正解 A

正解率 36%

A ○ 根拠 法12-⑤、(24)法附則17-Ⅰ、短時間労働者に対する健康保険・厚生年金保険の適用拡大Ｑ＆Ａ集 —

いわゆる４分の３基準を満たさない短時間労働者については、「①１週間の所定労働時間が20時間以上であること、②報酬について、資格取得時決定の例により算定した額が、88,000円以上であること、③学生等でないこと、④特定適用事業所に使用されるものであること」のいずれの要件にも該当する場合には被保険者となるが、就業規則や雇用契約書等で定められた所定労働時間が週20時間未満である者（上記①以外の要件には該当しているものとする。）が、業務の都合等により恒常的に実際の労働時間が週20時間以上となった場合、具体的には実際の労働時間が連続する２月において週20時間以上となった場合で、引き続き同様の状態が続いている又は続くことが見込まれる場合は、実際の労働時間が週20時間以上となった月の３月目の初日に被保険者の資格を取得する取扱いとされている。

B × 根拠 則１-ⅠⅡ CH9 Sec2⑨

設問の選択に関する届出は、「第１号厚生年金被保険者」が、所定の事項を記載した届書を日本年金機構に提出することとされている。

C × 根拠 法43-Ⅰ、(60)法附則59-Ⅰ CH9 Sec4⑤

「昭和21年４月１日以前」に生まれた者については、給付乗率の読替えが行われる。

D　×　根拠 H23.3.23年発0323第１号　—

設問後段が誤りである。届出による婚姻関係がその実態を全く失ったものとなっているときに限り、内縁関係にある者を事実婚関係にある者として認定するものとされている。

E　×　根拠 法36-Ⅰ、47の２　CH9 Sec6②

事後重症による障害厚生年金は、その支給を請求した日に受給権が発生し、受給権が発生した日の属する月の翌月からその支給が始まる。

問７　正解　D　正解率 72%

A　○　根拠 法20-Ⅱ、厚生年金保険法の標準報酬月額の等級区分の改定等に関する政令１　CH9 Sec3②

B　○　根拠 法22-Ⅰ①　CH9 Sec3②

C　○　根拠 法82-Ⅱ、83-Ⅰ、法附則４の３-Ⅶ　CH9 Sec10⑤

D　×　根拠 法100の５-Ⅰ、令４の２の16-①、則99　—

設問の権限委任をすることができる要件の１つは、納付義務者が「24月以上」の保険料を滞納していることである。

E　○　根拠 法81の２の２-Ⅰ　CH9 Sec10⑤

確認してみよう！

産前産後休業をしている被保険者が使用される事業所の事業主（第２号厚生年金被保険者又は第３号厚生年金被保険者に係る保険料については、当該被保険者）が、実施機関に申出をしたときは、当該被保険者に係る保険料であってその産前産後休業を開始した日の属する月からその産前産後休業が終了する日の翌日が属する月の前月までの期間に係るものの徴収は行われない。

問８　正解　C　正解率 73%

A　○　根拠 法附則29-Ⅳ、令12の２　CH9 Sec7⑧

確認してみよう！

被保険者であった期間に応じた政令で定める数は次のとおりである。

被保険者であった期間に係る被保険者期間	政令で定める数
６月以上 12月未満	6
12月以上 18月未満	12
18月以上 24月未満	18
24月以上 30月未満	24
30月以上 36月未満	30
36月以上 42月未満	36
42月以上 48月未満	42
48月以上 54月未満	48
54月以上 60月未満	54
60月以上	60

B ○ 根拠 法62-Ⅰ CH9 Sec7⑤

C × 根拠 法46-Ⅰ他 CH9 Sec4⑥

在職老齢年金の仕組みにより、老齢厚生年金の全部の支給が停止される場合、加給年金額は支給停止となる。

D ○ 根拠 法37-Ⅳ、令３の２ CH9 Sec9④

未支給の保険給付を受けるべき者の順位は、死亡した者の配偶者、子（死亡した者が遺族厚生年金の受給権者である夫であった場合における被保険者又は被保険者であった者の子であってその者の死亡によって遺族厚生年金の支給の停止が解除されたものを含む。）、父母、孫、祖父母、兄弟姉妹及びこれらの者以外の３親等内の親族の順序とする。

E ○ 根拠 H23.3.23年発0323第１号 —

問９ 正解 E 正解率 59%

A × 根拠 法附則20-Ⅰ CH9 Sec9①

２以上の種別の被保険者であった期間を有する者に係る特別支給の老齢厚生年金の支給要件のうち、「１年以上の被保険者期間を有すること」については、その者の２以上の種別に係る被保険者期間を合算する。

B × 根拠 法78の26-Ⅰ CH9 Sec9①

２以上の種別の被保険者であった期間を有する者に係る老齢厚生年金の額につ

いては、各号の厚生年金被保険者期間ごとに算定する。

C　×　根拠 法附則９の３－Ⅰ　CH9 Sec5③

報酬比例部分のみの特別支給の老齢厚生年金の受給権者が、その権利を取得した当時、被保険者でなく、かつ、その者の被保険者期間が44年以上であるときは、老齢厚生年金の額の計算に係る特例の適用となる。設問の者は、第１号厚生年金被保険者として在職中であるため、当該特例は適用されない。

D　×　根拠 法附則７の４、11の５他　CH9 Sec5⑨

老齢厚生年金の受給権者が、雇用保険法の規定による高年齢求職者給付金の支給を受けた場合であっても、当該老齢厚生年金の支給は停止されない。なお、老齢厚生年金と雇用保険法に基づく給付の調整は、特別支給の老齢厚生年金（又は65歳未満の者に対する繰上げ支給の老齢厚生年金）と基本手当又は高年齢雇用継続給付との間で行われる。

E　○　根拠 法46－Ⅰ　CH9 Sec4⑥

なお、支給停止基準額が老齢厚生年金の額（加給年金額、繰下げ加算額及び経過的加算額を除く。）以上であるときは、老齢厚生年金の全部（加給年金額を含み、繰下げ加算額及び経過的加算額を除く。）の支給を停止するものとする。

問10　正解　D（ウとオ）　正解率 78%

ア　×　根拠 法47　CH9 Sec6①

設問の場合、障害厚生年金の受給権は、障害認定日に発生する。

イ　×　根拠 法55　CH9 Sec6⑩

傷病が治っておらず治療中の場合には、障害手当金は支給されない。障害手当金は、疾病にかかり、又は負傷し、その傷病に係る初診日において被保険者であった者が、保険料納付要件を満たし、当該初診日から起算して５年を経過する日までの間におけるその傷病の治った日において、その傷病により政令で定める程度の障害の状態にある場合に、その者に支給する。

ウ　○　根拠 法38の２－Ⅰ　CH9 Sec9⑦

なお、設問のただし書の「その額の一部につき支給を停止されている」年金たる保険給付について、厚生年金保険法の他の規定又は他の法令の規定による支給停止が解除されたときは、設問本文の年金たる保険給付の全額の支給を停止する。

エ　✕　根拠　法58-Ⅰ④、60-Ⅰ　CH9 Sec7④

甲が現時点で死亡した場合、死亡した日において厚生年金保険の被保険者ではなく、また、保険料納付済期間が25年以上であるため、長期要件に該当する。長期要件に該当することにより支給される遺族厚生年金については、その額の計算の基礎となる被保険者期間の月数が300に満たないときであっても、これを300として計算はせず、実際の被保険者期間の月数に基づき計算する。

オ　○　根拠　法附則30　CH9 Sec7⑧

なお、２以上の種別の被保険者であった期間を有する者に係る脱退一時金の「支給要件」については、設問にあるように、その者の２以上の種別に係る被保険者期間を合算し、一の期間に係る被保険者期間のみを有する者に係るものとみなして判断するが、脱退一時金の「額」については、それぞれの種別の厚生年金被保険者期間ごとに計算することとされている。

国民年金法

問１　正解　C　正解率　34%

A　○　根拠　法88の２　CH8 Sec3⑥

なお、産前産後期間に係る保険料の免除を受けた期間は、「保険料全額免除期間」ではなく「保険料納付済期間」に算入される。

B　○　根拠　法90の３-Ⅰ　CH8 Sec3⑥、Sec4⑥

C　✕　根拠　令７　CH8 Sec3⑤

法93条１項の規定による保険料の前納は、厚生労働大臣が定める期間につき、６月又は年を単位として、行うものとされているが、厚生労働大臣が定める期間のすべての保険料（既に前納されたものを除く。）をまとめて前納する場合においては、６月又は年を単位として行うことを要しない。

D　○　根拠　法94の３-Ⅰ　CH8 Sec3③

確認してみよう！

基礎年金拠出金の算出における「被保険者」は、第１号被保険者については保険料納付者（保険料納付済期間、保険料４分の１免除期間、保険料半額免除期間又は保険料４分の３免除期間を有する者）、第２号被保険者については20歳以上60歳未満の者、第３号被保険者についてはすべての者をいう。

E ○ 根拠 法３－Ⅱ CH8 Sec1②

問２ 正解 **C（アとウとエ）** 正解率 **80%**

ア ○ 根拠 法30－Ⅰ CH8 Sec5②

イ × 根拠 法36の３－Ⅰ CH8 Sec5⑩

設問の「３分の１」を「２分の１」と読み替えると、正しい記述となる。法30条の４の規定による障害基礎年金は、受給権者の前年の所得が、その者の所得税法に規定する同一生計配偶者及び扶養親族の有無及び数に応じて、政令で定める額を超えるときは、その年の10月から翌年の９月まで、政令で定めるところにより、その全部又は２分の１〔法33条の2,1項（子の加算額）の規定によりその額が加算された障害基礎年金にあっては、その額から同項の規定により加算する額を控除した額の２分の１〕に相当する部分の支給を停止する。

ウ ○ 根拠 法30－Ⅰ、(60)法附則20－Ⅰ CH8 Sec5②

設問の者は、障害基礎年金の支給要件のうち、保険料納付要件及び障害認定日における障害の程度要件を満たすこととなる。初診日における被保険者等要件に係る記述がないため、「障害基礎年金を受けることができる者」であるか否かを判断することは難しいが、誤りの肢である**イ**と**オ**を組合せに含まないものが**C（アとウとエ）**しかないため、正しい肢として出題したものと考えられる。

エ ○ 根拠 法127－Ⅱ CH8 Sec10②

オ × 根拠 法127－Ⅲ① CH8 Sec10②

国民年金基金の加入員が、第１号被保険者の資格を喪失したときは、その被保険者の資格を喪失した日（当日）に加入員の資格を喪失する。

問3 正解 A　　正解率 70%

A ✕ 根拠 法101の2　　CH8 Sec9⑦

法101条1項に規定する処分〔被保険者の資格に関する処分又は給付に関する処分（共済組合等が行った障害基礎年金に係る障害の程度の診査に関する処分を除く。）に限る。〕の取消しの訴えは、当該処分についての審査請求に対する社会保険審査官の決定を経た後でなければ、提起することができない。なお、法101条1項に規定する処分のうち、保険料その他国民年金法の規定による徴収金に関する処分については、上記の審査請求前置の対象とされていない。

確認してみよう！

- 被保険者の資格に関する処分、給付に関する処分（共済組合等が行った障害基礎年金に係る障害の程度の診査に関する処分を除く。）又は保険料その他国民年金法の規定による徴収金に関する処分に不服がある者は、社会保険審査官に対して審査請求をし、その決定に不服がある者は、社会保険審査会に対して再審査請求をすることができる。
- 被保険者の資格に関する処分又は給付に関する処分（共済組合等が行った障害基礎年金に係る障害の程度の診査に関する処分を除く。）の取消しの訴えは、原則として当該処分についての審査請求に対する社会保険審査官の決定を経た後でなければ、提起することができない。

B ○ 根拠 法36-Ⅰ、41-Ⅰ、52　　CH8 Sec5⑩、Sec6⑧

C ○ 根拠 法137の15-Ⅱ①　　―

D ○ 根拠 法76-Ⅰ　　CH8 Sec3④

E ○ 根拠 法109-Ⅰ　　―

問4 正解 B　　正解率 44%

A ✕ 根拠 法8-②④、厚年法13、H24.6.14年国発0614第2号・年管管発0614第3号他　　―

設問の技能実習の期間のうち「講習期間」については厚生年金保険の適用はなく、一般に国民年金の第1号被保険者の資格を有することとなる。また、設問の技能実習の期間のうち「実習期間」については厚生年金保険の被保険者となり、原則として、国民年金の第2号被保険者の資格を有することとなる。

B ○ 根拠 法附則5-Ⅰ③　　CH8 Sec2②

設問の者は、任意加入被保険者となることができる。

C　✕　根拠 法８-②、H24.6.14年国発0614第２号・年管管発0614第３号他

CH8 Sec2③

住民基本台帳法30条の46においては、中長期在留者が国外から転入をした場合には、転入をした日から14日以内に、所定の事項を市町村長に届け出なければならないとしているが、この場合に第１号被保険者の資格を取得するのは、当該届出をした年月日ではなく、原則として、入国後、最初に住所を有した日である。

D　✕　根拠 法７-Ⅰ③、則１の３

CH8 Sec2①

外国において留学をする学生は、「日本国内に住所を有しないが渡航目的その他の事情を考慮して日本国内に生活の基礎があると認められる者として厚生労働省令で定める者」に該当するため、他の要件を継続して満たす限り、第３号被保険者の資格を喪失しない。

E　✕　根拠 法９-⑤⑥、法附則４

CH8 Sec2③

厚生年金保険の被保険者は、原則として、65歳に達した日に、第２号被保険者の資格を喪失する。この場合、その者の配偶者である第３号被保険者は、原則として、他の種別の被保険者に該当することとなる。

問５　正解　D

正解率 95%

A　✕　根拠 則73の７-ⅠⅢ

—

第１号被保険者は、法88条の２（産前産後期間の保険料免除）の規定により保険料を納付することを要しないこととされる場合には、所定の事項を記載した届書を「市町村長」に提出しなければならないが、当該届出は、出産の予定日の６月前から行うことができるとされている（産前産後期間の終了日以降とはされていない。）。

B　✕　根拠 令６の６

CH8 Sec3⑥

定時制及び通信制課程の生徒も、学生納付特例の対象となり得る。

C　✕　根拠 H26.9.19年管管発0919第１号

—

刑務所等の矯正施設に収容中の期間は住民登録がない期間であっても日本国内に住所があると認められるため、矯正施設に収容されている期間に係る矯正施設

の長の証明書等を添付することによって、保険料免除等の申請手続きが可能である。

D ○ 根拠 法5－Ⅰ、26 CH8 Sec4⑤

E × 根拠 則77の7－③、H24.7.6年管管発0706第1号、R5.3.30年管企発0330第10号・年管管発0330第2号 —

住民票上の住所が配偶者と同一であって実際の住所が異なる者も、配偶者と住所が異なること等の申出書を提出することにより、設問の特例免除を受けることは可能である（配偶者と住民票上の住所が異ならなければならないわけではない。）。また、女性相談支援センター以外の配偶者暴力対応機関や地方公共団体と連携して配偶者からの暴力を受けた者の支援を行っている民間支援団体（一時保護委託を受けている民間シェルター、配偶者暴力に関する協議会参加団体、補助金等交付団体）が発行した確認書も、上記証明書と同様のものとして取り扱われるため、配偶者から暴力があった事実は、必ずしも設問の証明書によって証明しなければならないわけではない。

問6 正解 E 正解率 81%

A × 根拠 法32－Ⅱ CH8 Sec5⑦

設問の場合、後発の障害基礎年金を支給停止すべき期間、併合認定された障害基礎年金は支給停止されるが、先発の障害基礎年金は支給される。

B × 根拠 法34－ⅡⅢ CH8 Sec5⑨

設問の増進改定請求は、原則として、障害基礎年金の受給権を取得した日から起算して「1年」を経過した日後でなければ行うことができない。

C × 根拠 法37 CH8 Sec6②

障害基礎年金の受給権者が死亡したことを理由に、遺族基礎年金が支給されることはない。また、死亡者の子と生計を同じくしていない配偶者に対して遺族基礎年金が支給されることもない。

D × 根拠 法37－③ CH8 Sec6②

老齢基礎年金の受給権者であった者の死亡により遺族基礎年金が支給されるためには、死亡した者の保険料納付済期間と保険料免除期間とを合算した期間が25

年以上（保険料納付済期間、保険料免除期間及び合算対象期間を合算して25年以上である場合を含む。）なければならない。

E ○ 根拠 法37-①　CH8 Sec6②

問７ 正解 D（ウとオ） 正解率 78%

ア ○ 根拠 法20-Ⅰ、厚年法38-Ⅰ、同法附則17他　CH8 Sec9⑤

なお、受給権者が65歳以上の場合には、老齢基礎年金と遺族厚生年金は併給される。

イ ○ 根拠 法附則９の２の３　CH8 Sec4⑩

老齢基礎年金の繰上げ支給を受ける者は、設問の事後重症による20歳前傷病による障害基礎年金の支給を請求することができない。

ウ × 根拠 法附則９の２の３　CH8 Sec4⑩

老齢基礎年金の繰上げ支給を受ける者は、設問の事後重症による障害基礎年金の支給を請求することができない。

エ ○ 根拠 法28-Ⅴ、（R２）法附則７　CH8 Sec4⑪

設問の規定は、令和５年３月31日において71歳に達していない者（昭和27年４月２日以後生まれの者）について適用される。支給繰下げの申出をしない場合、受給権取得時にさかのぼり、繰下げ増額のない年金を一括受給することとなるが、５年前の日より前の分の年金を受ける権利は、時効によって消滅してしまうため、５年前の日に支給繰下げの申出があったものとみなすことにより、これを繰下げ増額分として反映することとしたものである。

オ × 根拠 法19-Ⅰ　CH8 Sec9①

設問の未支給年金の請求は、死亡者の配偶者、子、父母、孫、祖父母、兄弟姉妹に限らず、これらの者以外の３親等内の親族であって、死亡者の死亡の当時その者と生計を同じくしていた者も、行うことができる。

問８ 正解 B（ア・エの二つ） 正解率 73%

ア ○ 根拠 法４の３-Ⅰ　CH8 Sec3①

なお、「財政均衡期間」は、「財政の現況及び見通し」が作成される年以降おおむね100年間をいう。

イ ✕ 根拠 法18-Ⅲ CH8 Sec4②

年金給付は、毎年２月、４月、６月、８月、10月及び12月の６期に、それぞれの前月までの分を支払うこととされているが、前支払期月に支払うべきであった年金又は権利が消滅した場合若しくは年金の支給を停止した場合におけるその期の年金は、その支払期月でない月であっても、支払うものとされている。

ウ ✕ 根拠 法87の２-Ⅱ CH8 Sec3⑧

産前産後期間の保険料免除は、他の保険料免除とは異なり、所得の有無にかかわらず保険料の負担を免除するものであることから、当該期間についても付加保険料を納付することができる。

エ ○ 根拠 法18-ⅠⅡ CH8 Sec4②

オ ✕ 根拠 法20-ⅠⅡ CH8 Sec9⑤

設問の選択受給の申請時期について、設問のような限定はない。

問９ 正解 D 正解率 81%

A ✕ 根拠 (６)法附則11-Ⅰ、(16)法附則23-Ⅰ CH8 Sec2②

設問の者は、65歳に達した日において老齢基礎年金の受給権を有しているため、特例の任意加入被保険者となることはできない。

B ✕ 根拠 法28-Ⅰ CH8 Sec4⑪

65歳に達した日から66歳に達した日までの間において遺族厚生年金の受給権者となったときは、その受給の有無にかかわらず、老齢基礎年金の支給繰下げの申出は行うことができない。

C ✕ 根拠 法87-ⅠⅡ、法93-ⅠⅡ CH8 Sec3⑤

被保険者が将来の一定期間の保険料を前納する場合、当該前納すべき額は、当該期間の各月の保険料の額から政令で定める額を控除した額とされる（前納による控除が行われる。）。

D ○ 根拠 法75 CH8 Sec3④

E ✕ 根拠 法128-Ⅰ CH8 Sec10①

国民年金基金は、加入員又は加入員であった者の死亡に関しては、「一時金」の支給を行うものとされている。

問10　正解　E　　正解率 78%

A　×　根拠 法37の２－Ⅰ　　CH8 Sec6⑤

被保険者又は被保険者であった者の死亡の当時、日本国内に住所を有することは、遺族基礎年金を受けることができる遺族となるための要件ではないため、設問の配偶者が被保険者又は被保険者であった者の死亡の当時、遺族基礎年金の支給要件を満たす子と生計を同じくしていたときは、当該配偶者は遺族基礎年金を受けることができる。

B　×　根拠 法41－Ⅱ　　CH8 Sec6⑧

設問の場合、子に対する遺族基礎年金が支給停止され、夫に対する遺族基礎年金は支給停止されない。設問の子は遺族基礎年金と遺族厚生年金の受給権を取得しているが、子に対する遺族基礎年金は、原則として、配偶者が遺族基礎年金の受給権を有する間は支給停止されるため、設問の子は遺族厚生年金のみを受給することとなる。

C　×　根拠 法52の２－Ⅰ　　CH8 Sec7③

設問の死亡者の場合、死亡日の前日において死亡日の属する月の前月までの第１号被保険者としての被保険者期間に係る保険料半額免除期間の月数（48月）の２分の１に相当する月数（24月）及び保険料４分の１免除期間の月数（12月）の４分の３に相当する月数（９月）を合算した月数が33月であり、「36月以上」を満たさないため、死亡一時金は支給されない。

D　×　根拠 法30の３－ⅠⅢ　　CH8 Sec5④

基準傷病に基づく障害による障害基礎年金は、法律上の要件を満たしたときにその受給権が発生する（請求により受給権が発生するわけではない。）。また、基準傷病に基づく障害による障害基礎年金は、その請求があった月の翌月から支給が開始される。

E　○　根拠 法96－Ⅰ～Ⅲ　　CH8 Sec3⑩

令和5年度
（2023年度・第55回）
解答・解説

合格基準点

選択式	総得点**26点**以上、かつ、 各科目**3点**以上
択一式	総得点**45点**以上、かつ、 各科目**4点**以上

受験者データ

受験申込者数	53,292人
受験者数	42,741人
合格者数	2,720人
合格率	6.4%

繰り返し記録シート（令和５年度）

解いた回数	科目	問題No.	点数	解いた回数	科目	点数
選択式1回目	労基安衛	問1	／5	択一式1回目	労基安衛	／10
	労災	問2	／5		労災徴収	／10
	雇用	問3	／5		雇用徴収	／10
	労一	問4	／5		労一社一	／10
	社一	問5	／5		健保	／10
	健保	問6	／5		厚年	／10
	厚年	問7	／5		国年	／10
	国年	問8	／5		合計	／70
		合計	／40			

解いた回数	科目	問題No.	点数	解いた回数	科目	点数
選択式2回目	労基安衛	問1	／5	択一式2回目	労基安衛	／10
	労災	問2	／5		労災徴収	／10
	雇用	問3	／5		雇用徴収	／10
	労一	問4	／5		労一社一	／10
	社一	問5	／5		健保	／10
	健保	問6	／5		厚年	／10
	厚年	問7	／5		国年	／10
	国年	問8	／5		合計	／70
		合計	／40			

解いた回数	科目	問題No.	点数	解いた回数	科目	点数
選択式3回目	労基安衛	問1	／5	択一式3回目	労基安衛	／10
	労災	問2	／5		労災徴収	／10
	雇用	問3	／5		雇用徴収	／10
	労一	問4	／5		労一社一	／10
	社一	問5	／5		健保	／10
	健保	問6	／5		厚年	／10
	厚年	問7	／5		国年	／10
	国年	問8	／5		合計	／70
		合計	／40			

令和5年度
(2023年度・第55回)
解答・解説
選択式

正解一覧

問		番号	正解
問1	A	①	2年
	B	⑯	遅滞なく
	C	⑳	労働からの解放
	D	⑦	1トン
	E	⑮	その就業を禁止
問2	A	⑲	療養
	B	⑦	4
	C	②	100分の60
	D	⑩	健康診断
	E	⑭	賃金
問3	A	⑳	通所手当
	B	⑥	40日
	C	⑯	通算して26日
	D	⑲	通算して60日
	E	③	10月31日
問4	A	⑰	本件採用内定通知のほかには労働契約締結のための特段の意思表示をすることが予定されていなかつた
	B	⑧	知ることができず、また知ることが期待できないような事実であつて
	C	③	3
	D	⑳	労働基準法
	E	⑫	都道府県労働局長
問5	A	⑧	3年
	B	⑩	40歳
	C	⑱	財政の均衡を保つこと
	D	⑬	10,000円
	E	②	5.5
問6	A	⑭	厚生労働大臣
	B	⑧	12か月
	C	⑫	140,100円
	D	⑰	通算されない
	E	③	98
問7	A	⑯	地方厚生局長
	B	⑰	地方厚生支局長
	C	⑫	障害基礎年金、遺族基礎年金、遺族厚生年金
	D	②	0.2%の引下げ
	E	⑤	1年
問8	A	①	教育及び広報
	B	⑦	相談その他の援助
	C	⑳	利便の向上
	D	⑰	必要な給付
	E	②	国籍

問１ 労働基準法及び労働安全衛生法

根拠 労基法115、最一小S57.3.18此花電報電話局事件、最二小H19.10.19大林ファシリティーズ事件、安衛法35、68

A	①	２年	CH1 Sec10⑪	正解率 65%
B	⑯	遅滞なく	—	正解率 37%
C	⑳	労働からの解放	—	正解率 76%
D	⑦	１トン	—	正解率 84%
E	⑮	その就業を禁止	CH2 Sec7③	正解率 88%

問２ 労働者災害補償保険法

根拠 法14-Ⅰ、29-Ⅰ

A	⑲	療養	CH3 Sec4③	正解率 98%
B	⑦	4	CH3 Sec4③	正解率 98%
C	②	100分の60	CH3 Sec4③	正解率 97%
D	⑩	健康診断	CH3 Sec8①	正解率 76%
E	⑭	賃金	CH3 Sec8①	正解率 91%

問３ 雇用保険法

根拠 法20-２、36-Ⅰ、45、54-①、則31の２-Ⅰ、56、57-Ⅰ、行政手引50286

A	⑳	通所手当	CH4 Sec4②	正解率 94%
B	⑥	40日	CH4 Sec4②	正解率 75%
C	⑯	通算して26日	CH4 Sec6①	正解率 85%
D	⑲	通算して60日	CH4 Sec6①	正解率 18%
E	③	10月31日	—	正解率 16%

解説

受給資格者に係る離職が定年等の理由によるものが、公共職業安定所長に当該離職後一定の期間求職の申込みをしないことを希望する旨を申し出たときは、基本手当の受給期間は、原則の受給期間（基準日の翌日から起算して１年）と、求職の申込みをしないことを希望する一定の期間（１年を限度とする。以下「猶予期間」という。）に相当する期間を合算した期間とされる。ただし、当該合算した期間内に、疾病等により引き続き30日以上職業に就くことができない者が、公共職業安定所長にその旨を申し出た場合には、疾病等により職業に就くことができない日数を加算した期間が受給期間（その加算した期間が４年を超えるときは、４年）となる。

設問の場合、原則の受給期間（１年）と猶予期間（６月）を合算した期間内（１年６月）に疾病等の期間があるため、１年６月に疾病等の期間を加算した期間が受給期間となる。また、疾病等の期間を加算する場合、当該疾病等の期間の全部又は一部が猶予期間内にあるときは、当該疾病等の期間のうち猶予期間内にない期間分の日数を加算するものとされている（下図参照）。

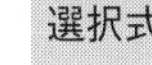

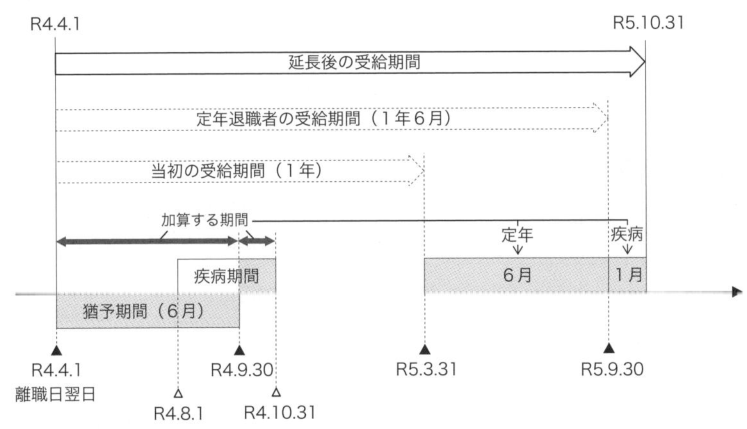

問４　労務管理その他の労働に関する一般常識

根拠　派遣法35の３、労基法24-Ⅰ、同法120-①、最賃法７、最二小S54.7.20大日本印刷事件

A　⑰　本件採用内定通知のほかには労働契約締結のための特段の意思表示をすることが予定されていなかつた　―　正解率 70%

B　⑧　知ることができず、また知ることが期待できないような事実であつて　―　正解率 64%

C　③　３　CH6 Sec3③　正解率 96%

D　⑳　労働基準法　CH6 Sec2⑨　正解率 68%

E　⑫　都道府県労働局長　CH6 Sec2⑨　正解率 53%

問５ 社会保険に関する一般常識

根拠 船保法69-Ⅴ、高医法20、確給法57、児手法６-Ⅰ、Ⅱ④、Ⅲ、「令和４年版厚生労働白書（厚生労働省）」P.348

A ⑧ ３年　CH10 Sec1②　正解率 87%

B ⑩ 40歳　CH10 Sec1③　正解率 90%

C ⑱ 財政の均衡を保つこと　CH10 Sec2①　正解率 55%

D ⑬ 10,000円　CH10 Sec1⑤　正解率 90%

E ② 5.5　―　正解率 73%

解説

Dについて、児童手当の額は以下の通りである。

⑴ 個人受給資格者

年齢	１人当たりの月額	
	第１・２子	第３子以降
３歳未満	15,000円	30,000円
３歳以上18歳に達する日以後の３月31日まで	10,000円	

⑵ 法人受給資格者・施設等受給資格者

年齢	１人当たりの月額
３歳未満	15,000円
３歳以上18歳に達する日以後の３月31日まで	10,000円

Eについて、令和４年版厚生労働白書では、続けて「特に、首都圏を始めとする都市部では急速に高齢化が進むと推計されている。そこで、このような社会構造の変化や高齢者のニーズに応えるために「地域包括ケアシステム」の実現を目指している。「地域包括ケアシステム」とは、地域の事情に応じて高齢者が、可能な限り、住み慣れた地域でその有する能力に応じ自立した日常生活を営むことができるよう、医療、介護、介護予防、住まい及び自立した日常生活の支援が包括的に確保される体制のことをいう。高齢化の進行のスピードや地域資源の状況などは地域によって異なるため、それぞれの地域の実情に応じた地域包括ケアシステムの構築を可能とすることが重要である。」としている。

問6 健康保険法

根拠 法5-Ⅱ、102-Ⅰ、令42-Ⅰ①②、H19.3.7保保発0307005号

A ⑭ 厚生労働大臣 CH7 Sec1③ 正解率 87%

B ⑧ 12か月 CH7 Sec5⑫ 正解率 93%

C ⑫ 140,100円 CH7 Sec5⑫ 正解率 91%

D ⑰ 通算されない CH7 Sec5⑫ 正解率 91%

E ③ 98 CH7 Sec6② 正解率 93%

解説

Cについて、同一世帯で、療養があった月以前の12月以内に既に高額療養費(長期高額疾病に該当する場合を除く。)が支給されている月数が3月以上ある場合は、4月目以降からの高額療養費算定基準額(70歳未満)は以下の通りである。

所得区分		高額療養費算定基準額
70歳未満	標準報酬月額83万円以上	140,100円
	標準報酬月額53万円以上83万円未満	93,000円
	標準報酬月額28万円以上53万円未満	44,400円
	標準報酬月額28万円未満	
	市町村民税非課税者等	24,600円

問7 厚生年金保険法

根拠 法43の5-Ⅳ、47、58-Ⅰ④、59-Ⅰ、67-Ⅰ、100の9-ⅠⅡ、国年法30、37-①④、37の2-Ⅰ

A ⑯ 地方厚生局長 CH9 Sec1① 正解率 78%

B ⑰ 地方厚生支局長 CH9 Sec1① 正解率 73%

C ⑫ 障害基礎年金、遺族基礎年金、遺族厚生年金 CH9 Sec6①、Sec7① 正解率 61%

D ② 0.2%の引下げ CH9 Sec4⑤ 正解率 41%

E ⑤ 1年 CH9 Sec7⑥ 正解率 92%

解説

Cについて、甲は、20歳の誕生日に就職し、46歳に達した日に退職したことから、遺族基礎年金、遺族厚生年金の保険料納付要件(保険料納付済期間が25年以上)を満たしており、また、50歳の妻(乙)と17歳の未婚の子の収入についても、

生計維持要件を満たしているため、乙は遺族基礎年金と遺族厚生年金を受給できる。また、設問文２の４行目に「退職の３か月後に、当該症状について初めて病院で診察を受けた・・・」とあることから、「初診日」において「厚生年金保険の被保険者でない」ため、甲は障害厚生年金に係る被保険者要件を満たさない。したがって、甲が受給していた障害年金と乙が受給できる遺族年金をすべて挙げると、「⑫　障害基礎年金、遺族基礎年金、遺族厚生年金」となる。

【障害年金の初診日要件】

国民年金	厚生年金保険
・（国民年金の）被保険者であること ・被保険者であった者であって、日本国内に住所を有し、かつ、60歳以上65歳未満であること	・（厚生年金保険の）被保険者であること

Dについて、年金額の改定は、新規裁定者については名目手取り賃金変動率を基準とし、既裁定者については物価変動率を基準とするが、物価変動率が名目手取り賃金変動率を上回る場合には、名目手取り賃金変動率を基準とする。したがって、設問の場合、新規裁定者・既裁定者ともに名目手取り賃金変動率を基準とすることとなる。また、調整期間中については、原則、マイクロ経済スライドによる調整が行われるが、設問の「名目手取り賃金変動率がマイナス0.2%」のように名目手取り賃金変動率が１を下回る場合には、マクロ経済スライドによる調整は行われない。したがって、令和Ｘ年度の年金額は、前年度から「②　0.2%の引下げ」となる。

問８　国民年金法

根拠　法２、７－Ⅰ、74－Ⅰ

A	①	教育及び広報	CH8 Sec1②	正解率 88%
B	⑦	相談その他の援助	CH8 Sec1②	正解率 74%
C	⑳	利便の向上	CH8 Sec1②	正解率 71%
D	⑰	必要な給付	CH8 Sec4①	正解率 93%
E	②	国籍	CH8 Sec2①	正解率 93%

令和 5 年度
（2023年度・第55回）
解答・解説
択一式

正解一覧

科目	問	正解
労基安衛	問1	E
	問2	E
	問3	A
	問4	B
	問5	A
	問6	C
	問7	C
	問8	E
	問9	D
	問10	A
労災徴収	問1	E
	問2	C
	問3	E
	問4	B
	問5	D
	問6	E
	問7	E
	問8	E
	問9	D
	問10	C

科目	問	正解
雇用徴収	問1	E
	問2	A
	問3	B
	問4	C
	問5	C
	問6	D
	問7	A：○ B：○ C：× D：× E：×
	問8	C
	問9	A
	問10	E
労一社一	問1	C
	問2	B
	問3	A
	問4	E
	問5	D
	問6	C
	問7	D
	問8	D
	問9	E
	問10	B

科目	問	正解
健保	問1	A
	問2	B
	問3	D
	問4	E
	問5	C
	問6	C
	問7	D
	問8	D
	問9	A
	問10	B
厚年	問1	A
	問2	A
	問3	E
	問4	D
	問5	B
	問6	A
	問7	C
	問8	D
	問9	D
	問10	B

科目	問	正解
国年	問1	D
	問2	C
	問3	C
	問4	A
	問5	B
	問6	C
	問7	A
	問8	C
	問9	D
	問10	C

労働基準法及び労働安全衛生法

問１　正解　E　　正解率 53%

A　×　根拠　法26、S27.8.7基収3445号　　CH1 Sec3④

法26条の「休業」には、全１日の休業だけでなく、１日の所定労働時間の一部のみ使用者の責に帰すべき事由による休業をした場合（半日休業等）も含まれる。また、休業手当の額は、平均賃金の100分の60以上の金額とされている。したがって、設問の半日休業の日は「使用者の責に帰すべき事由による休業」に該当する（休業手当を支払うべき休業に該当する）が、現実に労働した分の賃金として5,000円が支払われており、その額が平均賃金の100分の60以上（7,000円×100分の60＝4,200円以上）であるため、休業手当として支払うべき金額は発生しない（休業手当を支払う必要はない）こととなる。

> 確認してみよう！
>
> **労働基準法26条（休業手当）**
>
> 使用者の責に帰すべき事由による休業の場合においては、使用者は、休業期間中当該労働者に、その平均賃金の100分の60以上の手当を支払わなければならない。

B　×　根拠　法26、S27.8.7基収3445号　　CH1 Sec3④

Aの解説参照。

C　×　根拠　法26、S27.8.7基収3445号　　CH1 Sec3④

Aの解説参照。

D　×　根拠　法26、S27.8.7基収3445号　　CH1 Sec3④

Aの解説参照。

E　○　根拠　法26、S27.8.7基収3445号　　CH1 Sec3④

Aの解説参照。

問２　正解　E（ウとエとオ）　　正解率 72%

ア　×　根拠　法34-Ⅱ、則31　　CH1 Sec4③

「道路による貨物の運送の事業」（法別表第１第４号）では、休憩を一斉に与える必要はない（法34条２項の規定は適用されない）が、「倉庫における貨物の取扱いの事業」（法別表第１第５号）では、休憩を一斉に与えなければならない。

確認してみよう！

休憩の一斉付与の原則の例外

労働基準法別表第１第４号、第８号、第９号、第10号、第11号、第13号及び第14号に掲げる事業並びに官公署の事業（同表に掲げる事業を除く。）については、法34条２項（休憩の一斉付与）の規定は、適用しない。

①	４号 **（運輸交通業）**	道路、鉄道、軌道、索道、船舶又は航空機による旅客又は貨物の運送の事業
②	８号 **（商業）**	物品の販売、配給、保管若しくは賃貸又は理容の事業
③	９号 **（金融広告業）**	金融、保険、媒介、周旋、集金、案内又は広告の事業
④	10号 **（映画演劇業）**	映画の製作又は映写、演劇その他興行の事業
⑤	11号 **（通信業）**	郵便、信書便又は電気通信の事業
⑥	13号 **（保健衛生業）**	病者又は虚弱者の治療、看護その他保健衛生の事業
⑦	14号 **（接客娯楽業）**	旅館、料理店、飲食店、接客業又は娯楽場の事業
⑧	**官公署の事業（法別表第１に掲げる事業を除く。）**	

イ × 根拠 法34、S23.5.10基収1582号 CH1 Sec4③

一昼夜交替制においても法律上は、労働時間の途中において、法34条１項の休憩（労働時間が６時間を超える場合においては少くとも45分、８時間を超える場合においては少くとも１時間）を与えればよい。

ウ ○ 根拠 法34-Ⅲ、S23.10.30基発1575号 CH1 Sec4③

なお、休憩時間の利用について事業場の規律保持上必要な制限を加えることは、休憩の目的を害わない限り差し支えないこととされている。

エ ○ 根拠 法34-Ⅰ CH1 Sec4③

オ ○ 根拠 法34、H11.3.31基発168号 CH1 Sec4③

休憩時間とは、労働者が権利として労働から離れることを保障されている時間の意であって、その他の拘束時間は労働時間として取り扱うこととされている。設問のように、休憩時間に来客当番として待機させていれば、それは労働時間であり、休憩時間を与えたことにはならない。

問３ 正解 A 正解率 47%

A × 根拠 法63、64の２-① CH1 Sec9⑤

妊娠中の女性及び坑内で行われる業務に従事しない旨を使用者に申し出た「産

後１年を経過しない」女性については、坑内で行われるすべての業務に就かせてはならない。

確認してみよう！

坑内労働の制限等

【全面禁止】
① 年少者（満18歳未満の男女）
② 妊娠中の女性及び坑内で行われる業務に従事しない旨を使用者に申し出た産後１年を経過しない女性
【女性に有害な業務（人力により行われる掘削の業務等）の禁止】
③ 上記②以外の満18歳以上の女性

B ○ 根拠 法65-Ⅱ、S26.4.2婦発113号 —

妊娠中絶とは、胎児が母体外において生存を続けることのできない時期に胎児等を人工的に母体外に排出させることであり、産前６週間の休業の問題は生じない。また、労働基準法の出産の範囲は、妊娠４か月以上（１か月は28日として計算する。したがって４か月以上は85日以上のことである）の出産であり、妊娠中絶を妊娠４か月以後に行った場合には、産後の休業（法65条２項）の適用がある。

確認してみよう！

・産前６週間の期間は自然の出産予定日を基準として計算し、産後８週間の期間は現実の出産日を基準として計算する。
・出産予定日は産前６週間に含まれる。
・出産予定日よりも遅れて出産した場合、出産予定日から出産当日までの期間は、産前休業に含まれる。

C ○ 根拠 法19-Ⅰ、S25.6.16基収1526号 —

D ○ 根拠 法60-Ⅰ、66-Ⅱ、H11.3.31基発168号 CH1 Sec9③④

E ○ 根拠 法61、63 —

問４ 正解 B 正解率 84%

A × 根拠 法２ —

法２条は、「使用者は労働者に労働組合の設立を促すように努めなければならない」と定めていない。

B ○ 根拠 法3 —

法3条は、労働者の国籍、信条又は社会的身分を理由とする差別的取扱いを禁止しているが、「理由として」というのは、労働者の国籍、信条又は社会的身分が差別的取扱いの決定的原因になっていると判断される場合をいう。したがって、思想、信条そのものを理由とする差別的取扱いは同条違反になることは明らかであるが、設問のように、秩序違反行為そのものを理由とする差別的取扱いは、同条違反とならない。

確認してみよう！

労働基準法3条（均等待遇）

使用者は、労働者の国籍、信条又は社会的身分を理由として、賃金、労働時間その他の労働条件について、差別的取扱をしてはならない。

C × 根拠 法5、S63.3.14基発150号 —

「監禁」とは、刑法220条に規定する監禁であり、一定の区画された場所から脱出できない状態に置くことによって、労働者の身体の自由を拘束することをいい、必ずしも物質的障害をもって手段とする必要はない。したがって、例えば、暴行、脅迫、欺罔などにより労働者を一定の場所に伴い来り、その身体を抑留し、後難を畏れて逃走できないようにすることも監禁に該当する。

確認してみよう！

労働基準法5条（強制労働の禁止）

使用者は、暴行、脅迫、監禁その他精神又は身体の自由を不当に拘束する手段によって、労働者の意思に反して労働を強制してはならない。

得点UP！

- 法5条の「暴行」とは、刑法208条に規定する暴行であり、労働者の身体に対し不法な自然力を行使することをいい、殴る、蹴る、水を掛ける等は総て暴行であり、通常傷害を伴いやすいが、必ずしもその必要はなく、また、身体に疼痛を与えることも要しない。
- 法5条の「脅迫」とは、刑法222条に規定する脅迫であり、労働者に恐怖心を生じさせる目的で本人又は本人の親族の生命、身体、自由、名誉又は財産に対して、脅迫者自ら又は第三者の手によって害を加えるべきことを通告することをいうが、必ずしも積極的言動によって示す必要はなく、暗示する程度でも足りる。

D × 根拠 法6、S34.2.16 33基収8770号 CH1 Sec1②

法人が業として他人の就業に介入して利益を得た場合、当該法人のために実際の介入行為を行った行為者たる従業員については、現実に利益を得ていなくても法６条違反が成立する。

確認してみよう！

労働基準法６条（中間搾取の排除）
何人も、法律に基いて許される場合の外、業として他人の就業に介入して利益を得てはならない。

E　✕　根拠 法９、10　—

法10条の「使用者」は、労働基準法各条の義務についての履行の責任者をいい、具体的事実においてその実質的責任が何人にあるかによって決まるものである。したがって、法９条にいう労働者が同時にある事項について権限と責任をもっていれば、その事項については、その者が法10条の使用者となる場合がある。

問５　正解　A　正解率 75%

A　✕　根拠 法13、14－Ⅰ、H15.10.22基発1022001号　CH1 Sec2③

設問の場合は、法14条１項に規定する（上限）期間を定めた労働契約となる。法13条では、「この法律で定める基準に達しない労働条件を定める労働契約は、その部分については無効とする。この場合において、無効となった部分は、この法律で定める基準による。」と定めており、労働契約の期間が、法14条１項に規定する労働契約の上限期間を超えるとき（労働基準法に定める基準に達しないとき）は、当該上限期間が労働契約の期間とされる。

確認してみよう！

法14条は、長期労働契約による人身拘束の弊害を排除するために、労働契約の上限期間を定めたものである。

B　○　根拠 法15、S23.11.27基収3514号　—

法15条１項の規定により明示が義務付けられる労働条件は、同項及び同法施行規則５条に定める労働条件に限られており、福利厚生施設（社宅の供与）はこれに含まれていないので、社宅の供与をしなかったときでも、法15条２項による労働契約の解除権を行使することはできない。

確認してみよう！

労働条件の明示事項

絶対的明示事項	①	労働契約の期間に関する事項
	②	就業の場所及び従事すべき業務に関する事項（就業の場所及び従事すべき業務の変更の範囲を含む。）
	③	始業及び終業の時刻、所定労働時間を超える労働の有無、休憩時間、休日、休暇並びに労働者を2組以上に分けて就業させる場合における就業時転換に関する事項
	④	賃金（退職手当等を除く。）の決定、計算及び支払の方法、賃金の締切り及び支払の時期並びに昇給に関する事項
	⑤	退職に関する事項（解雇の事由を含む。）
	有期労働契約であって当該労働契約の期間の満了後に当該労働契約を更新する場合があるものの締結の場合（①～⑤のほか、下記⑥）	
	⑥	有期労働契約を更新する場合の基準に関する事項（労働契約法に規定する通算契約期間又は有期労働契約の更新回数に上限の定めがある場合には当該上限を含む。）
	その契約期間内に労働者が労働契約法の無期転換申込みをすることができることとなる有期労働契約の締結の場合（①～⑥のほか、下記⑦⑧）	
	⑦	無期転換申込みに関する事項
	⑧	無期転換申込みに係る期間の定めのない労働契約の内容である労働条件のうち上記①～⑤までに掲げる事項
相対的明示事項	⑨	退職手当の定めが適用される労働者の範囲、退職手当の決定、計算及び支払の方法並びに退職手当の支払の時期に関する事項
	⑩	臨時に支払われる賃金等（退職手当を除く。）、賞与及び最低賃金額に関する事項
	⑪	労働者に負担させるべき食費、作業用品その他に関する事項
	⑫	安全及び衛生に関する事項
	⑬	職業訓練に関する事項
	⑭	災害補償及び業務外の傷病扶助に関する事項
	⑮	表彰及び制裁に関する事項
	⑯	休職に関する事項
	その契約期間内に労働者が労働契約法の無期転換申込みをすることができることとなる有期労働契約の締結の場合（⑨～⑯のほか、下記⑰）	
	⑰	無期転換申込みに係る期間の定めのない労働契約の内容である労働条件のうち上記⑨～⑯までに掲げる事項

C ○ 根拠 法17、S63.3.14基発150号

CH1 Sec2③

法17条の「前借金その他労働することを条件とする前貸の債権」とは、金銭貸借関係と労働関係が密接に関係し、身分的拘束を伴うものを指し、設問の生活資金はこれに該当しない。なお、法17条違反となるのは、前借金その他労働することを条件とする前貸の債権と賃金を相殺したときである。

確認してみよう！

労働基準法17条（前借金相殺の禁止）

使用者は、前借金その他労働することを条件とする前貸の債権と賃金を相殺してはならない。

D ○ 根拠 法22、H11.3.31基発169号　―

E ○ 根拠 法19、20、S63.3.14基発150号　―

「天災事変その他やむを得ない事由」とは、天災事変のほか、天災事変に準ずる程度に不可抗力に基づきかつ突発的事由の意であり、「事業の継続が不可能になる」とは、事業の全部又は大部分の継続が不可能になった場合をいう。

確認してみよう！

やむを得ない事由

⑴　次の場合には、やむを得ない事由に該当する。
- 事業場が火災により焼失した場合（事業主の故意又は重大な過失に基づく場合を除く）
- 震災に伴う工場、事業場の倒壊、類焼等により事業の継続が不可能となった場合

⑵　次の場合には、やむを得ない事由に該当しない。
- 事業主が経済法令違反のため強制収容され、又は購入した諸機械、資材等を没収された場合
- 税金の滞納処分を受け事業廃止に至った場合
- 事業経営上の見通しの齟齬の如き事業主の危険負担に属すべき事由に起因して資材入手難、金融難に陥った場合
- 従来の取引事業場が休業状態となり、発注品なく、ために事業が金融難に陥った場合

問６　正解　C　　正解率 80％

A × 根拠 法24-Ⅰ、S63.3.14基発150号　CH1 Sec3②

労働者の親権者その他法定代理人に支払うことも、直接払の原則に違反する。直接払の原則は、労働者本人以外の者に賃金を支払うことを禁止するものである。

B ✕ 根拠 法24-Ⅰただし書、則6の2-Ⅰ　CH1 Sec6③

「労働者の過半数を代表する者」は、設問のほかに、「法41条2号に規定する監督又は管理の地位にある者でないこと」という要件も満たさなければならない。

C ○ 根拠 法24-Ⅱ　CH1 Sec3②

D ✕ 根拠 法24-Ⅰ、25　—

設問の法25条（非常時払）による賃金の支払についても、法24条1項（通貨払・直接払・全額払）の規定が適用される。

E ✕ 根拠 法26、最二小S62.7.17ノース・ウエスト航空事件　—

定期航空運輸事業を営む会社に法令違反の疑いがあったことから、労働組合がその改善を要求して部分ストライキを行った場合に、同社がストライキに先立ち、労働組合の要求を一部受け入れ、一応首肯しうる改善案を発表したのに対し、労働組合がもっぱら自らの判断によって当初からの要求の貫徹を目指してストライキを決行したという事情があるのであるから、そのストライキは、もっぱら労働組合が自らの主体的判断とその責任に基づいて行ったものとみるべきであって、使用者側に起因する事象ということはできず、同社が労働組合所属のストライキ不参加労働者の労働が社会観念上無価値となったため同労働者に対して命じた休業は、労働基準法26条の「使用者の責に帰すべき事由」によるものということが**できず**、労働者らは右休業につき会社に対し休業手当を請求することは**できない**、とするのが最高裁判所の判例である。

問7 正解 C　正解率 17%

A ○ 根拠 法36-Ⅱ④、H30.12.28基発1228第15号　—

B ○ 根拠 R5.3.29厚労告108号　—

C ✕ 根拠 法38-Ⅰ、R2.9.1基発0901第3号　CH1 Sec4①

法34条に定める休憩に関する規定の適用については、労働時間は通算されない。

確認してみよう！

★ 労働基準法38条1項（時間計算）

労働時間は、事業場を異にする場合においても、労働時間に関する規定の適用については通算する。

D　○　根拠 最二小S62.7.10弘前電報電話局事件　―

なお、設問の最高裁判所の判例では、「年次休暇の利用目的は労基法の関知しないところであるから、勤務割を変更して代替勤務者を配置することが可能な状況にあるにもかかわらず、休暇の利用目的のいかんによってそのための配慮をせずに時季変更権を行使することは、利用目的を考慮して年次休暇を与えないことに等しく、許されない」としている。

E　○　根拠 法32、H29.1.20基発0120第３号　―

問８　正解　E　正解率 80%

A　×　根拠 法37-Ⅰ、令12-Ⅰ①　CH2 Sec5①

設問のボイラーは、特定機械等として、労働安全衛生法施行令に掲げられている。

確認してみよう！

特定機械等

①	ボイラー（小型ボイラー等を除く。）
②	第一種圧力容器（小型圧力容器等を除く。）
③	クレーン〔つり上げ荷重が３トン以上（スタッカー式クレーンは、１トン以上）〕
④	移動式クレーン（つり上げ荷重が３トン以上）
⑤	デリック（つり上げ荷重が２トン以上）
⑥	エレベーター〔積載荷重が１トン以上のもの（簡易リフト及び建設用リフトを除く。）〕
⑦	建設用リフト〔ガイドレールの高さが18メートル以上のもの（積載荷重が0.25トン未満のものを除く。）〕
⑧	ゴンドラ

B　×　根拠 法37-Ⅰ、令12-Ⅰ③　CH2 Sec5①

設問のクレーンは、特定機械等として、労働安全衛生法施行令に掲げられている。Aの 確認してみよう！ 参照。

C　×　根拠 法37-Ⅰ、令12-Ⅰ④　CH2 Sec5①

設問の移動式クレーンは、特定機械等として、労働安全衛生法施行令に掲げられている。Aの 確認してみよう！ 参照。

D ✕ 根拠 法37-Ⅰ、令12-Ⅰ⑥ CH2 Sec5①

設問のエレベーターは、特定機械等として、労働安全衛生法施行令に掲げられている。Aの 確認してみよう！ 参照。

E ○ 根拠 法37-Ⅰ、令12 CH2 Sec5①

設問の機体重量が3トン以上の車両系建設機械は、特定機械等として、労働安全衛生法施行令に掲げられていない（特定機械等に該当しない。）。Aの 確認してみよう！ 参照。

問9 正解 D 正解率 11%

A ○ 根拠 特化則38の21他 —

B ○ 根拠 令別表第4,13号、鉛則1-⑤リ他 —

C ○ 根拠 令別表第6の2,37号、有機則1-①②⑥リ —

D ✕ 根拠 令20-⑨、高圧則1の2-③、同則8、9、12他 —

設問の潜水業務は、「酸素欠乏症等防止規則」ではなく「高気圧作業安全衛生規則」の適用がある。

E ○ 根拠 則36-⑤、151の16～151の26他 —

問10 正解 A 正解率 63%

A ○ 根拠 法66の4 CH2 Sec8④

なお、法66条1項の健康診断は医師による健康診断であるので、意見聴取は医師から行うこととなる。

B ✕ 根拠 法66-Ⅰ、則43 CH2 Sec8①

設問文中の「6月を経過しない者」を「3月を経過しない者」と読み替えると、正しい記述となる。

C ✕ 根拠 則52-Ⅰ CH2 Sec8④

設問文のカッコ書が誤りである。電子情報処理組織を使用して、所定の事項を所轄労働基準監督署長に報告しなければならないのは、常時「50人以上」の労働者を使用する事業者である。

確認してみよう！

事業者は、労働安全衛生規則48条の歯科医師による健康診断（定期のものに限る。）を行ったときは、遅滞なく、電子情報処理組織を使用して、所定の事項を所轄労働基準監督署長に報告しなければならない。

D　×　根拠　法66の６、則51の４　CH2 Sec8④

設問文のカッコ書が誤りである。定期健康診断の結果は、当該健康診断の項目に異常の所見があると診断された労働者に係るものに限らず、当該健康診断を受けたすべての労働者に通知しなければならない。

E　×　根拠　法66-Ⅴ　CH2 Sec8③

労働者は、労働安全衛生法の規定により事業者が行う健康診断を受けなければならない。ただし、事業者の指定した医師又は歯科医師が行う健康診断を受けることを希望しない場合において、「他の医師又は歯科医師の行うこれらの規定による健康診断に相当する健康診断を受け、その結果を証明する書面」を事業者に提出したときは、この限りでない。

労働者災害補償保険法（労働保険の保険料の徴収等に関する法律を含む。）

問1　正解　E　　正解率 27%

A　○　根拠 R5.9.1基発0901第２号　—

B　○　根拠 R5.9.1基発0901第２号　—

C　○　根拠 R5.9.1基発0901第２号　—

D　○　根拠 R5.9.1基発0901第２号　—

E　×　根拠 R5.9.1基発0901第２号　—

単独の出来事の心理的負荷が「弱」である複数の出来事が関連なく生じている場合、原則として全体評価も「弱」となる。

問2　正解　C　　正解率 82%

A　×　根拠 則14-Ⅱ　CH3 Sec5①

同一の業務災害により身体障害が２以上ある場合には、重い方の身体障害の該当する障害等級による。したがって、重い方の身体障害である「第12級」となる。

確認してみよう！

併合繰上げ

同一の業務災害により次表左欄に掲げる身体障害が２以上ある場合には、それぞれの区分に応じ、重い方の身体障害の該当する障害等級をそれぞれ次表右欄に掲げる等級だけ繰り上げた障害等級による。

障害	併合繰上げ
第13級以上の身体障害が２以上あるとき	重い方を１級繰上げ
第８級以上の身体障害が２以上あるとき	重い方を２級繰上げ
第５級以上の身体障害が２以上あるとき	重い方を３級繰上げ

B　×　根拠 則14-Ⅱ　CH3 Sec5①

Aの解説参照。

C　○　根拠 則14-Ⅱ　CH3 Sec5①

Aの解説参照。

D　×　根拠 則14-Ⅱ　CH3 Sec5①

Aの解説参照。

E　×　根拠　則14－Ⅱ　CH3 Sec5①

Aの解説参照。

問3　正解　E（ア〜オの五つ）　正解率 50%

ア　〇　根拠　R3.9.14基発0914第１号、R5.10.18基発1018第１号　CH3 Sec2①

「狭心症」は、認定基準で取り扱われる対象疾病に含まれる。

確認してみよう！

対象疾病

労基則別表第１の2,8号では、「長期間にわたる長時間の業務その他血管病変等を著しく増悪させる業務による脳出血、くも膜下出血、脳梗塞、高血圧性脳症、心筋梗塞、狭心症、心停止（心臓性突然死を含む。）、重篤な心不全若しくは大動脈解離又はこれらの疾病に付随する疾病」と規定されており、設問の認定基準では、次に掲げる疾病を対象疾病としている。

脳血管疾患		
① 脳内出血（脳出血）	② くも膜下出血	③ 脳梗塞
④ 高血圧性脳症		
虚血性心疾患等		
① 心筋梗塞	② 狭心症	③ 心停止（心臓性突然死を含む。）
④ 重篤な心不全	⑤ 大動脈解離	

イ　〇　根拠　R3.9.14基発0914第１号、R5.10.18基発1018第１号　CH3 Sec2①

「心停止（心臓性突然死を含む。）」は、認定基準で取り扱われる対象疾病に含まれる。**ア**の確認してみよう！参照。

ウ　〇　根拠　R3.9.14基発0914第１号、R5.10.18基発1018第１号　CH3 Sec2①

「重篤な心不全」は、認定基準で取り扱われる対象疾病に含まれる。**ア**の確認してみよう！参照。

エ　〇　根拠　R3.9.14基発0914第１号、R5.10.18基発1018第１号　CH3 Sec2①

「くも膜下出血」は、認定基準で取り扱われる対象疾病に含まれる。**ア**の確認してみよう！参照。

オ　〇　根拠　R3.9.14基発0914第１号、R5.10.18基発1018第１号　CH3 Sec2①

「大動脈解離」は、認定基準で取り扱われる対象疾病に含まれる。**ア**の 確認してみよう！ 参照。

問4 正解 B（ア・エの二つ） 正解率 36%

ア ○ 根拠 法別表第1、令2 CH3 Sec7⑦

確認してみよう！

社会保険給付との調整

同一の事由〔障害（補償）等年金及び遺族（補償）等年金については、それぞれ、当該障害又は死亡をいい、傷病（補償）等年金については、当該負傷又は疾病により障害の状態にあることをいう。〕により、障害（補償）等年金若しくは傷病（補償）等年金又は遺族（補償）等年金と厚生年金保険法の規定による障害厚生年金及び国民年金法の規定による障害基礎年金（同法30条の4の規定による20歳前傷病による障害基礎年金を除く。）又は厚生年金保険法の規定による遺族厚生年金及び国民年金法の規定による遺族基礎年金若しくは寡婦年金とが支給される場合にあっては、労災保険の保険給付は、次表に掲げる区分に応じ、それぞれ政令で定める率（次表に掲げる調整率）を乗じて得た額（その額が政令で定める額を下回る場合には、当該政令で定める額）となる。

＜調整率＞

社会保険 ／ 労災保険	障害基礎年金	障害厚生年金	障害基礎年金及び障害厚生年金
傷病（補償）等年金	0.88	0.88	0.73
障害（補償）等年金	0.88	0.83	0.73

社会保険 ／ 労災保険	遺族基礎年金又は寡婦年金	遺族厚生年金	遺族基礎年金及び遺族厚生年金
遺族（補償）等年金	0.88	0.84	0.80

※ 休業（補償）等給付の調整率は、傷病（補償）等年金について定める率と同じである。

イ × 根拠 法別表第1 CH3 Sec7⑦

設問の場合、調整は行われない（障害補償年金は全額支給される。）。社会保険給付との調整は、**同一の事由**により、労災保険の保険給付と国民年金、厚生年金保険の年金給付とが支給される場合に行われる。**ア**の 確認してみよう！ 参照。

ウ　×　根拠　法別表第１　CH3 Sec7⑦

設問の場合、調整は行われない（遺族補償年金は全額支給される。）。社会保険給付との調整は、**同一の事由**により、労災保険の保険給付と国民年金、厚生年金保険の年金給付とが支給される場合に行われる。**ア**の 確認してみよう！ 参照。

エ　○　根拠　法別表第１、令２　CH3 Sec7⑦

アの 確認してみよう！ 参照。

オ　×　根拠　法別表第１　CH3 Sec7⑦

設問の場合、調整は行われない（障害補償年金は全額支給される。）。社会保険給付との調整は、**同一の事由**により、労災保険の保険給付と国民年金、厚生年金保険の年金給付とが支給される場合に行われる。**ア**の 確認してみよう！ 参照。

問５　正解　D　　正解率 82%

A　×　根拠　法16の２－Ⅰ　CH3 Sec6①

夫が遺族補償年金の受給資格者となるには、妻の死亡の当時55歳以上（本則上は60歳以上）であるか、又は厚生労働省令で定める障害の状態にあることを要する。

B　×　根拠　法16の２－Ⅰ　CH3 Sec6①

障害基礎年金を受給していた場合に、「労働者の死亡の当時その収入によって生計を維持していたものとはいえない」とする規定はない。労働者の死亡の当時その収入によって生計を維持していた子は、厚生労働省令で定める障害の状態（身体に障害等級の第５級以上に該当する障害がある状態又は負傷若しくは疾病が治らないで、身体の機能若しくは精神に、労働が高度の制限を受けるか、若しくは労働に高度の制限を加えることを必要とする程度以上の障害がある状態）にあるときは、遺族補償年金の受給資格者となる。

C　×　根拠　法16の２－Ⅱ　CH3 Sec6①

労働者の死亡の当時胎児であった子が出生したときは、遺族補償年金の受給資格者に係る規定の適用については、将来に向かって、その子は、労働者の死亡の当時その収入によって生計を維持していた子とみなされる。

D ○ 根拠 法16の２－Ⅰ、H2.7.31基発486号 —

得点UP！

設問の場合のほか、次に掲げる場合には、生計維持関係が常態であったものと認められる（労働者の死亡の当時その収入によって生計を維持していたものと認められる。）。

⑴ 労働者の死亡当時において、業務外の疾病その他の事情により当該遺族との生計維持関係が失われていても、それが一時的な事情によるものであることが明らかであるとき

⑵ 労働者の収入により生計を維持することとなった後まもなく当該労働者が死亡した場合であっても、労働者が生存していたとすれば、特別の事情がない限り、生計維持関係が存続するに至ったであろうことを推定し得るとき

E ✕ 根拠 法16の４ CH3 Sec6①

設問のような失権事由を定めた規定はない。

問６ 正解 E 正解率 64%

A ✕ 根拠 法38－Ⅰ CH3 Sec10①

労災保険給付に関する決定に不服のある者は、「労働者災害補償保険審査官」に対して審査請求を行うことができる。

B ✕ 根拠 法38－Ⅱ CH3 Sec10①

審査請求をした日から「３か月」を経過しても審査請求についての決定がないときは、労働者災害補償保険審査官が審査請求を棄却したものとみなすことができる。

C ✕ 根拠 法40 CH3 Sec10①

処分の取消しの訴えは、当該処分についての「審査請求に対する労働者災害補償保険審査官の決定」を経た後でなければ、提起することができない。

D ✕ 根拠 法38－Ⅰ CH3 Sec10①

審査請求の対象となるのは「保険給付に関する決定」であるが、保険給付に関する決定とは、直接、受給権者の権利に法律的効果を及ぼす処分のことをいい、決定の前提にすぎない要件事実の認定（傷病の治ゆ日等の認定、業務上外の認定、給付基礎日額の認定等）は、審査請求の対象とならない。

E ○ 根拠 法38-Ⅰ —

審査請求をすることができる者（審査請求人適格を有する者）は、「保険給付に関する決定に不服のある者」であり、原処分を受けた者のほか、原処分を受けた者〔遺族（補償）等給付の不支給決定処分を受けた者を除く。〕が請求前に死亡した場合の相続人も審査請求人適格を有する。

問７ 正解 E 正解率 83%

A × 根拠 法８-Ⅲ、則９の２の２、R2.8.21基発0821第２号 —

設問の場合、給付基礎日額は、甲会社・乙会社・丁会社それぞれにつき算定した給付基礎日額相当額を合算した額となる。複数業務要因災害として認定される場合については、どの事業場においても業務と疾病等との間に相当因果関係が認められないものであることから、遅発性疾病等の診断が確定した日においていずれかの事業場に使用されている場合は、当該事業場について当該診断確定日以前３か月に支払われた賃金により給付基礎日額相当額を算定する。この場合、遅発性疾病等の診断が確定した日から３か月前の日を始期として、遅発性疾病等の診断が確定した日までの間に他の事業場から賃金を受けている場合は、当該事業場の給付基礎日額相当額について、当該３か月間において支払われた賃金により算定することとし、遅発性疾病等の診断が確定した日から３か月前の日を始期として、遅発性疾病等の診断が確定した日までの間に他の事業場から賃金を受けていない場合は、当該他の事業場に係る給付基礎日額相当額を算定する必要はない。設問の場合、脳血管疾患を発症した日（遅発性疾病等の診断が確定した日）に事業場（甲、乙、丁）に使用されているため、脳血管疾患を発症した日以前３か月に支払われた賃金により給付基礎日額相当額を算定する。また、この場合、脳血管疾患を発症した日から３か月前の日を始期として、当該発症日までの間に他の事業場から賃金を受けている場合は、その事業場についても給付基礎日額相当額を算定することとなるが、丙会社に使用されていたのは脳血管疾患を発症した日の６か月前から４か月前までであるから、丙会社においては給付基礎日額相当額は算定しない。

B × 根拠 法８-Ⅲ、則９の２の２、R2.8.21基発0821第２号 —

Aの解説参照。

C × 根拠 法８-Ⅲ、則９の２の２、R2.8.21基発0821第２号 —

Aの解説参照。

D ✕ 根拠 法8－Ⅲ、則9の2の2、R2.8.21基発0821第2号 —

Aの解説参照。

E ◯ 根拠 法8－Ⅲ、則9の2の2、R2.8.21基発0821第2号 —

Aの解説参照。

問8 正解 E 正解率 44%

A ◯ 根拠 法13、則21－Ⅰ、21の2、則別表第4 CH5 Sec3⑤

第1種特別加入保険料の額は、特別加入保険料算定基礎額（給付基礎日額×365）の総額に第1種特別加入保険料率を乗じて得た額とされており、また、第1種特別加入保険料率は、第1種特別加入者に係る事業についての労災保険率と同一の率から労災保険法の適用を受けるすべての事業の過去3年間の二次健康診断等給付に要した費用の額を考慮して厚生労働大臣の定める率（零）を減じた率（つまり、当該事業についての労災保険率と同じ率）とされている。したがって、設問の場合、第1種特別加入保険料の額は、12,000円×365×1,000分の4＝17,520円となる。

B ◯ 根拠 法13、則21－Ⅱ、21の2 CH5 Sec3⑤

C ◯ 根拠 法14－Ⅰ、則22、23、則別表第4、第5 CH5 Sec3⑤

第2種特別加入保険料の額は、特別加入保険料算定基礎額（給付基礎日額×365）の総額に第2種特別加入保険料率を乗じて得た額とされており、また、第2種特別加入保険料率は、事業又は作業の種類ごとに、最高1000分の52から最低1000分の3の範囲内で定められている。したがって、設問の場合、第2種特別加入保険料の額は、最高で12,000円×365×1,000分の52＝227,760円となり、227,760円を超えることはない。

D ◯ 根拠 法14－Ⅰ、則23、則別表第5、労災則46の17－① CH5 Sec3⑤

フードデリバリーの自転車配達員は、「自動車を使用して行う旅客若しくは貨物の運送の事業又は原動機付自転車若しくは自転車を使用して行う貨物の運送の事業」に該当し、当該事業を労働者を使用しないで行うことを常態とする者は、第2種特別加入の対象となる（当該事業に係る第2種特別加入保険料率は、

1,000分の12である。)。

E ✕ 根拠 法14の２-Ⅰ、則23の２、23の３ CH5 Sec3⑤

第３種特別加入保険料の額は、特別加入保険料算定基礎額（給付基礎日額×365）の総額に第３種特別加入保険料率を乗じて得た額とされており、また、第３種特別加入保険料率は、一律に1000分の３と定められている。したがって、設問の場合、第３種特別加入保険料の額は、12,000円×365×1,000分の３＝「13,140円」となる。

問９ 正解 D

正解率 31%

A ◯ 根拠 法33-Ⅰ —

労働保険事務組合に労働保険事務を委託することができるのは、労働保険事務組合の主たる事務所が所在する都道府県に主たる事務所を持つ事業の事業主のほか、他の都道府県に主たる事務所を持つ事業の事業主も含まれる。

B ◯ 根拠 法33-Ⅰ、則62-Ⅲ —

C ◯ 根拠 法33-ⅠⅡ、H12.3.31発労徴31号 CH5 Sec10②

D ✕ 根拠 法35-Ⅱ、H25.3.29基発0329第７号 CH5 Sec10③

設問の場合、追徴金の徴収については、労働保険事務組合の責めに帰すべき理由があるため、その限度で、当該労働保険事務組合は、政府に対して当該追徴金の納付責任を負うことになる。

確認してみよう！

労働保険事務組合の責任等

⑴ 事業主が労働保険関係法令の規定による労働保険料その他の徴収金の納付のため、金銭を労働保険事務組合に交付したときは、その金額の限度で、労働保険事務組合は、政府に対して当該徴収金の納付の責めに任ずるものとする。

⑵ 労働保険関係法令の規定により政府が追徴金又は延滞金を徴収する場合において、その徴収について労働保険事務組合の責めに帰すべき理由があるときは、その限度で、労働保険事務組合は、政府に対して当該徴収金の納付の責めに任ずるものとする。

⑶ 政府は、上記⑴⑵により労働保険事務組合が納付すべき徴収金については、当該労働保険事務組合に対して徴収法27条３項の規定による処分（国税滞納処分の例による処分）をしてもなお徴収すべき残余がある場合に限り、その残余の額を当該事業主から徴収することができる。

E ○ 根拠 法33-Ⅰ、則62-Ⅱ、H25.3.29基発0329第７号 —

確認してみよう！

労働保険事務組合に労働保険事務の処理を委託することができる事業主の規模

事業の種類	使用労働者数
金融業、保険業、不動産業、小売業	常時50人以下
卸売業、サービス業	常時100人以下
上記以外の事業	常時300人以下

問10 正解 C

正解率 75%

A ○ 根拠 法９、則10-Ⅰ、S40.7.31基発901号 CH5 Sec2④

なお、設問の「労働保険徴収法施行規則第10条で定める要件」（継続事業の一括の要件）は、次の(1)及び(2)に掲げる要件である。

(1) それぞれの事業が、次の①～③のいずれか一のみに該当するものであること。

① 労災保険に係る保険関係が成立している事業のうち二元適用事業

② 雇用保険に係る保険関係が成立している事業のうち二元適用事業

③ 一元適用事業であって労災保険及び雇用保険に係る保険関係が成立しているもの

(2) それぞれの事業が、労災保険率表に掲げる事業の種類を同じくすること。

B ○ 根拠 法９、則10-Ⅰ① CH5 Sec2④

Aの解説参照。

C × 根拠 法９、則10-Ⅰ②、S40.7.31基発901号 CH5 Sec2④

Aの解説参照。

D ○ 根拠 法９、則10-Ⅰ①、S40.7.31基発901号 —

継続事業の一括は、保険関係が成立している一定の事業が対象（Aの解説参照）であるが、暫定任意適用事業の場合には、任意加入の申請と同時に一括の申請をして差し支えないこととされている。

E ○ 根拠 法９、則10-ⅡⅢ、76-② —

指定される事業は、一括される事業のうち、労働保険事務を的確に処理する事務能力を有すると認められるものに限られるため、当該事業主の希望する事業と必ずしも一致しない場合がある。

雇用保険法（労働保険の保険料の徴収等に関する法律を含む。）

問１　正解　Ｅ　　正解率 64%

A　○　根拠　法４－Ⅰ、行政手引20351　　—

　監査役については、会社法上従業員との兼職禁止規定があるので、被保険者とならない。ただし、名目的に監査役に就任しているに過ぎず、常態的に従業員として事業主との間に明確な雇用関係があると認められる場合は被保険者となる。

B　○　根拠　法４－Ⅰ、行政手引20351　　CH4 Sec2②

　なお、適用事業に雇用されて主として家事以外の労働に従事することを本務とする者は、家事に使用されることがあっても被保険者となる。

C　○　根拠　法４－Ⅰ、行政手引20351　　—

　個人事業の事業主と同居している親族は、原則として被保険者とならないが、設問の条件を満たす者は被保険者となる。

D　○　根拠　法４－Ⅰ、行政手引20352　　—

　ワーキング・ホリデー制度による入国者は、主として休暇を過ごすことを目的として入国し、その休暇の付随的な活動として旅行資金を補うための就労が認められるものであることから、被保険者とならない。

確認してみよう！

日本国に在住する外国人は、外国公務員及び外国の失業補償制度の適用を受けていることが立証された者を除き、国籍（無国籍を含む。）のいかんを問わず被保険者となる。

E　×　根拠　法４－Ⅰ、行政手引20352　　—

　設問の技能実習生が技能等の修得をする活動を行う場合には、受入先の事業主と雇用関係にあるので、被保険者となる。なお、入国当初に雇用契約に基づかない講習が行われる場合には、当該講習期間中は受入先の事業主と雇用関係にないので、被保険者とならない。

問２　正解　Ａ　　正解率 57%

A　○　根拠　法15－Ⅴ、行政手引51254　　CH4 Sec3③

失業の認定は、基本手当に係る失業の認定日において、原則として前回の認定日から今回の認定日の前日までの期間〔法32条の給付制限（職業紹介拒否・職業指導拒否・訓練受講拒否に係る給付制限の対象となっている期間を含む。以下「認定対象期間」という。)〕に、求職活動を行った実績（以下「求職活動実績」という。）が原則２回以上あることを確認できた場合に行われるが、認定対象期間の日数が14日未満となる場合等の一定の場合には、認定対象期間中の求職活動実績は１回以上あれば足りるものとされている。

B　✕　根拠　法15-Ⅴ、行政手引51254　—

設問のように民間職業紹介機関へ登録をし、求人情報を閲覧したのみでは、求職活動実績として取り扱われない。求職活動実績として認められる求職活動は、原則として、就職しようとする積極的な意思を具体的かつ客観的に確認し得る活動であることを要し、公共職業安定所、許可・届出のある民間需給調整機関（民間職業紹介機関・労働者派遣機関）が行う職業相談、職業紹介等は求職活動実績として認められる求職活動に該当するが、単なる職業紹介機関への登録、公共職業安定所等での求人情報の閲覧等だけでは求職活動に該当しない。

C　✕　根拠　法15-Ⅴ、行政手引51251　—

設問の場合（失業の認定日が就職日の前日である場合）には、前回の認定日から「当該認定日」までの期間について失業の認定をすることができる。失業の認定は、原則として前回の認定日から当該認定日の前日までの期間について行われるが、失業の認定日が就職日の前日である場合、受給期間の最終日である場合又は基本手当の支給終了日である場合は、当該認定日を含めた期間（前回の認定日から当該認定日までの期間）について失業の認定をすることもできることとされている。また、設問の認定日の翌日は就職日であるため、失業の認定は行われない。

D　✕　根拠　法15-Ⅴ、行政手引51254　—

求職活動実績の確認については、失業認定申告書に記載された受給資格者の自己申告に基づいて判断することを原則とし、求職活動に利用した機関や応募先事業所の証明等（確認印等）は求めないこととされている。

E　✕　根拠　法15-Ⅴ、行政手引51256　—

受給資格者が被保険者とならないような派遣就業を行った場合は、通常、その雇用契約期間が「就職」していた期間であることとされるため、当該期間については失業の認定は行われない。

問３ 正解 B

正解率 69%

A ○ 根拠 法４-Ⅳ、17-Ⅰ、行政手引50503 —

なお、労働者の退職後（退職を事由として、事業主の都合等により退職前に一時金として支払われる場合を含む。）に一時金又は年金として支払われるものは、賃金日額の算定の基礎となる賃金の範囲に含まれない。

確認してみよう！

賃金日額

賃金日額は、算定対象期間において被保険者期間として計算された最後の６か月間に支払われた賃金（臨時に支払われる賃金及び３か月を超える期間ごとに支払われる賃金を除く。）の総額を180で除して得た額とする。

B × 根拠 法４-Ⅳ、17-Ⅰ、行政手引50453 —

設問の住宅手当は、賃金日額の算定の基礎に含まれる。「３か月を超える期間ごとに支払われる賃金」とは算定の事由が３か月を超える期間ごとに発生するものをいい、通常は実際の支払いも３か月を超える期間ごとに行われるものである。したがって、単に支払事務の便宜等のために年間の給与回数が３回以内となるものは「３か月を超える期間ごとに支払われる賃金」に該当しない。

C ○ 根拠 法19-Ⅲ、則29 —

確認してみよう！

自己の労働による収入の届出

受給資格者は、失業の認定を受けた期間中に自己の労働によって収入を得たときは、その者が自己の労働によって収入を得るに至った日の後における最初の失業の認定日に、その収入の額その他の事項を失業認定申告書により管轄公共職業安定所の長に届け出なければならない。

D ○ 根拠 法18-Ⅲ、則28の５ CH4 Sec3④

E ○ 根拠 法17-Ⅲ、H26.7.17厚労告292号 CH4 Sec3④

確認してみよう！

休業等開始時賃金証明書

事業主は、その雇用する被保険者がその対象家族を介護するための休業若しくは小学校就学の始期に達するまでの子を養育するための休業をした場合又はその雇用する被保険者のうちその対象家族を介護する被保険者若しくは小学校就学の始期に達するまでの子を養育する被保険者に関して所定労働時間の短縮を行った場合であって、当該被保険者が離職し、特定理由離職者又は特定受給資格者として受給資格の決定を受けることとなるときは、当該被保険者が当該離職したことにより被保険者でなくなった日の翌日から起算して10日以内に、休業等開始時賃金証明書（雇用保険被保険者休業開始時賃金月額証明書・所定労働時間短縮開始時賃金証明書）に所定の書類を添えてその事業所の所在地を管轄する公共職業安定所の長に提出しなければならない。

問4　正解　C　　正解率 81%

A　✕　根拠　法24-Ⅰ、則24-Ⅰ、行政手引52354　　CH4 Sec3③

公共職業安定所長の指示した公共職業訓練等（その期間が２年を超えるものを除く。）を受ける場合には、当該公共職業訓練等を受け終わる日までの間の失業している日について、所定給付日数を超えて基本手当が支給されるが、この基本手当に係る失業の認定は、公共職業訓練等受講証明書を所定の認定日（１月に１回）の都度提出させて行うこととされている。したがって、訓練延長給付の支給を受ける者も、失業の認定を受けることとなる。

B　✕　根拠　法24-Ⅰ　　CH4 Sec4①

受給資格者が公共職業安定所長の指示により、公共職業訓練等（その期間が２年を超えるものを除く。）を受けるために待期している期間については、90日を限度として、訓練延長給付の支給対象となる。

C　〇　根拠　法24-Ⅱ、令５-Ⅰ　　CH4 Sec4①

D　✕　根拠　法24、行政手引52354　　—

設問のような規定（訓練期間終了前に中途退所した場合に、公共職業訓練等受講開始時に遡って訓練延長給付を返還しなければならないとする規定）はない。なお、中途退所した場合には、「その退所の日後の日」については失業の認定は行われないこととなる。

E　✕　根拠　法15-Ⅲ、24-Ⅰ　　CH4 Sec3③

設問の認定職業訓練は、訓練延長給付の対象となる公共職業訓練等として指示することができる。

問５ 正解 Ｃ（イ） 正解率 70%

ア × 根拠 法56の３－Ⅰ②、則32-①、82の３ CH4 Sec7②

設問の「障害者雇用促進法に定める身体障害者が１年以上引き続き雇用されることが確実であると認められる職業に就いた場合」には、就業促進手当のうち常用就職支度手当が支給され得る。常用就職支度手当は、受給資格者にあっては、「当該職業に就いた日の前日における基本手当の支給残日数が所定給付日数の３分の１未満であるもの」が支給の要件とされているため、設問の者は、その他の要件を満たせば就業促進手当（常用就職支度手当）を受給することができる。

イ ○ 根拠 法56の３－Ⅱ、則82の４ CH4 Sec7①

受給資格者等が、就業促進手当に係る安定した職業に就いた日前３年の期間内の就職について就業促進手当の支給を受けたことがあるときは、就業促進手当は支給しないこととされている。

ウ × 根拠 則86 CH4 Sec7③

移転費は、雇用期間が１年未満の職業に就く場合には、支給されない。

エ （改正により削除）

オ × 根拠 則100の２、100の３ CH4 Sec7④

設問の「100分の30」を「100分の20」と読み替えると、正しい記述となる。なお、短期訓練受講費の対象となる教育訓練は、基本手当の待期期間が経過した後に開始したものに限られる。

問６ 正解 Ｄ 正解率 71%

Ａ × 根拠 法61の７－ⅠⅡⅣⅤ、行政手引59503-２ CH4 Sec9④

・設問の者は一般被保険者であり、みなし被保険者期間の要件（育児休業を開始した日前２年間に、みなし被保険者期間が通算して12か月以上）を満たしているため、育児休業を取得した場合には育児休業給付金が支給され得る。

・産前休業期間及び産後休業期間は育児休業給付金の支給対象となる育児休業に含まれない。

・３回目以降の育児休業については、厚生労働省令で定める場合に該当するものを除き、育児休業給付金は支給されない。

・育児休業給付金の支給に係る支給単位期間とは、育児休業をした期間を、育児休業開始日又は休業開始応当日から各翌月の休業開始応当日の前日（当該育児休業を終了した日の属する月にあっては、育児休業を終了した日）までの各期間に区分した場合における当該区分による一の期間をいう。

以上により、設問における育児休業給付金の支給対象となり得る育児休業の支給単位期間は、「令和６年２月４日～同年５月３日」の３か月及び「令和６年６月10日～同年８月９日」の２か月の、計５か月となる。

B　×　根拠 法61の７-ⅠⅡⅣⅤ、行政手引59503-２　CH4 Sec9④

Aの解説参照。

C　×　根拠 法61の７-ⅠⅡⅣⅤ、行政手引59503-２　CH4 Sec9④

Aの解説参照。

D　○　根拠 法61の７-ⅠⅡⅣⅤ、行政手引59503-２　CH4 Sec9④

Aの解説参照。

E　×　根拠 法61の７-ⅠⅡⅣⅤ、行政手引59503-２　CH4 Sec9④

Aの解説参照。

問７　正解　A:○、B:○、C:×、D:×、E:×　正解率 83%

A　○　根拠 法60の２-ⅠⅡ　CH4 Sec8①

特定一般教育訓練期間中に被保険者資格を喪失したことをもって、特定一般教育訓練給付金の支給対象から除外されることはない。なお、教育訓練給付に係る支給要件期間とは、原則として、教育訓練給付対象者が基準日（当該教育訓練を開始した日）までの間に同一の事業主の適用事業に引き続いて被保険者として雇用された期間（当該雇用された期間に係る被保険者となった日前に被保険者であったことがある者については、当該雇用された期間と当該被保険者であった期間を通算した期間）をいう。

B　○　根拠 則101の２の11、行政手引58015　―

なお、出題当時は、設問の支給申請は、「疾病又は負傷その他在職中であること等のやむを得ない理由があると認められない限り」、社会保険労務士によって行うことはできないとされていたため誤り（×）の内容であったが、令和６年２月１日に改正があり、やむを得ない理由の有無を問わず、社会保険労務士によって行うことができることとなったため正しい（○）内容となった。

C　×　根拠 則101の２の11の２－Ⅰ①　CH4 Sec8①

教育訓練給付金及び教育訓練支援給付金受給資格確認票を提出する際には、職務経歴等記録書を添付しなければならない。

D　×　根拠 則101の２の11－Ⅰ　CH4 Sec8①

教育訓練給付金支給申請書は、一般教育訓練を修了した日の翌日から起算して１か月以内に提出しなければならない。

E　×　根拠 則101の２の12－Ⅰ　CH4 Sec8①

設問の教育訓練給付金及び教育訓練支援給付金受給資格確認票は、専門実践教育訓練を開始する日の14日前までに提出しなければならない。

問８　正解　C　　正解率 44%

A　×　根拠 法19－ⅠⅣ、27－Ⅰ　—

確定保険料については、所定の納期限までに事業主が確定保険料申告書を提出しなかった場合は、所轄都道府県労働局歳入徴収官が労働保険料の額を決定（認定決定）し、当該事業主に通知してこれを納付させることとなるので、この場合に、法27条に基づく督促が行われるのは、この通知があってもなお法定納期限（通知を受けた日から15日以内）までに納付しなかったときに限られる。

B　×　根拠 法５、19－Ⅰ、則38－Ⅰ　CH5 Sec5①

設問の場合は、確定保険料申告書を「同年12月20日」までに提出しなければならない。保険年度の中途に保険関係が消滅した場合には、保険関係が消滅した日から50日以内に確定保険料申告書を提出しなければならないとされており、設問の場合、保険関係が消滅した日は令和４年11月１日なので、提出期限は同年12月20日となる。

C　○　根拠 法15－Ⅰ、19－Ⅰ、則24－Ⅲ、33－Ⅱ　—

継続事業については、通常の場合には、確定保険料の申告・納付期限は概算保険料の申告・納付期限と同日となるため、確定保険料の申告及び納付手続と概算保険料の申告及び納付手続とを同一の用紙により一括して行うことができる。

D ✕ 根拠 法18、則27-Ⅰ　CH5 Sec4④

設問の事業主は、労働保険事務の処理を労働保険事務組合に委託しているので、概算保険料の額にかかわらず、延納の申請を行うことができる。

確認してみよう！

延納の要件（継続事業）

①	次のⓐ又はⓑのいずれかに該当していること ⓐ　納付すべき概算保険料の額が40万円（労災保険に係る保険関係又は雇用保険に係る保険関係のみが成立している事業については、20万円）以上の事業であること ⓑ　労働保険事務の処理が労働保険事務組合に委託されている事業であること
②	当該保険年度において10月１日以降に保険関係が成立した事業ではないこと

E ✕ 根拠 法18、則28-Ⅰ　CH5 Sec4④

設問の場合は、延納の申請により、令和４年５月１日から同年７月31日までを第１期、令和４年８月１日から同年11月30日までを第２期、令和４年12月１日から令和５年３月31日までを第３期、令和５年４月１日から同年７月31日までを第４期、令和５年８月１日から同年11月30日までを第５期、令和５年12月１日から令和６年２月28日までを第６期として、６回に分けて概算保険料を納付することができ、第１期に納付すべき概算保険料の額は、120万円÷６＝「20万円」となる。

問９　正解　A　　正解率 31%

A ○ 根拠 法32-Ⅰ、則60　—

確認してみよう！

賃金からの控除

⑴　事業主は、被保険者に賃金を支払う都度、当該賃金に応ずる法31条２項の規定によって計算された被保険者の負担すべき一般保険料の額に相当する額（日雇労働被保険者にあっては、当該額及び印紙保険料の額の２分の１の額に相当する額）を当該賃金から控除することができる。

⑵　上記⑴の場合において、事業主は、一般保険料控除計算簿を作成し、事業場ごとにこれを備えなければならない。

B　✕　根拠　則42-Ⅰ　CH5 Sec7②

設問の申請書は、「所轄都道府県労働局歳入徴収官」ではなく、「所轄公共職業安定所長」に提出する。

C　✕　根拠　法23-Ⅲ、則44　CH5 Sec7①

設問の後半部分が誤りである。納付印を押すことによって印紙保険料を納付することができるのであり、納付印を押した後、納付すべき印紙保険料の額に相当する金額を所轄都道府県労働局歳入徴収官に納付する必要はない。

得点UP！

始動票札の交付等

⑴　印紙保険料納付計器の設置に係る承認を受けた者は、印紙保険料納付計器を使用する前に、納付計器に係る都道府県労働局歳入徴収官から当該印紙保険料納付計器を始動するために必要な票札（始動票札）の交付を受けなければならない。

⑵　事業主は、始動票札の交付を受けるためには、始動票札受領通帳に当該印紙保険料納付計器により表示しようとする印紙保険料の額に相当する金額の総額及び始動票札の交付を受けようとする年月日を記入し、納付計器に係る都道府県労働局歳入徴収官に提出しなければならない。

⑶　上記⑵により始動票札の交付を受けようとする者は、当該印紙保険料納付計器により表示することができる印紙保険料の額に相当する金額の総額を、あらかじめ当該印紙保険料納付計器を設置した事業場の所在地を管轄する都道府県労働局収入官吏に納付しなければならない。

D　✕　根拠　則43-Ⅱ③　CH5 Sec7②

設問の「１年間」を「６月間」と読み替えると、正しい記述となる。

E　✕　根拠　法23-Ⅱ、46-①　CH5 Sec9⑥

徴収法23条２項では、「印紙保険料の納付は、事業主が、日雇労働被保険者手帳に雇用保険印紙をはり、これに消印して行わなければならない」旨を規定しているが、事業主が当該規定に違反して雇用保険印紙をはらず、又は消印しなかった場合には、徴収法46条の罰則が適用され、６月以下の懲役又は「30万円以下の罰金」に処せられる。なお、事業主が印紙保険料の納付を怠った場合には、政府は、その納付すべき印紙保険料の額を決定し、これを事業主に通知するものとされており、また、事業主が、正当な理由がないと認められるにもかかわらず、印紙保険料の納付を怠ったときは、納付を怠った印紙保険料の額が1,000円未満であるときを除き、政府は、当該決定された印紙保険料の額（その額に1,000円未満の端数があるときは、その端数は、切り捨てる。）の100分の25に相当する額の追徴金を徴収するものとされているが、当該決定（認定決定）した印紙保険料及び追徴金は、罰金ではない（罰金とは別に徴収されるものである。）。

問10 正解 E　　正解率 75%

A ✕ 根拠 法2－Ⅲ　　CH5 Sec3③

徴収法における「賃金」のうち通貨以外のもので支払われるもの（食事、被服及び住居の利益）の評価に関し必要な事項は、「厚生労働大臣」が定める。なお、賃金に算入すべき通貨以外のもので支払われる賃金の範囲は、食事、被服及び住居の利益のほか、所轄労働基準監督署長又は所轄公共職業安定所長の定めるところによる。

B ✕ 根拠 法11－Ⅲ、則12－②、労災法3－Ⅱ　　CH5 Sec1②

労災保険に係る保険関係が成立している立木の伐採の事業であって、賃金総額を正確に算定することが困難なものについて、賃金総額の特例が認められているのであり、国の行う事業については、労災保険法が適用されないため、賃金総額の特例の問題は生じない。

C ✕ 根拠 法12－Ⅱ他　　—

設問のような規定はない。なお、労災保険率は、労災保険法の規定による保険給付及び社会復帰促進等事業に要する費用の予想額に照らし、将来にわたって、労災保険の事業に係る財政の均衡を保つことができるものでなければならないものとされている。

D ✕ 根拠 法12－Ⅴ　　—

厚生労働大臣は、労働保険徴収法12条5項の場合において、必要があると認めるときは、労働政策審議会の意見を聴いて、「1年以内の期間を定め」、失業等給付費等充当徴収保険率を同項に定める率の範囲内において変更することができるとされており、1年間より短い期間で変更することができる。

E ○ 根拠 法12－Ⅵ、31－Ⅰ①、Ⅲ　　CH5 Sec9④

労務管理その他の労働及び社会保険に関する一般常識

問１ 正解 C　　正解率 24%

A ○ 根拠「令和３年度雇用均等基本調査（企業調査）（厚生労働省）」　—

B ○ 根拠「令和３年度雇用均等基本調査（企業調査）（厚生労働省）」　—

C × 根拠「令和３年度雇用均等基本調査（企業調査）（厚生労働省）」　—

企業規模5,000人以上では「約６割（57.4％）」を占めている。

D ○ 根拠「令和３年度雇用均等基本調査（企業調査）（厚生労働省）」　—

E ○ 根拠「令和３年度雇用均等基本調査（企業調査）（厚生労働省）」　—

問２ 正解 B　　正解率 50%

A ○ 根拠「令和３年度能力開発基本調査（事業所調査）（厚生労働省）」　—

B × 根拠「令和３年度能力開発基本調査（事業所調査）（厚生労働省）」　—

自己啓発に対する支援の内容としては、「受講料などの金銭的援助」の割合が最も高く、「教育訓練機関、通信教育等に関する情報提供」、「自己啓発を通して取得した資格等に対する報酬」と続いている。

C ○ 根拠「令和３年度能力開発基本調査（事業所調査）（厚生労働省）」　—

D ○ 根拠「令和３年度能力開発基本調査（事業所調査）（厚生労働省）」　—

E ○ 根拠「令和３年度能力開発基本調査（事業所調査）（厚生労働省）」　—

問３ 正解 A　　正解率 48%

A ○ 根拠「令和３年パートタイム・有期雇用労働者総合実態調査（事業所調査）（厚生労働省）」　—

B × 根拠「令和３年パートタイム・有期雇用労働者総合実態調査（事業所調査）（厚生労働省）」　—

「無期雇用パートタイムを雇用している」の割合が最も高く、次いで「有期雇用パートタイムを雇用している」、「有期雇用フルタイムを雇用している」の順となっている。

C ✕ 根拠「令和3年パートタイム・有期雇用労働者総合実態調査(事業所調査)(厚生労働省)」 —

「有期雇用フルタイム」では「定年退職者の再雇用のため」、「経験・知識・技能のある人を採用したいため」、「正社員の代替要員の確保のため」が上位3つを占めており、また、「有期雇用パートタイム」における「定年退職者の再雇用のため」の割合は37.5%で、6割を超えていない。

D ✕ 根拠「令和3年パートタイム・有期雇用労働者総合実態調査(事業所調査)(厚生労働省)」 —

いずれの就業形態においても「日常的な業務を通じた、計画的な教育訓練(OJT)」が最も高くなっている。

E ✕ 根拠「令和3年パートタイム・有期雇用労働者総合実態調査(事業所調査)(厚生労働省)」 —

「人事評価の結果」の割合が最も高く、次いで「パートタイム・有期雇用労働者の所属する部署の上司の推薦」、「(一定の)職務経験年数」の順となっている。

令和5年度(第55回)
択一式

問4 正解 E

正解率 68%

A ○ 根拠 最二小R4.3.18山形大学事件 —

設問の最高裁判所の判例では、「労働組合法7条2号は、使用者がその雇用する労働者の代表者と団体交渉をすることを正当な理由なく拒むことを不当労働行為として禁止するところ、使用者は、必要に応じてその主張の論拠を説明し、その裏付けとなる資料を提示するなどして、誠実に団体交渉に応ずべき義務（以下「誠実交渉義務」という。）を負い、この義務に違反することは、同号の不当労働行為に該当するものと解される。そして、使用者が誠実交渉義務に違反した場合、労働者は、当該団体交渉に関し、使用者から十分な説明や資料の提示を受けることができず、誠実な交渉を通じた労働条件等の獲得の機会を失い、正常な集団的労使関係秩序が害されることとなるが、その後使用者が誠実に団体交渉に応ずるに至れば、このような侵害状態が除去、是正され得るものといえる。＜中略＞ところで、団体交渉に係る事項に関して合意の成立する見込みがないと認められる場合には、誠実交渉命令を発しても、労働組合が労働条件等の獲得の機会を現実に回復することは期待できないものともいえる。しかしながら、このような場合であっても、使用者が労働組合に対する誠実交渉義務を尽くしていないときは、その後誠実に団体交渉に応ずるに至れば、労働組合は当該団体交渉に関して使用者から十分な説明や資料の提示を受けることができるようになるとともに、組合活動一般についても労働組合の交渉力の回復や労使間のコミュニケーションの正常化が図られるから、誠実交渉命令を発することは、不当労働行為によって発生した侵害状態を除去、是正し、正常な集団的労使関係秩序の迅速な回復、確保を図ることに資するものというべきである。＜中略＞以上によれば、使用者が誠実交渉義務に違反する不当労働行為をした場合には、当該団体交渉に係る事項に関して合意の成立する見込みがないときであっても、労働委員会は、誠実交渉命令を発することができると解するのが相当である。」としている。

B ○ 根拠 職安法５の５－Ⅰ、R5.3.31厚労告165号（職業紹介事業者、求人者、労働者の募集を行う者、募集受託者、募集情報等提供事業を行う者、労働者供給事業者、労働者供給を受けようとする者等がその責務等に関して適切に対処するための指針） ―

なお、職業紹介事業者、求人者、労働者の募集を行う者、募集受託者、特定募集情報等提供事業者、労働者供給事業者及び労働者供給を受けようとする者は、求職者等の個人情報を収集する際には、本人から直接収集し、本人の同意の下で本人以外の者から収集し、又は本人により公開されている求職者等の個人情報を収集する等の手段であって、適法かつ公正なものによらなければならないこととされている。

C ○ 根拠 育介法21－Ⅰ CH6 Sec2⑥

なお、事業主は、労働者が当該事業主に対し、対象家族が当該労働者の介護を必要とする状況に至ったことを申し出たときは、当該労働者に対して、介護休業に関する制度、介護両立支援制度等その他の厚生労働省令で定める事項を知らせるとともに、介護休業申出及び介護両立支援制度等申出に係る当該労働者の意向を確認するための面談その他の厚生労働省令で定める措置を講じなければならない。

D ○ 根拠 H24.11.12職高発1112第１号 ―

高年齢者雇用安定法は、事業主に高年齢者雇用確保措置（定年の引上げ、継続雇用制度の導入、定年の定めの廃止）のいずれかを講じることを義務付けているものであり、個別の労働者の65歳までの雇用義務を課すものではない。

確認してみよう！
高年齢者雇用安定法は、事業主に高年齢者雇用確保措置のいずれかを講じることを義務付けているため、60歳以上の労働者が当分の間生じない企業であっても、65歳までの高年齢者雇用確保措置を講じなければならない。

E ✕ 根拠 青少年雇用促進法15、R3.3.29厚労告114号 —

設問の「300人以上」を「300人以下」と読み替えると、正しい記述となる。

問5 正解 D 正解率 50%

A ✕ 根拠 社労士則12の10-① CH10 Sec2③

依頼をしようとする者の請求の有無にかかわらず、あらかじめ報酬の基準を明示する義務がある。

B ✕ 根拠 社労士法19、則15 CH10 Sec2③

設問の帳簿及び関係書類は、帳簿閉鎖の時から「２年間」保存しなければならない。

C ✕ 根拠 社労士法25の11-Ⅰ、25の12 CH10 Sec2③

社会保険労務士法人を設立するために厚生労働大臣の認可を受ける必要はない。

D ○ 根拠 社労士法25の18-Ⅱ —

E ✕ 根拠 社労士法25の22の６-ⅠⅡ —

設問の検査役の選任の裁判に対しては、不服を申し立てることができない。

問6 正解 C 正解率 83%

A ✕ 根拠 確拠法２-Ⅻ —

設問文中の「個人型年金加入者又は個人型年金加入者であった者のみ」及び「個人型年金のみ」が誤りである。「個人別管理資産」とは、「企業型年金加入者若しくは企業型年金加入者であった者」又は個人型年金加入者若しくは個人型年金加入者であった者に支給する給付に充てるべきものとして、一の「企業型年金」又は個人型年金において積み立てられている資産をいう。

B ✕ 根拠 確拠法13-ⅠⅡ ―

設問の選択は、その者が２以上の企業型年金の企業型年金加入者となる資格を有するに至った日から起算して「10日以内」にしなければならない。なお、設問前段の記述は正しい。

C ○ 根拠 確拠法34 CH10 Sec2①

D ✕ 根拠 確拠法68-Ⅰ CH10 Sec2①

個人型年金加入者は、政令で定めるところにより、年「１回」以上、定期的に掛金を拠出するとされている。

E ✕ 根拠 確拠法70-Ⅰ CH10 Sec2①

個人型年金加入者掛金の納付先は、「国民年金基金連合会」である。

問７ 正解 D 正解率 91%

A ○ 根拠 船保法11 CH10 Sec1②

確認してみよう！

被保険者（疾病任意継続被保険者を除く。）は、死亡した日又は船員として船舶所有者に使用されなくなるに至った日の翌日（その事実があった日に更に被保険者の資格を取得するに至ったときは、その日）から、被保険者の資格を喪失する。

B ○ 根拠 船保法24 CH10 Sec1②

C ○ 根拠 船保法73-Ⅰ ―

D ✕ 根拠 船保法95 CH10 Sec1②

行方不明手当金の支給を受ける期間は、被保険者が行方不明となった日の翌日から起算して「２か月」ではなく「３か月」を限度とする。

E ○ 根拠 船保法114 CH10 Sec1②

なお、疾病任意継続被保険者に関する保険料は、全国健康保険協会が徴収する。

問８ 正解 D 正解率 80%

A ✕ 根拠 介保法３-Ⅰ CH10 Sec1④

介護保険を行うのは、市町村及び特別区である（都道府県は含まれない。）。

確認してみよう！

介護保険は、地域住民に身近な行政主体である市町村（特別区）が保険者となり、これを国、都道府県、医療保険者及び年金保険者が重層的に支える仕組みで運営される。

B ✕ 根拠 介保法８-XXV　CH10 Sec1④

「介護保険施設」とは、指定介護老人福祉施設（都道府県知事が指定する介護老人福祉施設)、「介護老人保健施設」及び介護医療院をいう。なお、設問の「介護専用型特定施設」とは、有料老人ホームその他の厚生労働省令で定める施設であって、その入居者が要介護者、その配偶者その他厚生労働省令で定める者に限られるものをいう。

C ✕ 根拠 介保法27-Ⅷ　CH10 Sec1④

要介護認定は、「その申請のあった日にさかのぼって」その効力を生ずる。

D ○ 根拠 介保法29-Ⅰ　—

E ✕ 根拠 介保法183-Ⅰ　CH10 Sec1④

介護保険審査会の決定に不服がある者は、社会保険審査会に対して再審査請求をすることができるとする規定はない。なお、設問前段の記述は正しい。

問９ 正解 E　正解率 38%

A ○ 根拠 社審法１-Ⅰ、２　CH10 Sec1⑥

B ○ 根拠 社審法10-ⅠⅢ　—

C ○ 根拠 社審法15-ⅠⅡ　—

D ○ 根拠 社審法27、42　—

E ✕ 根拠 社審法34-ⅠⅢ　—

設問後半が誤りである。再審査請求又は審査請求への参加は、代理人によってすることができる。

令和５年度（第55回）
択一式

問10　正解　B　　正解率 69%

A　×　根拠 高医法118-Ⅰ　　CH10 Sec1③

後期高齢者支援金及び後期高齢者関係事務費拠出金は、「社会保険診療報酬支払基金」が、年度ごとに、保険者（都道府県が当該都道府県内の市町村とともに行う国民健康保険にあっては、都道府県）から徴収する。

B　○　根拠 高医法９-Ⅰ　　CH10 Sec1③

設問は、「都道府県医療費適正化計画」に関する問題である。

確認してみよう！

厚生労働大臣は、国民の高齢期における適切な医療の確保を図る観点から、医療に要する費用の適正化（以下「医療費適正化」という。）を総合的かつ計画的に推進するため、医療費適正化に関する施策についての基本的な方針（「医療費適正化基本方針」という。）を定めるとともに、６年ごとに、６年を１期として、医療費適正化を推進するための計画（「全国医療費適正化計画」という。）を定めるものとする。

C　×　根拠 高医法48　　CH10 Sec1③

「市町村」は、後期高齢者医療の事務（保険料の徴収の事務及び被保険者の便益の増進に寄与するものとして政令で定める事務を除く。）を処理するため、都道府県の区域ごとに当該区域内のすべての市町村が加入する広域連合（後期高齢者医療広域連合）を設けるものとするとされている。

D　×　根拠 高医法104-Ⅰ、105、107-Ⅰ　　CH10 Sec1③

設問の「普通徴収」と「特別徴収」の記述が逆である。市町村による保険料の徴収については、市町村が老齢等年金給付を受ける被保険者（政令で定める者を除く。）から老齢等年金給付の支払をする者に保険料を徴収させ、かつ、その徴収すべき保険料を納入させる方法を「特別徴収」といい、地方自治法の規定により納入の通知をすることによって保険料を徴収する方法を「普通徴収」という。

E　×　根拠 高医法86-Ⅰ　　CH10 Sec1③

「後期高齢者医療広域連合」は、被保険者の死亡に関しては、「条例」の定めるところにより、葬祭費の支給又は葬祭の給付を行うものとする。ただし、特別の理由があるときは、その全部又は一部を行わないことができるとされている。

健康保険法

問1 正解 A　正解率 49%

A ○ 根拠 法3-Ⅲ①、S18.4.5保発905号　CH7 Sec2①

B × 根拠 法7の39-ⅠⅡ　—

設問後段が誤りである。設問の場合、厚生労働大臣は協会に対し、期間を定めて、当該違反に係る役員の全部又は一部の解任を命ずることができるのであるから、理事長についても、当該違反に係る場合にのみ解任を命ずることができる。

C × 根拠 法7の9、7の10-Ⅱ、7の12-Ⅰ　—

協会の理事長に事故があるとき、又は理事長が欠けたときは、「理事のうちから、あらかじめ理事長が指定する者」がその職務を代理し、又はその職務を行うこととされている。なお、その他の記述は正しい。

D × 根拠 法22の2　—

健康保険組合の役員若しくは職員又はこれらの職にあった者は、健康保険事業に関して職務上知り得た秘密を**正当な理由がなく**漏らしてはならない。

E × 根拠 法63-Ⅱ①　—

「食事の提供である療養であって入院療養と併せて行うもの（療養病床への入院及びその療養に伴う世話その他の看護であって、当該療養を受ける際、65歳に達する日の属する月の翌月以後である被保険者に係るものを除く。）」は、療養の給付に含まれない。

問2 正解 B　正解率 64%

A ○ 根拠 法3-Ⅶ、R3.4.30保保発0430第2号・保国発0430第1号　—

B × 根拠 法115-Ⅰ、令41　CH7 Sec5⑫

高額療養費は保険による医療費のみを対象としているので、食事療養標準負担額、生活療養標準負担額又は保険外併用療養に係る自己負担分については、算定の対象とされていない。

C ○ 根拠 法3-Ⅴ、R5.6.27事務連絡　—

令和5年度（第55回）
択一式

D ○ 根拠 法144-ⅠⅡ　CH7 Sec8⑨

日雇特例被保険者の被扶養者に係る家族出産育児一時金の支給要件は、日雇特例被保険者自身の出産に係る出産育児一時金と異なり、支給要件が緩和（出産の日の属する月の前４月間に通算して26日分以上の保険料が納付されていること）されているわけではない。

E ○ 根拠 法38-⑦、法附則３-Ⅵ　CH7 Sec2⑨

確認してみよう！

特例退職被保険者は、次の(1)から(4)のいずれかに該当するに至った日の翌日〔(3)に該当するに至ったときは、その日〕から、その資格を喪失する。

(1) 旧国民健康保険法に規定する退職被保険者であるべき者に該当しなくなったとき。

(2) 保険料（初めて納付すべき保険料を除く。）を納付期日までに納付しなかったとき（納付の遅延について正当な理由があると特定健康保険組合が認めたときを除く。）。

(3) 後期高齢者医療の被保険者等となったとき。

(4) 特例退職被保険者でなくなることを希望する旨を、厚生労働省令で定めるところにより、特定健康保険組合に申し出た場合において、その申出が受理された日の属する月の末日が到来したとき。

問３ 正解 D（ア・ウ・エ・オの四つ）　正解率 32%

ア ○ 根拠 法43の３-Ⅱ　CH7 Sec4⑦

設問は、産前産後休業終了時改定の規定によって改定された標準報酬月額の有効期間の原則に関する記述である。

イ × 根拠 法76-ⅣⅤ　CH7 Sec5②

設問の場合、保険者は、その費用の請求に関する審査及び支払に関する事務を社会保険診療報酬支払基金又は「国民健康保険団体連合会」に委託することができる。

ウ ○ 根拠 法165-ⅠⅢ　CH7 Sec7⑤

健康保険の任意継続被保険者の前納保険料については、国民年金の第１号被保険者に係る前納保険料と異なり、前納に係る期間の各月が経過した際に、それぞれその月の保険料が納付されたものとみなされるものではない。

エ ○ 根拠 令41-Ⅴ、42-Ⅲ⑤、Ⅴ②　CH7 Sec5⑫

確認してみよう！

70歳以上の被保険者（一定以上所得者を除く。）又は70歳以上の被扶養者の外来療養に係る個人単位の高額療養費算定基準額は、以下の通りである。

所得区分		高額療養費算定基準額
70歳以上	一般所得者	18,000円（年間上限額144,000円）
	市町村民税非課税者等	8,000円

オ ○ 根拠 法210 CH7 Sec10③

問4 正解 E 正解率 60%

A × 根拠 法85の2-Ⅲ CH7 Sec5④

厚生労働大臣は、入院時生活療養費に係る生活療養の費用の額の算定に関する基準を定めようとするときは、「中央社会保険医療協議会」に諮問するものとされている。

B × 根拠 法108-Ⅴ、令37 CH7 Sec6①

傷病手当金の継続給付と老齢基礎年金や老齢厚生年金等との調整の対象者には、「傷病手当金を受けることができる日雇特例被保険者又は日雇特例被保険者であった者」は含まれない。また、当該調整が行われる場合であっても、必ずしも傷病手当金が打ち切られるものではなく、老齢基礎年金や老齢厚生年金等の額につき厚生労働省令で定めるところにより算定した額が、傷病手当金の額よりも少ないときは、その差額が傷病手当金として支給される。

C × 根拠 令46-Ⅱ、令附則5 CH7 Sec1④

設問後半の記述が誤りである。前期高齢者納付金等、後期高齢者支援金等及び日雇拠出金、介護納付金並びに流行初期医療確保拠出金等の納付に要した費用の額（前期高齢者交付金がある場合には、これを控除した額）については、1事業年度当たりの平均額の「12分の1」に相当する額である。なお、その他の記述については正しい。

D × 根拠 法172-①イ CH7 Sec7⑦

保険料の納付義務者が、国税、地方税その他の公課の滞納により、滞納処分を受けるときは、保険料の繰上徴収の対象となっているので、保険料の納期が到来するのを待たずに強制的に保険料を徴収することができる。

確認してみよう！

【保険料の繰上徴収】
保険料は、次に掲げる場合においては、納期前であっても、すべて徴収することができる。

①	納付義務者が、次のいずれかに該当する場合 ・国税、地方税その他の公課の滞納によって、滞納処分を受けるとき。 ・強制執行を受けるとき。 ・破産手続開始の決定を受けたとき。 ・企業担保権の実行手続の開始があったとき。 ・競売の開始があったとき。
②	法人である納付義務者が、解散をした場合
③	被保険者の使用される事業所が、廃止された場合

E ○ 根拠 法114、令36、S16.7.23社発991号、S19.10.13保発538号、R5.3.30保保発0330第８号 CH7 Sec6③

令和５年４月１日以降、出産育児一時金及び家族出産育児一時金の額は、産科医療補償制度に加入する医療機関等で医学的管理の下、妊娠週数22週以降に出産した場合は、本体の額の「48万８千円」に「３万円を超えない範囲内で保険者が定める額（１万２千円）」を加算した額（50万円）とされている。また、出産育児一時金及び家族出産育児一時金は、２児以上の出産児については、１児ごとに支給することとされているため、設問のように被扶養者が双子を出産した場合は、合計で100万円（50万円×２）の家族出産育児一時金が支給される。

問５ 正解 C 正解率 23%

A ○ 根拠 法36、S26.3.9保文発619号 CH7 Sec2⑦

労働協約又は就業規則等により雇用関係は存続するが、会社から賃金の支給を停止されたような場合には、個々の具体的事情を勘案検討のうえ、実質は使用関係の消滅とみるのと相当とする場合、例えば被保険者の長期にわたる休職状態がつづき、実務に服する見込みがない場合又は公務に就任し、これに専従する場合等においては資格を喪失させることが妥当であるとされている。この趣旨から病気休職であって実務に服する見込みがあるときは、賃金の支払停止は一時的なものであり使用関係は存続するものとみられるため、被保険者資格は喪失しない。

B ○ 根拠 法88-ⅠⅡ、則67、68　CH7 Sec5⑦

C × 根拠 法115、則109、S48.10.17保発39号・庁保発20号　—

高額療養費の支給の請求に際して、法令上、請求書に証拠書類を添付することは、特に義務づけられていない。

D ○ 根拠 法38-⑦、R3.12.27事務連絡　CH7 Sec2⑧

任意継続被保険者が、任意継続被保険者でなくなることを希望する旨を、保険者に申し出た場合には、その申出が受理された日の属する月の末日が到来するに至った日の翌日（つまり、保険者が申出書を受理した日の属する月の翌月１日）に資格を喪失するが、設問のように、当月分の保険料の納付期日であるその月の10日までに保険料を納付しなかった場合には、当該月の保険料の納付期日の翌日から資格を喪失することとなる。

確認してみよう！

任意継続被保険者は、次のいずれかに該当するに至った日の翌日（ただし、④～⑥のいずれかに該当するに至ったときは、その日）から、その資格を喪失する。

①	任意継続被保険者となった日から起算して２年を経過したとき
②	死亡したとき
③	保険料（初めて納付すべき保険料を除く）を納付期日までに納付しなかったとき（納付の遅延について正当な理由があると保険者が認めたときを除く）
④	一般の被保険者となったとき
⑤	船員保険の被保険者となったとき
⑥	後期高齢者医療の被保険者等となったとき
⑦	任意継続被保険者でなくなることを希望する旨を、保険者に申し出た場合において、その申出が受理された日の属する月の末日が到来したとき

E ○ 根拠 法172-①ハ　CH7 Sec7⑦

問４Dの 確認してみよう！ を参照。

問６ 正解 C　正解率 79%

A × 根拠 法113、S23.4.28保発623号　—

設問の場合は、同居している弟の被扶養者として取り扱い、家族埋葬料は、弟である被保険者に支給する。

B　✕　根拠 則65　CH7 Sec9③

設問の「30日以内に」を、「遅滞なく」と読み替えると、正しい内容となる。

C　○　根拠 法55-Ⅳ　CH7 Sec9⑤

D　✕　根拠 法118　CH7 Sec9⑤

被保険者又は被保険者であった者が、少年院その他これに準ずる施設に収容されたとき等において、その期間に係る保険給付が行われない場合であっても、被扶養者に関する保険給付は制限を受けない。

E　✕　根拠 法89-Ⅳ⑦　—

設問の「当該処分を受けた日以降に納期限の到来した社会保険料又は地方税法に基づく税の一部でも引き続き滞納している者であるとき」の部分を、「当該処分を受けた日以降に納期限の到来した社会保険料のすべてを引き続き滞納している者であるとき」とすると、正しい記述となる。

問７　正解　D　正解率 91%

A　○　根拠 法87-Ⅰ、H11.3.30保険発39号・庁保険発７号　CH7 Sec5⑥

B　○　根拠 令24-ⅠⅡ　CH7 Sec1④

なお、健康保険組合は、毎年度、収入支出の予算を作成し、当該年度の開始前に、厚生労働大臣に届け出なければならない（変更したときも同様）。

C　○　根拠 法87-Ⅰ、S24.6.6保文発1017号　—

その地方に保険医がいない場合又は保険医はいても、その者が傷病等のために、診療に従事することができない場合等には、勿論療養費の支給は認められるが、単に保険診療が不評の理由によって保険診療を回避した場合には、療養費の支給は認められないとされている。

D　✕　根拠 法36-②、H27.9.30保保発0930第９号　CH7 Sec2⑦

設問の場合には、使用関係が継続しているものとして取り扱い、被保険者資格を喪失させないこととして差し支えないとされている。登録型派遣労働者（労働者派遣事業の事業所に雇用される派遣労働者のうち、常時雇用される労働者以外の者をいう。）については、派遣就業に係る１つの雇用契約の終了後、１か月以内に同一の派遣元事業主のもとでの派遣就業に係る次回の雇用契約（１か月以上のものに限る。）が確実に見込まれる場合には、使用関係が継続しているものとして取り扱い、被保険者資格を喪失させないこととして差し支えないこととされている。なお、設問の「一般労働者派遣事業」は、現行法では「労働者派遣事業」となっている。

E ○ 根拠 法3－Ⅰ②ロ、R4.9.9保保発0909第1号 CH7 Sec2⑥

臨時に使用される者であって、2月以内の雇用期間を定めて使用される者であり、かつ、当該期間を超えて使用されることが見込まれないものについては、当該期間を超えて引き続き使用されるに至った場合を除き、適用除外とされているが、設問の場合には、当該2月以内で定めた期間を超えて使用されることが当初から見込まれているので、この適用除外に該当しないものとして、最初の雇用期間の開始時から被保険者となる。

問8 正解 D 正解率 84%

A × 根拠 法3－Ⅲ①レ、令1－⑨ CH7 Sec2①

「外国法事務弁護士」は、健康保険の適用対象となる事業に含まれる。

B × 根拠 法32 CH7 Sec2②

強制適用事業所が健康保険法3条3項各号に定める強制適用事業所の要件に該当しなくなったときは、任意適用に係る厚生労働大臣の認可があったものとみなされる（任意適用の擬制）ため、任意適用の認可の申請は不要である。

C × 根拠 法36、S25.4.14保発20号 CH7 Sec2⑦

事業所の休業にもかかわらず、事業主が休業手当を被保険者に支給する場合、当該被保険者の健康保険の被保険者資格は継続させることとされている。

D ○ 根拠 R5.3.30保保発0330第3号 —

被保険者等からの暴力等を受けている被扶養者である被害者が被扶養者から外れる手続きについては、被保険者からの届出が期待できないことから、当該被害者からの申出に基づき、被扶養者から外れることが可能となっている。この場合において当該被害者が被扶養者から外れるまでの間の受診については、加害者である被保険者を健康保険法57条に規定する第三者と解することにより、当該被害者は保険診療による受診が可能であると取り扱われる。

E ✕ 根拠 法159-Ⅰ、159の３、Ｒ4.9.13保保発0913第２号 CH7 Sec7④

設問の場合においては、育児休業等の終了時の届出は不要である。

問９ 正解 Ａ（アとイ） 正解率 81%

ア ○ 根拠 法159の３ CH7 Sec7④

産前産後休業期間中の保険料の免除期間は、産前産後休業を開始した日の属する月（設問の場合、令和４年12月）から、その産前産後休業を終了する日の翌日が属する月の前月（設問の場合、令和５年２月）までの期間とされている。

イ ○ 根拠 法159-Ⅰ① CH7 Sec7④

育児休業等を開始した日の属する月とその育児休業等を終了する日の翌日が属する月とが異なる場合の育児休業等期間中の保険料の免除期間は、その育児休業等を開始した日の属する月（設問の場合、令和５年１月）から、その育児休業等が終了する日の翌日が属する月の前月（設問の場合、令和５年３月）までとされている。

確認してみよう！

育児休業等をしている被保険者（産前産後休業期間中の保険料免除の規定の適用を受けている被保険者を除く。）が使用される事業所の事業主が、保険者等に申出をしたときは、次の①、②に掲げる場合の区分に応じ、当該①、②に定める月の当該被保険者に関する保険料（その育児休業等の期間が１月以下である者については、標準報酬月額に係る保険料に限る。）は、徴収しない。

① その育児休業等を開始した日の属する月とその育児休業等が終了する日の翌日が属する月とが異なる場合…その育児休業等を開始した日の属する月からその育児休業等が終了する日の翌日が属する月の前月までの月

② その育児休業等を開始した日の属する月とその育児休業等が終了する日の翌日が属する月とが同一であり、かつ、当該月における育児休業等の日数として厚生労働省令で定めるところにより計算した日数が14日以上である場合…当該月

ウ ✕ 根拠 法159-Ⅰ②、則135-Ⅳ CH7 Sec7④

設問の場合、当該月における育児休業等の日数が14日に満たない（育児休業等開始日が令和５年１月４日、育児休業等終了日が令和５年１月16日であり、休業日数は13日となる。）ため、当該月は育児休業等期間中の保険料の免除の対象とならない。上記**イ**の 確認してみよう！ 参照。

エ ✕ 根拠 法85-Ⅱ CH7 Sec5③

入院時食事療養費の額は、当該食事療養につき食事療養に要する平均的な費用の額を勘案して厚生労働大臣が定める基準により算定した費用の額（その額が現に当該食事療養に要した費用の額を超えるときは、当該現に食事療養に要した費用の額）から食事療養標準負担額を控除した額である。

オ ✕ 根拠 法63-Ⅱ①、85の2-Ⅰ　CH7 Sec5④

設問の療養の給付と併せて受けた生活療養に要した費用については、「入院時生活療養費」が支給される。

問10 正解 B　正解率 87%

A ✕ 根拠 法99-Ⅰ　CH7 Sec6①

傷病手当金は、その労務に服することができなくなった日から起算して「3日」を経過した日から労務に服することができない期間支給される。

B ○ 根拠 法99-Ⅰ、S2.3.11保理1085号　CH7 Sec6①

待期は、同一の傷病について1回完成させれば足りる。したがって、待期を完成し傷病手当金を受給した後に、いったん労務に服したものの、再び同一傷病について労務不能となった場合には、再度待期を完成させる必要はない。

C ✕ 根拠 法193、S30.9.7保険発199号の2　CH7 Sec10③

傷病手当金の支給を受ける権利の消滅時効は2年であるが、その起算日は、労務不能であった日ごとにその「翌日」である。

D ✕ 根拠 法104、法附則3-Ⅵ、S27.6.12保文発3367号、S31.2.29保文発1590号　CH7 Sec6⑧

設問の者は、傷病手当金の継続給付の支給要件のうち、「資格喪失日の前日まで引き続き1年以上被保険者であった者であること」は満たしているが、資格喪失日の前日（令和5年3月31日）において労務に服しており、「その資格を喪失した際に傷病手当金の支給を受けているものであること」は満たしていないため、傷病手当金の継続給付を受けることはできない。

E ✕ 根拠 法36-①、99-Ⅰ　—

被保険者が死亡した場合、死亡日当日までは被保険者資格を有するので、傷病手当金の支給期間中に死亡した被保険者については、死亡日の「当日分」までは、傷病手当金が支給される。

厚生年金保険法

問１ 正解 A　　正解率 50%

A ○ 根拠 法26-ⅠⅣ　　CH9 Sec3②

B × 根拠 法26-Ⅰ　　CH9 Sec3②

本特例が適用される場合であっても、保険料額の計算に当たっては、実際の標準報酬月額が用いられる。本特例は、子の養育によって標準報酬月額が低下した被保険者の年金給付額が減少しないようにするために設けられた措置である。したがって、年金額は、従前標準報酬月額を用いて計算するが、保険料の額は、低下した標準報酬月額（実際に受ける報酬の額に対応する標準報酬月額）を用いて計算する。

C × 根拠 法26-Ⅰ　　CH9 Sec3②

甲は３歳に満たない子を養育することとなった日の属する月の前月において被保険者でなく、また、当該月前１年間以内に被保険者であった月がないことから、従前標準報酬月額となる標準報酬月額が存在しないため、本特例は適用されない。

D × 根拠 法26-Ⅰ⑥、Ⅲ　　—

第２子の養育に係る本特例が適用された場合、被保険者乙の従前標準報酬月額は30万円である。

E × 根拠 法26-Ⅰ③　　CH9 Sec3②

第１子の養育に係る本特例の適用期間は、第２子について本特例の適用を受ける場合における当該第２子を養育することとなった日の翌日の属する月の前月までとなる。

問２ 正解 A　　正解率 89%

A × 根拠 則23-Ⅳ　　CH9 Sec1⑤

船舶所有者は、その住所に変更があったときは、「速やかに、」所定の届書を日本年金機構に提出しなければならない。

B ○ 根拠 則6 CH9 Sec2⑨

C ○ 根拠 法98-Ⅲ CH9 Sec2⑩

D ○ 根拠 則38の2 —

E ○ 根拠 法27、則15-Ⅰ CH9 Sec2②

なお、船員被保険者に係る資格取得の届出は、当該事実があった日から10日以内に行うものとされている。

問3 正解 E 正解率 52%

A × 根拠 法8 CH9 Sec1③

設問の事業主が、任意適用取消の認可を受けるためには、当該事業所に使用される者の「4分の3以上」の同意を得ることが必要である。

B × 根拠 法66-Ⅱ CH9 Sec7⑥

設問の場合、妻に対する遺族厚生年金の支給は停止される。配偶者に対する遺族厚生年金は、当該被保険者又は被保険者であった者の死亡について、配偶者が国民年金法による遺族基礎年金の受給権を有しない場合であって子が当該遺族基礎年金の受給権を有するときは、その間、その支給が停止される。

C × 根拠 法12-①イ CH9 Sec2①

船舶所有者に使用される船員は、適用除外とされる「臨時に使用される者」から除かれているため、設問の船員は被保険者となる。

D × 根拠 法46-Ⅵ、令3の7 CH9 Sec4⑤

老齢厚生年金の加給年金額の加算対象となる配偶者が、繰上げ支給の老齢基礎年金の支給を受けるときであっても、当該配偶者に係る加給年金額の支給は停止されない。

E ○ 根拠 法12-①イ、27、則10の4 CH9 Sec2③

「70歳以上の使用される者」とは、被保険者であった70歳以上の者であって、適用事業所に使用され、かつ、厚生年金保険法12条各号（適用除外）に定める者に該当しないものをいう。

問４ 正解　Ｄ（ア・イ・エ・オの四つ）　正解率 **40%**

ア　○　根拠　法19-Ⅰ　CH9 Sec2⑦

なお、被保険者の資格を取得した月にその資格を喪失したときは、その月を１箇月として被保険者期間に算入する。ただし、その月に更に被保険者又は国民年金の被保険者（国民年金の第２号被保険者を除く。）の資格を取得したときは、この限りでない。

イ　○　根拠　法27、46-Ⅰ、則10の４　CH9 Sec2③、Sec4⑥

問３Ｅの解説参照。

ウ　×　根拠　令４-Ⅱ　CH9 Sec10⑤

被保険者が同時に２以上の事業所に使用される場合における各事業主の負担すべき標準賞与額に係る保険料の額は、各事業所についてその月に各事業主が支払った賞与額をその月に当該被保険者が受けた賞与額で除して得た数を当該被保険者の保険料の半額に乗じて得た額とされている。

エ　○　根拠　法65　CH9 Sec7⑤

オ　○　根拠　(60)法附則73-Ⅰ　CH9 Sec7⑤、Sec9⑧

確認してみよう！

経過的寡婦加算が加算された遺族厚生年金の受給権者である妻が、国民年金法による障害基礎年金若しくは旧国民年金法による障害年金の受給権を有するとき（その支給を停止されているときを除く。）又は遺族基礎年金の支給を受けることができるときは、その間、経過的寡婦加算額相当部分は支給停止される。

問５ 正解　Ｂ　正解率 **58%**

Ａ　○　根拠　法63　CH9 Sec7⑦

「死亡した夫の血族との姻族関係の終了」は、遺族厚生年金の失権事由に該当しない。

Ｂ　×　根拠　法66-Ⅰ　CH9 Sec7⑥

甲が障害厚生年金の受給を選択した場合であっても、甲の子に対する遺族厚生年金の支給停止は解除されない。

Ｃ　○　根拠　法59の２　CH9 Sec7②

D ○ 根拠 法66-Ⅰ他 CH9 Sec7⑥

子に対する遺族厚生年金は、遺族基礎年金とは異なり、生計を同じくするその子の父又は母があることを理由に、その支給は停止されない。

E ○ 根拠 令3の10、H23.3.23年発0323第1号 —

遺族厚生年金を受けることができる遺族は、被保険者又は被保険者であった者の配偶者、子、父母、孫又は祖父母であって、被保険者又は被保険者であった者の死亡の当時（失踪の宣告を受けた被保険者であった者にあっては、行方不明となった当時）その者によって生計を維持したものとされている。

問6 正解 A 正解率 69%

A ○ 根拠 法附則8の2-Ⅰ CH9 Sec5②

B × 根拠 法附則17の10 CH9 Sec8①

特別支給の老齢厚生年金の支給要件の1つである「1年以上の被保険者期間を有すること」の判定において、当該被保険者期間から離婚時みなし被保険者期間は除かれる。

C × 根拠 法附則11の6-Ⅰ他 CH9 Sec5⑨

特別支給の老齢厚生年金について、在職老齢年金の仕組みによる支給停止の調整が行われる場合であっても、高年齢雇用継続給付との併給調整は行われる。

D × 根拠 法44の3他 —

特別支給の老齢厚生年金について、支給繰下げの規定はない。

E × 根拠 法附則9の2-Ⅰ CH9 Sec5③

設問の障害の状態は、障害等級1級、2級又は3級に該当する程度の障害の状態とされる。

問7 正解 C 正解率 76%

A × 根拠 法44-Ⅱ CH9 Sec4⑤

第3子以降の加給年金額は、配偶者の加給年金額の3分の1に相当する額となる。

確認してみよう！

加給年金額は、以下の通りである。

対象者	加給年金額
配偶者	224,700円×改定率
１人目・２人目の子	224,700円×改定率
３人目以降の子	74,900円×改定率

※改定率を乗じて得た額に、50円未満の端数が生じたときは、これを切り捨て、50円以上100円未満の端数が生じたときは、これを100円に切り上げるものとする。

B × 根拠 (60)法附則60-Ⅱ　CH9 Sec4⑤

特別加算額は、受給権者の生年月日が遅いほど高額となる。

確認してみよう！

特別加算は、配偶者の生年月日ではなく、受給権者の生年月日に応じて加算される。

C ○ 根拠 法52の２-Ⅰ　―

設問の場合、障害基礎年金については国民年金法31条の規定により併合認定が行われ、障害厚生年金については障害等級１級の年金額に改定される。なお、従前の障害基礎年金の受給権は消滅する。

D × 根拠 法48　CH9 Sec6⑤

当初から障害等級３級の障害厚生年金の受給権者に対して更に障害等級３級の障害厚生年金を支給すべき事由が生じた場合には、厚生年金保険法48条の規定は適用されない。障害厚生年金（その権利を取得した当時から引き続き障害等級の１級又は２級に該当しない程度の障害の状態にある受給権者に係るものを除く。以下本解説において同じ。）の受給権者に対して更に障害厚生年金を支給すべき事由が生じたときは、厚生年金保険法48条の規定により、前後の障害を併合した障害の程度による障害厚生年金が支給され、従前の障害厚生年金の受給権は、消滅する。

E × 根拠 法57　CH9 Sec6⑩

障害手当金の額は、厚生年金保険法50条１項の規定の例により計算した額の100分の200に相当する額とする。ただし、その額が「障害等級２級の障害基礎年金の額に4分の3を乗じて得た額（その額に50円未満の端数が生じたときは、これを切り捨て、50円以上100円未満の端数が生じたときは、これを100円に切り上げるものとする。）に2を乗じて得た額」に満たないときは、当該額とする。

問8 正解 D　　正解率 38%

A ✕ 根拠 (24)法附則17-XII　　CH9 Sec2①

特定適用事業所とは、事業主が同一である1又は2以上の適用事業所であって、当該1又は2以上の適用事業所に使用される特定労働者（70歳未満の者のうち、厚生年金保険法12条各号のいずれにも該当しないものであって、特定4分の3未満短時間労働者以外のものをいう。）の総数が常時50人を超えるものの各適用事業所をいう。

B ✕ 根拠 法20-II　　CH9 Sec3②

毎年3月31日における全被保険者の標準報酬月額を平均した額の100分の200に相当する額が標準報酬月額等級の最高等級の標準報酬月額を超える場合において、その状態が継続すると認められるときは、その年の9月1日から、健康保険法40条1項に規定する標準報酬月額の等級区分を参酌して、政令で、当該最高等級の上に更に等級を加える標準報酬月額の等級区分の改定を行うことができる。

C ✕ 根拠 法2の4-I、国年法4の3-I　　CH9 Sec10①

政府は、少なくとも5年ごとに、国民年金及び厚生年金保険に係る財政の現況及び見通しを作成しなければならない。

D ○ 根拠 (16)法附則2-I　　—

E ✕ 根拠 法11　　CH9 Sec2④

任意単独被保険者が、厚生労働大臣の認可を受けて被保険者の資格を喪失する際に、事業主の同意を得る必要はない。

問9 正解 D　　正解率 61%

A ✕ 根拠 (60)法附則59-II　　CH9 Sec4⑤

甲と乙に支給する老齢厚生年金に係る経過的加算の額は、同額となる。老齢厚生年金における経過的加算額は「定額部分の額－老齢基礎年金相当額」であるが、甲と乙は、定額部分の額の基礎となる月数及び老齢基礎年金相当額が同じである

令和5年度（第55回）
択一式

から、両者の経過的加算額の額は同額となる。

B　×　根拠 法44の３-Ⅳ　CH9 Sec4⑧

繰下げ加算額は、老齢厚生年金の受給権を取得した日の属する「月の前月」までの被保険者期間を基礎として計算した老齢厚生年金の額と在職老齢年金の仕組みによりその支給を停止するものとされた額を勘案して、政令で定める額とする。

C　×　根拠 法44の３-Ⅴ　CH9 Sec4⑧

設問の場合、裁定請求をした日の５年前の日に支給繰下げの申出があったものとみなされるため、支給される老齢厚生年金には繰下げ加算額が加算される。

D　○　根拠 法43-Ⅱ　CH9 Sec4⑦

確認してみよう！

受給権者が毎年９月１日（「基準日」という。）において被保険者である場合（基準日に被保険者の資格を取得した場合を除く。）の老齢厚生年金の額は、基準日の属する月前の被保険者であった期間をその計算の基礎とするものとし、基準日の属する月の翌月から、年金の額を改定する。ただし、基準日が被保険者の資格を喪失した日から再び被保険者の資格を取得した日までの間に到来し、かつ、当該被保険者の資格を喪失した日から再び被保険者の資格を取得した日までの期間が１月以内である場合は、基準日の属する月前の被保険者であった期間を老齢厚生年金の額の計算の基礎とするものとし、基準日の属する月の翌月から、年金の額を改定する。

E　×　根拠 法43-Ⅲ　CH9 Sec4⑦

被保険者である受給権者がその被保険者の資格を喪失し、かつ、被保険者となることなくして被保険者の資格を喪失した日から起算して１月を経過したときは、その被保険者の資格を喪失した「月前」（「月以前」ではない。）における被保険者であった期間を老齢厚生年金の額の計算の基礎とするものとし、資格を喪失した日（事業所に使用されなくなったとき等は、その日）から起算して１月を経過した日の属する月から、年金の額を改定する。

問10　正解　B（アとウ）　正解率 85%

ア　×　根拠 法50-Ⅲ　CH9 Sec6⑥

障害厚生年金の給付事由となった障害について、国民年金法による障害基礎年金を受けることができない場合において、障害厚生年金の額が障害等級２級の障害基礎年金の額に「４分の３」を乗じて得た額（その額に50円未満の端数が生じたときは、これを切り捨て、50円以上100円未満の端数が生じたときは、これを100円に切り上げるものとする。）に満たないときは、当該額が最低保障額として保障される。

イ 〇 根拠 法53-② CH9 Sec6⑨

設問の者は、65歳に達した時点で、障害の状態でなくなったときから3年を経過していないため、その時点では障害厚生年金の受給権は消滅しない。

確認してみよう！

・障害等級に該当する程度の障害の状態にない者が、65歳に達したときは、障害厚生年金は失権する。ただし、65歳に達した日において、障害等級に該当する程度の障害の状態に該当しなくなった日から起算して障害等級に該当する程度の障害の状態に該当することなく3年を経過していないときを除く。
・障害等級に該当する程度の障害の状態に該当しなくなった日から起算して障害等級に該当する程度の障害の状態に該当することなく3年を経過したときは、障害厚生年金は失権する。ただし、3年を経過した日において、当該受給権者が65歳未満であるときを除く。

ウ × 根拠 法59-Ⅰ①、65の2 CH9 Sec7⑥

遺族厚生年金の受給権を取得した当時55歳以上60歳未満の夫が、国民年金法による遺族基礎年金の受給権を有するときは、夫が60歳に達するまでの期間、遺族厚生年金の支給は停止されない。

確認してみよう！

夫（当該被保険者又は被保険者であった者の死亡について遺族基礎年金の受給権を有する者を除く。）、父母又は祖父母に対する遺族厚生年金は、受給権者が60歳に達するまでの期間、その支給を停止する。

エ 〇 根拠 法58-Ⅰ③ CH9 Sec7①

確認してみよう！

短期要件	①被保険者が、死亡したとき ②被保険者であった者が、被保険者の資格を喪失した後に、被保険者であった間に初診日がある傷病により当該初診日から起算して５年を経過する日前に死亡したとき	保険料 納付要件必要
	③障害等級１級又は２級の障害厚生年金の受給権者が、死亡したとき	保険料 納付要件不要
長期要件	④老齢厚生年金の受給権者（保険料納付済期間と保険料免除期間とを合算した期間が25年以上である者に限る。）又は保険料納付済期間と保険料免除期間とを合算した期間が25年以上である者が、死亡したとき	

オ　〇　根拠　法63-Ⅰ⑤ロ　　CH9 Sec7⑦

確認してみよう！

【若年の妻の失権】

・遺族厚生年金の受給権を取得した当時30歳未満である妻が、当該遺族厚生年金と同一の支給事由に基づく遺族基礎年金の受給権を取得しないとき → 遺族厚生年金の受給権を取得した日から起算して５年を経過したときに失権

・遺族厚生年金と同一の支給事由に基づく遺族基礎年金の受給権を有する妻が30歳に達する日前に当該遺族基礎年金の受給権が消滅したとき → 遺族基礎年金の受給権が消滅した日から起算して５年を経過したときに失権

国民年金法

問1　正解　D　正解率 73%

A　✕　根拠 法94-Ⅰ　CH8 Sec3⑦

老齢基礎年金の受給権者は、追納をすることはできない。なお、追納の対象となる保険料は、承認の日の属する月前10年以内の期間に係るものに限るとされている。

B　✕　根拠 法43　CH8 Sec3⑧、Sec7①

付加年金は、付加保険料に係る保険料納付済期間を有する者が老齢基礎年金の受給権を取得したときに、その者に支給される。なお、第2号被保険者及び第3号被保険者は、付加保険料を納付することはできない。

C　✕　根拠 法92の2　CH8 Sec3⑤

厚生労働大臣は、被保険者から、口座振替納付を希望する旨の申出があった場合には、その納付が確実と認められ、かつ、その申出を承認することが保険料の徴収上有利と認められるときに限り、その申出を承認することができる。

D　○　根拠 法30の4-Ⅰ　CH8 Sec5⑤

いわゆる20歳前傷病による障害基礎年金に関する記述である。

E　✕　根拠 法50　CH8 Sec7②

死亡した夫が3年以上の付加保険料納付済期間を有していた場合であっても、寡婦年金の額に8,500円の加算は行われない。なお、「死亡一時金」が支給される場合において、死亡した者が3年以上の付加保険料納付済期間を有していた場合には、死亡一時金の額に8,500円が加算される。

問2　正解　C　正解率 67%

A　○　根拠 法89-Ⅰ他　CH8 Sec3⑥

法定免除は、学生納付特例による保険料免除より優先される。なお、学生納付特例は、他の申請免除に優先して適用されるので、学生納付特例の要件に該当する場合は、他の申請免除を受けることはできない。

B　○　根拠 法46、令4の5-Ⅱ　CH8 Sec4⑪、Sec7①

令和5年度（第55回）
択一式

付加年金の支給は、老齢基礎年金の支給繰下げの申出を行ったときは、当該老齢基礎年金に併せて繰り下げられ、この場合の付加年金の額は、老齢基礎年金と同じ率で増額される。

C ✕ 根拠 法52の３－Ⅰ　CH8 Sec7③

死亡一時金を受けることができる遺族は、死亡した者の配偶者、子、父母、孫、祖父母又は兄弟姉妹であって、その者の死亡の当時その者と生計を同じくしていたものである。甲の死亡当時甲と生計を同じくしていた妹である乙は、他の要件を満たす限り、死亡一時金の受給権者となる。

D 〇 根拠 法49－Ⅰ　CH8 Sec7②

設問の夫は、第１号被保険者としての保険料納付済期間及び保険料免除期間を10年以上有していないため、設問の妻に寡婦年金は支給されない。

確認してみよう！

【寡婦年金が支給されるための、死亡した夫の要件】

① 死亡日の前日において、死亡日の属する月の前月までの第１号被保険者としての被保険者期間に係る保険料納付済期間と保険料免除期間とを合算した期間が、10年以上であること

② 「保険料納付済期間」又は「学生納付特例期間・納付猶予期間以外の保険料免除期間」（年金額に反映される期間）を（１月以上）有する者であること

③ 老齢基礎年金又は障害基礎年金の支給を受けたことがないこと

【妻の要件】

① 夫によって生計を維持していたこと

② 夫との婚姻関係が10年以上継続したこと

③ 65歳未満であること

④ 繰上げ支給の老齢基礎年金の受給権者でないこと

E 〇 根拠 法104　―

問３ 正解 C　正解率 73%

A ✕ 根拠 法69　CH8 Sec9⑥

故意に障害又はその直接の原因となった事故を生じさせた者の当該障害については、これを支給事由とする障害基礎年金は、支給しない。

B ✕ 根拠 法90の３、(16)法附則19、(26)法附則14　―

納付猶予制度は、国民年金法本則に規定されるものではなく、法附則に規定さ

れている令和12年6月までの時限措置である。なお、学生納付特例制度が法本則に規定されているとする記述については正しい。

C ○ 根拠 (6)法附則11-Ⅵ④ CH8 Sec2④

特例による任意加入被保険者が70歳に達したときは、その日に被保険者の資格を喪失する。

D × 根拠 法7-Ⅰ②、法附則3 CH8 Sec2①

厚生年金保険の被保険者が65歳未満である間は、その者が特別支給の老齢厚生年金の受給権者であっても、第2号被保険者とされる。

E × 根拠 法24 CH8 Sec9②

法24条において、給付を受ける権利は、担保に供することができないとされており、現在、例外規定は設けられていない。また、遺族基礎年金を受ける権利を、国税滞納処分(その例による処分を含む。以下本解説において同じ。)により差し押えることはできない。なお、老齢基礎年金を受ける権利を、国税滞納処分により差し押えることは可能である。

問4 正解 A　正解率 97%

A × 根拠 法11-Ⅱ CH8 Sec2⑤

被保険者がその資格を取得した日の属する月にその資格を喪失したときは、その月を1か月として被保険者期間に算入するが、その月にさらに被保険者の資格を取得したときは、後の資格取得についての期間のみをもって1か月の被保険者期間として算入する。

B ○ 根拠 則65-ⅡⅢ —

C ○ 根拠 法95の2、111の3-Ⅰ —

D ○ 根拠 法附則9の2の3 CH8 Sec4⑩

E ○ 根拠 法26 CH8 Sec4④

問5 正解 B　正解率 57%

A × 根拠 法5-ⅠⅥ CH8 Sec4⑥

保険料の４分の１免除の規定によりその４分の１の額につき納付することを要しないものとされた保険料につきその残余の額（４分の３の部分）が納付又は徴収されたものは、保険料納付済期間とはされず、「保険料４分の１免除期間」とされる。

B　○　根拠 H30.12.6年管管発1206第１号　—

C　×　根拠 (60)法附則８-Ⅳ　CH8 Sec4⑤

設問の期間は、老齢基礎年金の年金額の計算に関しては保険料納付済期間には算入されず、合算対象期間に算入される。

D　×　根拠 法11の２、87-Ⅱ、94の６　CH8 Sec2⑤

設問後半のような規定はない。設問の場合、４月は第２号被保険者であった月とみなされるため、４月について、国民年金の保険料は徴収されない。なお、納付した４月分の保険料は、その者の請求により還付される。

E　×　根拠 法36の２-Ⅰ②③、則34の４　CH8 Sec5⑩

設問の施設に収容されている場合であっても、未決勾留中の者については、20歳前傷病による障害基礎年金の支給は停止されない。

問６　正解　C　正解率 88%

A　○　根拠 法36の４-Ⅰ　CH8 Sec5⑩

20歳前傷病による障害基礎年金は、受給権者の前年の所得が、政令で定める額を超えるときは、その年の10月から翌年の９月まで、その全部又は２分の１（子の加算額が加算された障害基礎年金にあっては、その額からその加算額を控除した額の２分の１）に相当する部分の支給が停止されるが、設問の場合には、当該所得による支給停止は行われない。

B　○　根拠 則25-Ⅲ他　—

確認してみよう！

未支給の年金給付の請求権者は、死亡者の配偶者、子、父母、孫、祖父母、兄弟姉妹又はこれらの者以外の３親等内の親族であって、その者の死亡の当時その者と生計を同じくしていたものである。

C　×　根拠 法28、則16-Ⅳ他　CH8 Sec4⑪

老齢基礎年金の支給繰下げの申出と老齢厚生年金の支給繰下げの申出は、必ずしも同時に行う必要はない。老齢基礎年金又は老齢厚生年金のいずれか一方のみを繰り下げることも可能である。なお、老齢基礎年金の支給繰上げの請求は、老齢厚生年金の支給繰上げの請求をすることができる者にあっては、老齢厚生年金の支給繰上げの請求と同時に行わなければならない。

D ○ 根拠 H27.9.30年管管発0930第６号 CH8 Sec9⑥

E ○ 根拠 法40 CH8 Sec6⑨

配偶者については、子のすべてが直系血族又は直系姻族の養子になると、子のすべてが減額改定事由（配偶者以外の者の養子となったこと）に該当することとなるため、失権する。子については、「直系血族又は直系姻族以外の者の養子となったとき」は失権するが、設問は「直系血族又は直系姻族の養子」となっているため、失権しない。

問７ 正解 A 正解率 69%

A ○ 根拠 法92の５-Ⅰ、則72の７ CH8 Sec3⑤

B × 根拠 国民年金・厚生年金保険障害認定基準 CH8 Sec5②

設問文は２級に関する記述である。国民年金・厚生年金保険障害認定基準において、１級は、身体の機能の障害又は長期にわたる安静を必要とする病状が日常生活の用を弁ずることを不能ならしめる程度のものとされている。この日常生活の用を弁ずることを不能ならしめる程度とは、他人の介助を受けなければほとんど自分の用を弁ずることができない程度のものである。例えば、身のまわりのことはかろうじてできるが、それ以上の活動はできないもの又は行ってはいけないもの、すなわち、病院内の生活でいえば、活動の範囲がおおむねベッド周辺に限られるものであり、家庭内の生活でいえば、活動の範囲がおおむね就床室内に限られるものである。

C × 根拠 法37の２-Ⅱ CH8 Sec6⑤

被保険者等の死亡の当時胎児であった子が生まれたときは、将来に向かって、その子は、被保険者等の死亡の当時その者によって生計を維持していたものとみなし、配偶者は、その者の死亡の当時その子と生計を同じくしていたものとみなす。したがって、その子の遺族基礎年金の受給権は、被保険者等の死亡当時にさかのぼって発生することはない。

D　✕　根拠　法21の２　　　CH8 Sec9③

当該過誤払による返還金に係る債権（以下本解説において「返還金債権」という。）に係る債務の弁済をすべき者に支払うべき年金給付があるときは、厚生労働省令で定めるところにより、当該年金給付の支払金の金額を当該過誤払による返還金債権の金額に充当することができるとされている。

E　✕　根拠　法附則５－Ⅰ　　　CH8 Sec2②

設問の「70歳」を「65歳」と読み替えると、正しい記述となる。

問８　正解　C　　　正解率　85%

A　✕　根拠　法27の４－Ⅰ、27の５－Ⅰ、改定率改定令１　　　CH8 Sec8①

令和５年度の改定率の改定については、新規裁定者及び既裁定者ともにマクロ経済スライドによる調整が行われている（下図参照）。

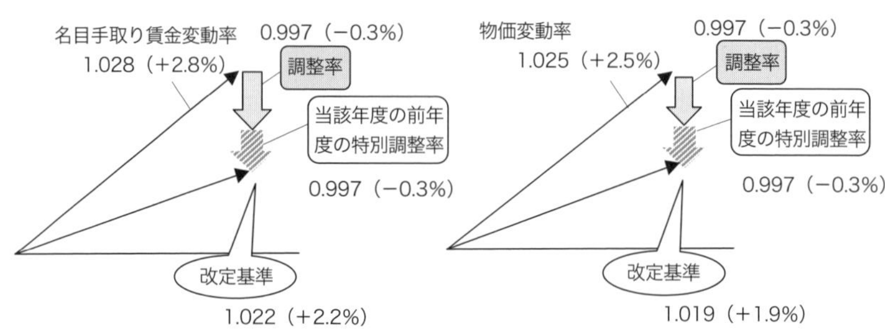

なお、上図の通り、令和５年度における新規裁定者（昭和31年４月２日以後生まれの者）に係る改定率の改定基準は1.022と、既裁定者（昭和31年４月１日以前生まれの者）に係る改定率（基準年度以後改定率）の改定基準は1.019とされたことから、令和５年度の新規裁定者に係る改定率が1.018〔≒0.996（令和４年度の改定率）×1.022〕と、既裁定者の基準年度以後改定率は1.015〔≒0.996（令和４年度の基準年度以後改定率）×1.019〕と、それぞれ異なるものとなったため、令和５年度における老齢基礎年金の満額は、新規裁定者と既裁定者とで、それぞれ異なる額となった。

B × 根拠 法87-ⅢⅤ　CH8 Sec3⑤

令和5年度の国民年金保険料の月額は、法87条3項において令和元年度以後の年度に属する月の月分として規定されている「17,000円」に保険料改定率を乗じて得た額（その額に5円未満の端数が生じたときは、これを切り捨て、5円以上10円未満の端数が生じたときは、これを10円に切り上げるものとする。）とされる。なお、保険料改定率は、法87条5項の規定により、毎年度、当該年度の前年度の保険料改定率に名目賃金変動率を乗じて得た率を基準として改定される。

C ○ 根拠 法94-Ⅰ　CH8 Sec3⑦

保険料の4分の3免除、半額免除及び4分の1免除の規定により、その一部の額につき納付することを要しないものとされた保険料については、その残余の額につき納付されたときに限り、追納の対象となる。

D × 根拠 (60)法附則8-Ⅴ、(元)法附則4-Ⅰ　CH8 Sec4⑦

設問の「平成4年3月31日」を「平成3年3月31日」と読み替えると、正しい記述となる。

E × 根拠 法27、(16)法附則9、10-Ⅰ　CH8 Sec4⑧

臨時の財源の活用により、実効的な国庫負担割合が3分の1から2分の1に引き上げられたのは「平成21年4月1日」以降であり、設問の年金額の反映割合、すなわち、老齢基礎年金の額の計算に係る保険料免除期間の月数の計算に用いる乗率は、当該免除期間が平成21年4月1日前のものか同日以後のものかによって異なる。なお、恒久措置として国庫負担割合が3分の1から2分の1へ引き上げられたのは、平成26年4月1日である。

問9 正解 D　正解率 90%

A × 根拠 法附則9の2-Ⅵ、令12-Ⅱ　CH8 Sec4⑩、Sec7①

付加年金の支給は、老齢基礎年金の支給繰上げの請求を行ったときは、当該老齢基礎年金に併せて繰り上げられ、この場合の付加年金の額は、老齢基礎年金と同じ率で減額される。

B × 根拠 (60)法附則14-ⅡⅣ　CH8 Sec4⑨

設問の場合、妻は、夫の老齢厚生年金の年金額の計算の基礎となる厚生年金保険の被保険者期間が、在職定時改定により240月以上となった日の属する月の翌月から、振替加算が行われた老齢基礎年金の支給を受けることとなる。

C　✕　根拠　法附則５－Ⅸ、(16)法附則19－Ⅴ、(26)法附則14－Ⅳ　CH8 Sec3⑥

任意加入被保険者は、保険料免除の対象とならない。

D　○　根拠　法18の２　CH8 Sec8②

E　✕　根拠　法127－Ⅲ③　CH8 Sec10②

設問の場合、当該保険料を納付することを要しないものとされた月の初日に、加入員の資格を喪失する。

問10　正解　C（イとエ）　正解率　92%

ア　✕　根拠　法36の３－Ⅰ　CH8 Sec5⑩

設問の「３分の１」を「２分の１」と読み替えると、正しい記述となる。

イ　○　根拠　法34－ⅡⅢ　CH8 Sec5⑨

ウ　✕　根拠　法20－Ⅰ、法附則９の２の４　CH8 Sec9⑤

障害基礎年金の受給権者が65歳に達した後、遺族厚生年金の受給権を取得した場合、これらの年金は併給される。なお、設問前段の記述は正しい。

エ　○　根拠　法40　CH8 Sec6⑨

確認してみよう！

配偶者の失権事由は、以下の通りである。

①	死亡したとき
②	婚姻をしたとき
③	直系血族又は直系姻族以外の者の養子となったとき
④	子のすべてが減額改定事由に該当するに至ったとき

オ　✕　根拠　法18－ⅠⅢ、19－Ⅰ、29　CH8 Sec4②

設問の場合、死亡した者は令和５年６月において令和５年４月分及び同年５月分の年金の支給を既に受けているため、まだ支給されていない未支給年金は、６月分のみである。

令和４年度
(2022年度・第54回)
解答・解説

合格基準点

選択式	総得点**27点**以上、かつ、 各科目**3点**以上
択一式	総得点**44点**以上、かつ、 各科目**4点**以上

受験者データ

受験申込者数	52,251人
受験者数	40,633人
合格者数	2,134人
合格率	5.3%

繰り返し記録シート（令和４年度）

解いた回数	科目	問題No.	点数	解いた回数	科目	点数
選択式１回目	労基安衛	問１	／5	択一式１回目	労基安衛	／10
	労災	問２	／5		労災徴収	／10
	雇用	問３	／5		雇用徴収	／10
	労一	問４	／5		労一社一	／10
	社一	問５	／5		健保	／10
	健保	問６	／5		厚年	／10
	厚年	問７	／5		国年	／10
	国年	問８	／5		合計	／70
		合計	／40			
選択式２回目	労基安衛	問１	／5	択一式２回目	労基安衛	／10
	労災	問２	／5		労災徴収	／10
	雇用	問３	／5		雇用徴収	／10
	労一	問４	／5		労一社一	／10
	社一	問５	／5		健保	／10
	健保	問６	／5		厚年	／10
	厚年	問７	／5		国年	／10
	国年	問８	／5		合計	／70
		合計	／40			
選択式３回目	労基安衛	問１	／5	択一式３回目	労基安衛	／10
	労災	問２	／5		労災徴収	／10
	雇用	問３	／5		雇用徴収	／10
	労一	問４	／5		労一社一	／10
	社一	問５	／5		健保	／10
	健保	問６	／5		厚年	／10
	厚年	問７	／5		国年	／10
	国年	問８	／5		合計	／70
		合計	／40			

令和4年度
(2022年度・第54回)
解答・解説
選択式

正解一覧

問	記号	番号	正解
問1	A	②	8月31日
	B	⑨	他の不当な動機・目的をもって
	C	⑦	甘受すべき程度を著しく超える不利益を負わせるものである
	D	⑳	労働者の作業内容を変更したとき
	E	⑥	快適な職場環境の実現
問2	A	②	9
	B	⑦	290
	C	⑱	労働者
	D	⑲	労働者を使用するものがあること
	E	⑨	営業等の事業に係る業務
問3	A	①	最後の完全な6賃金月
	B	④	雇用保険被保険者離職票
	C	④	2,295円
	D	③	令和3年8月31日
	E	③	4,000円を超えない
問4	A	②	2.7（令和8年6月30日までの間は2.5）
	B	⑥	100人超
	C	⑰	ジョブコーチ
	D	⑪	継続が期待されていた
	E	⑮	従前の労働契約が更新された

問	記号	番号	正解
問5	A	⑨	61.0
	B	⑱	配偶者
	C		
	D	⑰	身体上又は精神上の障害
	E	②	6か月
問6	A	⑮	88,000円以上
	B	⑪	200以上
	C	⑩	180日
	D	③	10
	E	⑰	厚生労働大臣
問7	A	⑤	開始した日の属する月
	B	⑯	終了する日の翌日が属する月の前月
	C	⑱	W
	D	⑨	月額2万円
	E	④	65歳に達する日の前日
問8	A	⑪	その障害の状態に該当しない間
	B	④	4分の3
	C	⑮	福祉を増進する
	D	⑰	理解を増進させ、及びその信頼を向上させる
	E	⑳	分かりやすい形で通知

問１ 労働基準法及び労働安全衛生法

根拠 労基法20-Ⅰ、最二小S61.7.14東亜ペイント事件、安衛法３-Ⅰ、59-Ⅱ

A	②	８月31日	CH1 Sec2④	正解率 95%
B	⑨	他の不当な動機・目的をもって	―	正解率 78%
C	⑦	甘受すべき程度を著しく超える不利益を負わせるものである	―	正解率 72%
D	⑳	労働者の作業内容を変更したとき	CH2 Sec6②	正解率 96%
E	⑥	快適な職場環境の実現	CH2 Sec1②	正解率 90%

問２ 労働者災害補償保険法

根拠 則14-ⅢⅤ、H23.2.1基発0201第２号、最二小H24.2.24広島中央労基署長事件

A	②	９※1	CH3 Sec5①	正解率 89%
B	⑦	290※2	CH3 Sec5①	正解率 80%
C	⑱	労働者	―	正解率 90%
D	⑲	労働者を使用するものがあること	―	正解率 70%
E	⑨	営業等の事業に係る業務	―	正解率 91%

※１　加重後（第10級）と第12級を併合し、現在の障害等級は第９級。

※２　加重・併合後の第９級(391日)－加重前の第13級(101日)＝290日

問３ 雇用保険法

根拠 法16-Ⅰ、17-Ⅰ、18-Ⅲ、60の２-ⅡⅤ、則101の２の９、R6.7.30厚労告250号、行政手引50601、58012

A	①	最後の完全な６賃金月	CH4 Sec3④	正解率 99%
B	④	雇用保険被保険者離職票	CH4 Sec3④	正解率 82%
C	④	2,295円	CH4 Sec3④	正解率 55%
D	③	令和３年８月31日	CH4 Sec8①	正解率 42%
E	③	4,000円を超えない	CH4 Sec8①	正解率 90%

解説

〔Ｄについて〕

設問においては、平成25年中に教育訓練給付金を受給していることから、再び教育訓練給付金の支給を受けるために必要な支給要件期間は３年となる。

それぞれの離職日における支給要件期間をみると、アのＡ社離職日においては、

A社での被保険者として雇用された期間が３年に満たないことから、支給要件期間が３年に満たない。

イのB社離職日においては、アのA社離職日からイのB社就職日までの期間が１年を超えるため、支給要件期間の算定においてア（A社）とイ（B社）の被保険者として雇用された期間は通算されず、支給要件期間が３年に満たない。

ウのB社再離職日においては、イのB社離職日からウのB社再就職日までの期間が１年以内であり、また、支給要件期間の算定において基本手当の受給の有無は影響しないため、イ（B社）とウ（B社）の被保険者として雇用された期間は通算され、支給要件期間が３年以上となる。

したがって、**D**にはウの離職日である令和３年８月31日が入る。

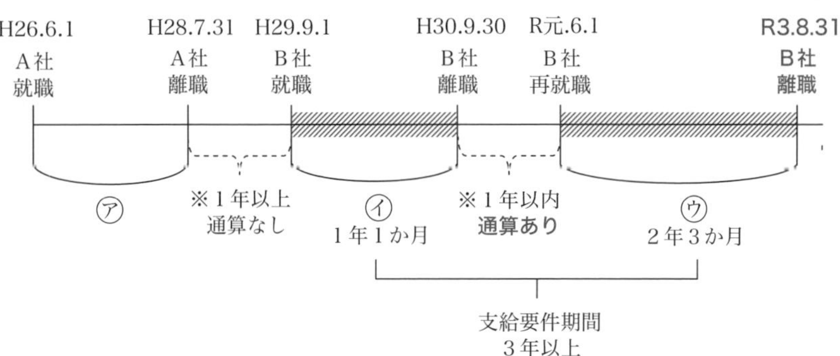

問４　労務管理その他の労働に関する一般常識

根拠　障雇法20-③、22-④、43-Ⅱ、49-Ⅰ④の２、法附則４-Ⅰ、令９、令和５年令附則３-Ⅰ、最一小S61.12.4日立メディコ事件

A	②	2.7（令和８年６月30日までの間は2.5）	CH6 Sec3⑤	正解率 94%
B	⑥	100人超	CH6 Sec3⑤	正解率 82%
C	⑰	ジョブコーチ	―	正解率 26%
D	⑪	継続が期待されていた	―	正解率 92%
E	⑮	従前の労働契約が更新された	―	正解率 48%

解説

Cのジョブコーチは、障害者雇用促進法においては「職場適応援助者」と規定されているものであり、「身体障害者、知的障害者、精神障害者その他厚生労働省令で定める障害者（職場への適応について援助を必要とする障害者）が職場に適応することを容易にするための援助を行う者」をいう。

問５　社会保険に関する一般常識

根拠　確拠法40、41-ⅠⅡ、介保法７-ⅠⅢ②、令２-①、則２、「令和元年度国民医療費の概況（厚生労働省）」

A	⑨	61.0	CH10 Sec3⑦	正解率 37%
B	⑱	配偶者	—	正解率 39%
C	（改正により削除）			
D	⑰	身体上又は精神上の障害	CH10 Sec1④	正解率 36%
E	②	６か月	CH10 Sec1④	正解率 92%

問６　健康保険法

根拠　法３-Ⅰ⑨ロ、７、63-Ⅱ⑤、㉔法附則46-Ⅰ、Ⅻ、則１の３-Ⅰ、２-Ⅰ、R6.3.27厚労告122号、H28.5.13保保発0513第１号、R4.3.18保保発0318第１号

A	⑮	88,000円以上	CH7 Sec2⑥	正解率 98%
B	⑪	200以上	CH7 Sec5⑤	正解率 95%
C	⑩	180日	CH7 Sec5⑤	正解率 73%
D	③	10	CH7 Sec1②	正解率 83%
E	⑰	厚生労働大臣	CH7 Sec1②	正解率 69%

問7 厚生年金保険法

根拠 法47の2－Ⅰ、59－Ⅰ、66、81の2の2－Ⅰ、法附則11－Ⅰ、改定率改定令5、国年法37の2－Ⅰ他

A	⑤	開始した日の属する月	CH9 Sec10⑤	正解率 94%
B	⑯	終了する日の翌日が属する月の前月	CH9 Sec10⑤	正解率 89%
C	⑱	W	CH9 Sec7⑥	正解率 11%
D	⑨	月額2万円	CH9 Sec5⑤	正解率 87%
E	④	65歳に達する日の前日	CH9 Sec6②	正解率 94%

解説

設問文2は、遺族厚生年金保険に関する問題である。設問の場合、生計維持要件を満たす妻「Y」と子「W」の2者が遺族厚生年金の受給権者となり、また、子のない「Y」が遺族基礎年金の受給権を取得することができないのに対し、死亡したXの子である「W」は、遺族基礎年金の受給権も取得することになる。この状況は、「配偶者に対する支給停止（法66条2項）」及び「子に対する支給停止の例外（法66条1項ただし書）」に該当することから、遺族厚生年金が最初に支給されるのは「W」となる。

設問文3は、65歳未満の在職老齢年金（低在老）に関する問題である。令和4年度の支給停止調整額は、47万円であったので、支給停止額は、

｛（総報酬月額相当額41万円＋基本月額10万円）－47万円｝×1/2＝2万円

となる。

問8 国民年金法

根拠 法14の5、36－Ⅱ、50、128－Ⅱ

A	⑪	その障害の状態に該当しない間	CH8 Sec5⑩	正解率 87%
B	④	4分の3	CH8 Sec7②	正解率 91%
C	⑮	福祉を増進する	—	正解率 41%
D	⑰	理解を増進させ、及びその信頼を向上させる	CH8 Sec2⑥	正解率 90%
E	⑳	分かりやすい形で通知	CH8 Sec2⑥	正解率 94%

令和4年度
(2022年度・第54回)
解答・解説
択一式

正解一覧

労基安衛	問1	E
	問2	E
	問3	B
	問4	C
	問5	A
	問6	A
	問7	D
	問8	C
	問9	A
	問10	B
労災徴収	問1	C
	問2	E
	問3	D
	問4	E
	問5	B
	問6	D
	問7	D
	問8	E
	問9	A
	問10	B
雇用徴収	問1	B
	問2	D
	問3	C
	問4	C
	問5	E
	問6	E
	問7	A
	問8	A
	問9	C
	問10	B
労一社一	問1	E
	問2	C
	問3	D
	問4	A
	問5	C
	問6	E
	問7	B
	問8	B
	問9	C
	問10	D
健保	問1	D
	問2	A
	問3	C
	問4	E
	問5	D
	問6	A・E
	問7	B
	問8	E
	問9	B
	問10	A・E
厚年	問1	B
	問2	E
	問3	E
	問4	D
	問5	D
	問6	D
	問7	B
	問8	E
	問9	B
	問10	E
国年	問1	B
	問2	D
	問3	D
	問4	E
	問5	C
	問6	E
	問7	A
	問8	E
	問9	D
	問10	B

労働基準法及び労働安全衛生法

問１　正解　E　　正解率 93%

A　✕　根拠　法９　　CH1 Sec1④

労働基準法上の「労働者」とは、職業の種類を問わず、事業又は事務所に使用される者で、賃金を支払われる者をいう。

> **確認してみよう！**
> 雇用保険法上の労働者は、事業主に雇用され、事業主から支給される賃金によって生活している者、及び事業主に雇用されることによって生活しようとする者であって現在その意に反して就業することができないものをいう。

B　✕　根拠　法９、S60.12.19労働基準法研究会報告（労働基準法の「労働者」の判断基準について）　　CH1 Sec1④

形式上は請負契約のような形式を採っていても、その実体において使用従属関係が認められるときは、労働基準法上の「労働者」に該当する。

C　✕　根拠　法９、116-Ⅱ　　CH1 Sec1④

同居の親族のみを使用する事業には労働基準法は適用されないが、一時的であっても親族以外の者が使用されている場合、この者（親族以外の者）は、労働基準法上の「労働者」に該当する。

D　✕　根拠　法９、H11.3.31基発168号　　CH1 Sec1④

株式会社の代表取締役は労働基準法上の労働者とならない。法人、団体、組合等の代表者又は執行機関たる者の如く、事業主体との関係において使用従属の関係に立たないものは労働者ではない。

> **確認してみよう！**
> 健康保険法に規定する被保険者は、適用事業所に使用される者をいうが、「使用される者」は事実上の使用関係があれば足り、法人の代表者又は業務執行者で法人から労働の対償として報酬を受けている者は、法人に使用される者として被保険者となる。

E　○　根拠　法９、S60.12.19労働基準法研究会報告（労働基準法の「労働者」の判断基準について）　　CH1 Sec1④

労働基準法上の「労働者」であるか否か、すなわち労働者性の有無は「使用される＝指揮監督下の労働」という労務提供の形態及び「賃金支払」という報酬の労務に対する対償性（報酬が提供された労務に対するものであるかどうか）によって判断されることとなる（この２つの基準を総称して「使用従属性」と呼ぶ。）。

問２　正解　E　　正解率 92%

A　×　根拠 法32、S47.9.18基発602号　　CH1 Sec4①

労働安全衛生法により事業者に実施が義務付けられている健康診断のうち、いわゆる一般健康診断の実施に要する時間は、労働時間と解されない。なお、特殊健康診断の実施に要する時間は労働時間と解される。

確認してみよう！

労働時間と解されるもの・解されないもの

健康診断※1	―――
一般健康診断	労働時間と解されない
特殊健康診断	労働時間と解される
安全・衛生委員会（安全/衛生/安全衛生委員会）	労働時間と解される
安全衛生教育（雇入時/作業内容変更時/職長教育）	労働時間と解される
面接指導※2	―――
長時間労働者に対する面接指導	労働時間と解されない
研究開発業務従事者に対する面接指導	労働時間と解される
心理的な負担の程度を把握するための検査	労働時間と解されない

※１　労災保険法に規定する二次健康診断の受診に要した時間は、労働時間と解されない。

※２　高度プロフェッショナル制度対象労働者に対する面接指導の実施に要する時間は、健康管理時間となる。

B　×　根拠 法32、S33.10.11基収6286号　　CH1 Sec4①

出勤を命ぜられ、一定の場所に拘束されている以上労働時間と解される。

C　×　根拠 S47.9.18基発602号、S63.3.14基発150号・婦発47号　　CH1 Sec4①

労働者が使用者の実施する教育に参加することについて、就業規則上の制裁等の不利益取扱による出席の強制がなく自由参加のものであれば、時間外労働にはならない。

D　×　根拠 法32、S63.3.14基発150号　　CH1 Sec4①

設問の場合は、労働時間と解される。

E　○　根拠 法32、最一小H14.2.28大星ビル管理事件　CH1 Sec4①

確認してみよう！

労働基準法32条の労働時間とは、労働者が使用者の指揮命令下に置かれている時間をいい、実作業に従事していない仮眠時間（不活動仮眠時間）が労働時間に該当するか否かは、労働者が不活動仮眠時間において使用者の指揮命令下に置かれていたものと評価することができるか否かにより客観的に定まるものというべきである。

問３　正解　B

正解率 49%

A　○　根拠 法36-Ⅰ、41-③、則23、H11.3.31基発168号　CH1 Sec4⑤

使用者は、宿直又は日直の勤務で断続的な業務について、所轄労働基準監督署長の許可を受けた場合は、これに従事する労働者を、労働基準法32条の規定にかかわらず、使用することができる。

確認してみよう！

宿直又は日直の許可を受けた場合は、その宿直又は日直の勤務については、労働基準法第４章、第６章及び第６章の２で定める労働時間、休憩及び休日に関する規定は適用されない。

B　×　根拠 法36-Ⅵ③　CH1 Sec6③

設問の場合、１月～３月の３箇月間における時間外労働の時間（労働時間を延長して労働させる時間）が245時間となり、１箇月当たりの平均時間が80時間を超えることとなるため、このような時間外労働をさせることはできない。

確認してみよう！

使用者は、36協定（特別条項付き協定を含む。）で定めるところによって労働時間を延長して労働させ、又は休日において労働させる場合であっても、次の⑴～⑶に掲げる時間について、それぞれ⑴～⑶に定める要件を満たすものとしなければならない。

⑴　坑内労働その他厚生労働省令で定める健康上特に有害な業務について、１日について労働時間を延長して労働させた時間・・・２時間を超えないこと。

⑵　１箇月について労働時間を延長して労働させ、及び休日において労働させた時間・・・100時間未満であること。

⑶　対象期間の初日から１箇月ごとに区分した各期間に当該各期間の直前の１箇月、２箇月、３箇月、４箇月及び５箇月の期間を加えたそれぞれの期間における労働時間を延長して労働させ、及び休日において労働させた時間の１箇月当たりの平均時間・・・80時間を超えないこと。

C ○ 根拠 H11.3.31基発168号 —

D ○ 根拠 H11.3.31基発168号 CH1 Sec6①

設問の場合、各日の労働時間が8時間を超えず、かつ、休日労働を行わせない限り、労働者の労働時間が1週間又は1日の法定労働時間を超えることはなく、また、法定休日の労働も生じないため、36協定をする必要はない。

E ○ 根拠 H11.3.31基発168号 —

得点UP!

36協定の本社一括届出

次の(1)及び(2)の要件を満たす場合には、複数の事業場を有する企業において、本社の使用者が一括して本社の所轄労働基準監督署長に36協定の届出を行うときは、本社以外の事業場の所轄労働基準監督署長に届出があったものとして差し支えないこととされている。

(1) 本社と全部又は一部の本社以外の事業場に係る36協定の内容が同一であること
(2) 本社の所轄労働基準監督署長に対する届出の際には、本社を含む事業場数に対応した部数の36協定を提出すること

問4 正解 C 正解率 58%

A ○ 根拠 法1－Ⅱ —

確認してみよう!

労働基準法1条2項（労働条件の原則）

この法律で定める労働条件の基準は最低のものであるから、労働関係の当事者は、この基準を理由として労働条件を低下させてはならないことはもとより、その向上を図るように努めなければならない。

B ○ 根拠 法3、S22.9.13発基17号 CH1 Sec1②

労働基準法3条（均等待遇）の「信条」とは、特定の宗教的又は政治的信念をいう。なお、同条の「社会的身分」とは、生来の身分をいう。

確認してみよう!

労働基準法3条（均等待遇）

使用者は、労働者の国籍、信条又は社会的身分を理由として、賃金、労働時間その他の労働条件について、差別的取扱をしてはならない。

C × 根拠 法4、H9.9.25基発648号 —

労働基準法4条（男女同一賃金の原則）は「差別的取扱いをしてはならない」

と定めており、その違反が成立するのは現実に差別的取扱いをした場合であるから、単に就業規則等において差別的取扱いをする趣旨の規定を設けただけでは、その規定が無効となるにとどまり、同条違反とはならない。

確認してみよう！

労働基準法４条（男女同一賃金の原則）

使用者は、労働者が女性であることを理由として、賃金について、男性と差別的取扱いをしてはならない。

D 〇 根拠 法５ —

労働基準法５条（強制労働の禁止）は「労働を強制してはならない」と定めており、労働の強制の目的がなく、単に「怠けたから」又は「態度が悪いから」殴ったというだけである場合、同条違反とはならない。

確認してみよう！

労働基準法５条（強制労働の禁止）

使用者は、暴行、脅迫、監禁その他精神又は身体の自由を不当に拘束する手段によって、労働者の意思に反して労働を強制してはならない。

E 〇 根拠 法10、S62.3.26基発169号 —

問５ 正解 A 正解率 87%

A 〇 根拠 法14-Ⅰ①、H28.10.19厚労告376号、H15.10.22基発1022001号

CH1 Sec2③

B × 根拠 法15-Ⅲ、民法140 —

９月１日に労働契約を解除した場合は、翌日の９月２日から起算して14日、すなわち９月15日までをいう。

C × 根拠 法16 CH1 Sec2③

労働基準法16条（賠償予定の禁止）は「違約金を定め、又は損害賠償額を予定する契約をしてはならない」と定めており、違約金を定め、又は損害賠償額を予定する契約を締結した時点で、同条違反が成立する。

確認してみよう！

★ 労働基準法16条（賠償予定の禁止）

使用者は、労働契約の不履行について違約金を定め、又は損害賠償額を予定する契約をしてはならない。

D ✕ 根拠 法17　　CH1 Sec2③

労働基準法17条（前借金相殺の禁止）は「相殺してはならない」と定めており、前借金と賃金との相殺を禁止したものである。前借金そのものを全面的に禁止しているわけではない。

確認してみよう！

★ 労働基準法17条（前借金相殺の禁止）

使用者は、前借金その他労働することを条件とする前貸の債権と賃金を相殺してはならない。

E ✕ 根拠 法22-ⅠⅢ　　CH1 Sec2⑤

設問の証明書（退職時の証明書）には、労働者の請求しない事項を記入してはならない。

確認してみよう！

使用者は、あらかじめ第三者と謀り、労働者の就業を妨げることを目的として、退職時等の証明書に秘密の記号を記入してはならない。

問6　正解　A（エの一つ）　正解率 19%

ア ○ 根拠 法12-Ⅴ、24-Ⅰ、則２-ⅠⅡ　　―

なお、設問の労働協約に定められた評価額が不適当と認められる場合又は当該評価額が法令若しくは労働協約に定められていない場合においては、都道府県労働局長は、通貨以外のものの評価額を定めることができる。

イ ○ 根拠 法24-Ⅱ　　―

賃金は、毎月１回以上、一定の期日を定めて支払わなければならない（毎月１回以上・一定期日払の原則）が、賃金の締切期間及び支払期限については明文の規定がない。したがって、賃金の支払期限について、必ずしもある月の労働に対する賃金をその月中に支払うことを要せず、不当に長い期間でない限り、賃金の締切後ある程度の期間を経てから支払う定めをすることも、（毎月１回以上・一定期日払の原則に違反しない限り）差し支えない。

ウ　○　根拠 法25　―

エ　×　根拠 法24-Ⅰ、最三小S43.3.12小倉電話局事件　―

最高裁判所の判例では、「退職手当法による退職手当の給付を受ける権利については、その譲渡を禁止する規定がないから、退職者またはその予定者が右退職手当の給付を受ける権利を他に譲渡した場合に譲渡自体を無効と解すべき根拠はないけれども、労働基準法24条１項が『賃金は直接労働者に支払わなければならない。』旨を定めて、使用者たる賃金支払義務者に対し罰則をもってその履行を強制している趣旨に徴すれば、労働者が賃金の支払を受ける前に賃金債権を他に譲渡した場合においても、その支払についてはなお同条が適用され、使用者は直接労働者に対し賃金を支払わなければならず、したがって、右賃金債権の譲受人は自ら使用者に対してその支払を求めることは許されないものと解するのが相当である。そして、退職手当法による退職手当もまた右にいう賃金に該当し、右の直接払の原則の適用があると解する以上、退職手当の支給前にその受給権が他に適法に譲渡された場合においても、国または公社はなお退職者に直接これを支払わなければならず、したがって、その譲受人から国または公社に対しその支払を求めることは許されないといわなければならない。」としている。

オ　○　根拠 法27　―

労働基準法27条の「保障給」は、労働時間に応じた一定額のものでなければならないが、一定額とは、個々の労働者について、その行う労働が同種のものである限りは常に一定の金額を保障すべきであることをいうと解されるので、同種の労働を行っている労働者が多数ある場合に、個々の労働者の技量、経験、年数等に応じて、その保障給額に差を設け、また同一の労働者に対しても、別種の労働に従事した場合には、異なる金額の保障給を支給することとすることは差し支えない。

確認してみよう！

保障給の額について労働基準法27条は何ら規定していないが、同条の趣旨は、労働者の最低生活を保障することにあるから、「常に通常の実収賃金とあまりへだたらない程度の収入が保障されるように保障給の額を定める」べきとされている（大体の目安としては、少なくとも平均賃金の100分の60程度を保障することが妥当と思われる。）。

問7 正解 D 正解率 64%

A × 根拠 法40-Ⅰ、則25の2-Ⅰ CH1 Sec4②

設問のいわゆる特例事業の場合は、1週間について「44時間」、1日について「8時間」まで労働させることができる。

B × 根拠 法32の2 CH1 Sec6③

1か月単位の変形労働時間制の効力（労使協定に定めるところによって労働させても労働基準法に違反しないという免罰的効力）は、労使協定の締結により発生する（届出は効力発生の要件ではない。）。なお、1か月単位の変形労働時間制に係る労使協定は、所轄労働基準監督署長に届け出なければならず、その届出をしないときは、30万円以下の罰金に処せられる。

C × 根拠 最二小H29.7.7医療社団法人康心会事件 ―

最高裁判所の判例では、年俸について、通常の労働時間の賃金に当たる部分と割増賃金に当たる部分とを判別することはできないときは、当該年俸の支払により、時間外労働等に対する割増賃金が支払われたということはできない、としている。

得点UP!

最高裁判所の判例では、「割増賃金の算定方法は、労働基準法37条等に具体的に定められているところ、同条は、労働基準法37条等に定められた方法により算定された額を下回らない額の割増賃金を支払うことを義務付けるにとどまるものと解され、労働者に支払われる基本給や諸手当（以下「基本給等」という。）にあらかじめ含めることにより割増賃金を支払うという方法自体が直ちに同条に反するものではない。」としつつ、「他方において、使用者が労働者に対して労働基準法37条の定める割増賃金を支払ったとすることができるか否かを判断するためには、割増賃金として支払われた金額が、通常の労働時間の賃金に相当する部分の金額を基礎として、労働基準法37条等に定められた方法により算定した割増賃金の額を下回らないか否かを検討することになるところ、<中略>、割増賃金をあらかじめ基本給等に含める方法で支払う場合においては、上記の検討の前提として、労働契約における基本給等の定めにつき、通常の労働時間の賃金に当たる部分と割増賃金に当たる部分とを判別することができることが必要であ」るとしている。

D ○ 根拠 法37-Ⅲ、則19の2-Ⅰ③ CH1 Sec6④

E × 根拠 最二小S48.3.2白石営林署事件 CH1 Sec8①

最高裁判所の判例（一部読替）では、「労基法は同法39条5項において『請求』

令和4年度（第54回） 択一式

という語を用いているけれども、年次有給休暇の権利は、同条１、２項の要件が充足されることによって法律上当然に労働者に生ずる権利であって、労働者の請求をまって始めて生ずるものではなく、また、同条５項にいう『請求』とは、休暇の時季にのみかかる文言であって、その趣旨は、休暇の時季の『指定』にほかならないものと解すべきである。」としており、また、「労働者がその有する休暇日数の範囲内で、具体的な休暇の始期と終期を特定して右の時季指定をしたときは、客観的に同条５項但書所定の事由が存在し、かつ、これを理由として使用者が時季変更権の行使をしないかぎり、右の指定によって年次有給休暇が成立し、当該労働日における就労義務が消滅するものと解するのが相当である。すなわち、これを端的にいえば、休暇の時季指定の効果は、使用者の適法な時季変更権の行使を解除条件として発生するのであって、年次休暇の成立要件として、労働者による『休暇の請求』や、これに対する使用者の『承認』の観念を容れる余地はないものといわなければならない。」としている。

問８ 正解 C

正解率 78%

A ○ 根拠 法15-Ⅰ、令７-Ⅱ②　　CH2 Sec3①

設問の場合、建設業に係る鉄骨造のビル建設工事の仕事について、一の場所において労働者及び関係請負人の労働者が合わせて50人以上（53人）作業を行っているため、甲社（特定元方事業者）は統括安全衛生責任者を選任しなければならない。

確認してみよう！

統括安全衛生責任者の選任

特定事業（建設業又は造船業）を行う元方事業者（特定元方事業者）は、その労働者及びその関係請負人の労働者が一の場所において作業を行うときは、これらの労働者の作業が同一の場所において行われることによって生ずる労働災害を防止するため、統括安全衛生責任者を選任しなければならない。ただし、これらの労働者の数が次に掲げる仕事の区分に応じ、それぞれ次に定める数未満であるときは、選任を要しない。

仕事の区分	労働者の数
①　ずい道等の建設の仕事 ②　橋梁の建設の仕事（安全な作業の遂行が損なわれるおそれのある場所での仕事に限る。） ③　圧気工法による作業を行う仕事	常時30人
上記以外の建設業又は造船業の仕事	常時50人

B 〇 根拠 法15の2－Ⅰ　CH2 Sec3②

統括安全衛生責任者を選任した事業者で、建設業を行うもの（設問の場合、甲社）は、元方安全衛生管理者を選任しなければならない。

C ✕ 根拠 法15の3－Ⅰカッコ書、則18の6－Ⅰ　CH2 Sec3④

設問の場合、作業を行う場所は、統括安全衛生責任者を選任しなければならない場所であるから、甲社は店社安全衛生管理者の選任を要しない。

確認してみよう！

店社安全衛生管理者の選任

建設業に属する事業の元方事業者は、その労働者及び関係請負人の労働者が一の場所（これらの労働者の数が次に掲げる仕事の区分に応じ、それぞれ次に定める数未満である場所及び統括安全衛生責任者を選任しなければならない場所を除く。）において作業を行うときは、当該場所において行われる仕事に係る請負契約を締結している事業場ごとに、これらの労働者の作業が同一の場所で行われることによって生ずる労働災害を防止するため、店社安全衛生管理者を選任しなければならない。

仕事の区分	労働者の数
①　ずい道等の建設の仕事 ②　橋梁の建設の仕事（安全な作業の遂行が損なわれるおそれのある場所での仕事に限る。） ③　圧気工法による作業を行う仕事 ④　主要構造部が鉄骨造又は鉄骨鉄筋コンクリート造である建築物の建設の仕事	常時20人
上記以外の建設業の仕事	常時50人

D 〇 根拠 法30－Ⅰ①、則635－Ⅰ①　CH2 Sec4③

特定元方事業者は、その労働者及び関係請負人の労働者の作業が同一の場所において行われることによって生ずる労働災害を防止するため、協議組織の設置及び運営に関する必要な措置を講ずることが義務付けられており、この協議組織の設置及び運営については、「(1)特定元方事業者及びすべての関係請負人が参加する協議組織を設置すること、及び(2)当該協議組織の会議を定期的に開催すること」を要する。

E 〇 根拠 法29－Ⅰ　CH2 Sec4②

元方事業者は、関係請負人及び関係請負人の労働者が、当該仕事に関し、労働安全衛生法又はこれに基づく命令の規定に違反しないよう必要な指導を行なわなければならない。なお、「関係請負人」とは、請負人（元方事業者の当該事業の仕事が数次の請負契約によって行われるときは、当該請負人の請負契約の後次のすべての請負契約の当事者である請負人を含む。）をいう。

問９　正解　A　正解率 36%

A　○　根拠 法14、令６-⑱、則16-Ⅰ、則別表第１、S48.3.19基発145号　—

交替制で行われる作業について作業主任者を選任する場合、作業主任者のうち、ボイラー取扱作業主任者、第１種圧力容器取扱作業主任者及び乾燥設備作業主任者については、必ずしも各直ごとに選任する必要はないが、それ以外の作業主任者については、労働者を直接指揮する必要があるため、各直ごとに選任しなければならない。

B　×　根拠 特化則28-①、②　CH2 Sec2⑥

設問の「局所排気装置、除じん装置等の装置を点検すること」も、特定化学物質作業主任者の職務に含まれる。

C　×　根拠 法14、令６-⑱、則16-Ⅰ、則別表第１　—

設問の場合、作業主任者の選任義務は、「元方事業者」ではなく「関係請負人」にある。

D　×　根拠 則18　CH2 Sec2⑥

設問の周知は努力義務（周知するよう努めなければならない）ではなく、義務（周知させなければならない）である。

E　×　根拠 法14　CH2 Sec2⑥

労働安全衛生法14条においては、作業主任者は、「都道府県労働局長の免許を受けた者又は都道府県労働局長の登録を受けた者が行う技能講習を修了した者」のうちから、事業者が選任することと規定されている。

問10　正解　B　正解率 60%

A　×　根拠 法18-Ⅰ、令９　CH2 Sec2⑧

衛生委員会は、常時50人以上の労働者を使用する事業場ごとに設置しなければならない。

B ○ 根拠 法17-Ⅰ、令8 CH2 Sec2⑦

確認してみよう！

安全委員会の設置

事業者は、次に掲げる業種及び規模の事業場ごとに、安全委員会を設けなければならない。

業種	規模（労働者数）
（屋外的産業） 林業、鉱業、建設業、清掃業、運送業のうち道路貨物運送業及び港湾運送業 （製造工業的産業） 製造業のうち木材・木製品製造業、化学工業、鉄鋼業、金属製品製造業及び輸送用機械器具製造業、自動車整備業、機械修理業	常時50人以上
（屋外的産業） 運送業（上記の業種を除く。） （製造工業的産業） 製造業（物の加工業を含み、上記の業種を除く。）、電気業、ガス業、熱供給業、水道業、通信業 （商業等） 各種商品卸売業、家具・建具・じゅう器等卸売業、各種商品小売業、家具・建具・じゅう器小売業、燃料小売業、旅館業、ゴルフ場業	常時100人以上

C × 根拠 法19-Ⅰ CH2 Sec2⑧

「企業規模が300人以下の場合に限られている」とする部分が誤りである。事業者は、安全委員会及び衛生委員会を設けなければならないときは、（企業規模にかかわらず）それぞれの委員会の設置に代えて、安全衛生委員会を設置することができる。

D × 根拠 法17-Ⅱ、18-Ⅱ —

設問の「安全委員会及び衛生委員会の委員には、労働基準法第41条第2号に定める監督若しくは管理の地位にある者又は機密の事務を取り扱う者を選任してはならない」とする定めはない。

E × 根拠 法19-Ⅱ CH2 Sec2⑧

安全衛生委員会を構成する委員には、産業医のうちから事業者が指名した者を加える必要がある（努力義務ではなく、義務である。）。

確認してみよう！

安全衛生委員会の委員

⑴　安全衛生委員会の委員は、次の①～⑤の者をもって構成する。ただし、①の者である委員は、１人とする。

①　総括安全衛生管理者又は総括安全衛生管理者以外の者で当該事業場においてその事業の実施を統括管理するもの若しくはこれに準ずる者のうちから事業者が指名した者

②　安全管理者及び衛生管理者のうちから事業者が指名した者

③　産業医のうちから事業者が指名した者

④　当該事業場の労働者で、安全に関し経験を有するもののうちから事業者が指名した者

⑤　当該事業場の労働者で、衛生に関し経験を有するもののうちから事業者が指名した者

⑵　事業者は、当該事業場の労働者で、作業環境測定を実施している作業環境測定士であるものを安全衛生委員会の委員として指名することができる。

労働者災害補償保険法（労働保険の保険料の徴収等に関する法律を含む。）

問1 正解 C　正解率 86%

A ×　根拠 R3.9.14基発0914第１号、R5.10.18基発1018第１号　—

設問の認定基準では、「これ（発症前１か月間におおむね100時間又は発症前２か月間ないし６か月間にわたって、１か月当たりおおむね80時間を超える時間外労働）に近い時間外労働が認められる場合には、特に他の負荷要因の状況を十分に考慮し、そのような時間外労働に加えて一定の労働時間以外の負荷が認められるときには、業務と発症との関連性が強いと評価できる」としている。

B ×　根拠 R3.9.14基発0914第１号、R5.10.18基発1018第１号　—

心理的負荷を伴う業務については、脳・心臓疾患の業務起因性の判断に際しても、設問の認定基準の別表１及び別表２に掲げられている日常的に心理的負荷を伴う業務又は心理的負荷を伴う具体的出来事等について、負荷の程度を評価する視点により検討し、評価することとされている。

C ○　根拠 R3.9.14基発0914第１号、R5.10.18基発1018第１号　—

なお、労働時間の長さのみで過重負荷の有無を判断できない場合には、労働時間と労働時間以外の負荷要因を総合的に考慮して判断する必要がある。

D ×　根拠 R3.9.14基発0914第１号、R5.10.18基発1018第１号　—

「異常な出来事」と発症との関連性については、通常、負荷を受けてから24時間以内に症状が出現するとされているので、発症直前から前日までの間を評価期間とする。

E ×　根拠 R3.9.14基発0914第１号、R5.10.18基発1018第１号　—

２以上の事業の業務による「短期間の過重業務」についても、業務の過重性の検討、評価に当たり、異なる事業における労働時間の通算がなされる。

問2 正解 E　正解率 25%

A ○　根拠 則33-Ⅰ⑤　—

B ○　根拠 則33-Ⅰ④　—

C ○　根拠 則33-Ⅱ①②　—

令和４年度（第54回）択一式

労災就学援護費の額は、在学者等である子が中学校に在学する者である場合は原則月額21,000円であり、小学校に在学する者である場合（月額15,000円）よりも多い。

得点UP!

★ 労災就学等援護費の額（月額・１人当たり）

区分	原則	通信制課程
労災就学援護費		
小学校、特別支援学校の小学部等	15,000円	―――
中学校、特別支援学校の中学部等	21,000円	18,000円
高等学校、特別支援学校の高等部等	20,000円	17,000円
大学等	39,000円	30,000円
労災就労保育援護費		
幼稚園、保育所又は幼保連携型認定こども園	9,000円	―――

D ○ 根拠 則33-Ⅱ① ―

労災就学援護費の額は、在学者等である特別支援学校の小学部に在学する者である場合と、小学校に在学する者である場合とで、いずれも月額15,000円である。Cの 得点UP! 参照。

E × 根拠 則33-Ⅱ④ ―

労災就学援護費の額は、在学者等である子が大学に在学する者である場合は原則月額39,000円であり、大学のうち通信による教育を行う課程に在学する者である場合は月額30,000円である。Cの 得点UP! 参照。

問３ 正解 D

正解率 89%

A × 根拠 法33-①、則46の16 CH3 Sec9①

金融業を主たる事業とする事業主については常時「50人」以下の労働者を使用する事業主である。

確認してみよう！

★ 中小事業主等の特別加入に係る厚生労働省令で定める数以下の労働者を使用する事業

主たる事業の種類	使用する労働者数
① 金融業若しくは保険業、不動産業又は小売業	常時 50人以下
② 卸売業又はサービス業	常時100人以下
③ 上記①②以外の事業	常時300人以下

B ✕ 根拠 法33-①、則46の16 CH3 Sec9①

不動産業を主たる事業とする事業主については常時「50人」以下の労働者を使用する事業主である。Aの 確認してみよう！ 参照。

C ✕ 根拠 法33-①、則46の16 CH3 Sec9①

小売業を主たる事業とする事業主については常時「50人」以下の労働者を使用する事業主である。Aの 確認してみよう！ 参照。

D ○ 根拠 法33-①、則46の16 CH3 Sec9①

Aの 確認してみよう！ 参照。

E ✕ 根拠 法33-①、則46の16 CH3 Sec9①

保険業を主たる事業とする事業主については常時「50人」以下の労働者を使用する事業主である。Aの 確認してみよう！ 参照。

問4 正解 E（ア・イ・ウ・エ・オの五つ） 正解率 25%

ア ○ 根拠 S50.12.25基収1724号 CH3 Sec2①

設問のように、事業場施設内における業務を終えた後の退勤で「業務」と接続しているものは、業務そのものではないが、業務に通常付随する準備後始末行為と認められるので、業務災害と認められる。

イ ○ 根拠 S28.11.14基収5088号 CH3 Sec2①

ウ ○ 根拠 S27.10.13基災収3552号 ―

エ ○ 根拠 S30.5.12基発298号 CH3 Sec2①

オ ○ 根拠 S41.6.8基災収38号 CH3 Sec2①

問５ 正解 B　正解率 72%

A ○ 根拠 S52.12.23基収1027号　CH3 Sec2③

設問の場合、労働者が長女宅に居住し、そこから通勤する行為は、客観的に一定の持続性が認められるので、当該長女宅は労働者にとっての就業のための拠点としての性格を有し、住居と認められる。

B × 根拠 S49.4.9基収314号　―

設問の場合、労働者が居住するアパートの外戸が住居と通勤経路との境界であるので、当該アパートの階段は通勤の経路と認められ、通勤災害に当たる。

C ○ 根拠 S49.7.15基収2110号　CH3 Sec2③

一戸建ての家については、自宅の門をくぐった玄関先は「住居」であり、設問の負傷は住居内の災害であるから、通勤災害に当たらない。

D ○ 根拠 H28.12.28基発1228第１号　CH3 Sec2③

「就業の場所」とは、業務を開始し、又は終了する場所をいい、具体的には、本来の業務を行う場所のほか、物品を得意先に届けてその届け先から直接帰宅する場合の物品の届け先、全員参加で出勤扱いとなる会社主催の運動会の会場等は、就業の場所に当たることとなる。

E ○ 根拠 S52.12.23基収981号　CH3 Sec2③

入院中の夫の看護のため妻（労働者）が病院に宿泊することは社会慣習上通常行われることであり、かつ、長期間継続して宿泊していた事実があることから、当該病院は労働者にとっての就業のための拠点としての性格を有し、住居と認められる。

問６ 正解 D　正解率 92%

A × 根拠 S34.7.15基収2980号他　CH3 Sec2①③

設問の災害は出張過程において発生したものであり、一般に業務災害となる。

B × 根拠 S24.12.15基収3001号他　CH3 Sec2①③

設問の災害は上司の命による行動中に発生したものであり、労働契約に基づき事業主の支配下にある状態において発生したものであるから、一般に業務災害となる。

C ✕ 根拠 法7－Ⅲ、則8－⑤、H28.12.28基発1228第1号 CH3 Sec2③

設問の介護は「逸脱・中断」に当たり、ふだんの通勤経路に復した後であっても通勤に該当しない。要介護状態にある配偶者、子、父母、孫、祖父母及び兄弟姉妹並びに配偶者の父母の介護は、継続的に又は反復して行われるものに限り、日常生活上必要な行為と認められ、当該介護がやむを得ない事由により行うための最小限度のものである場合は、ふだんの通勤経路に復した後は通勤に該当するが、ここにいう「継続的に又は反復して」とは、例えば毎日あるいは1週間に数回など労働者が日常的に介護を行う場合をいい、設問はこれに該当しない。

D ○ 根拠 H28.12.28基発1228第1号 —

マイカー通勤の労働者が経路の道路工事、デモ行進等当日の交通事情により迂回してとる経路は、通勤災害における合理的な経路と認められる。

E ✕ 根拠 H28.12.28基発1228第1号 —

他に子供を監護する者がいない共稼ぎ労働者が託児所、親戚等に預けるためにとる経路などは、そのような立場にある労働者であれば、当然、就業のためにとらざるを得ない経路であるので、通勤災害における合理的な経路と認められる。

問7 正解 D（アとウとエ） 正解率 43%

ア ○ 根拠 労働保険審査会裁決事案他 —

「再発」であると認定する要件の1つとして正しい。なお、「再発」と認められるには、「①その症状の悪化が当初の業務上又は通勤上の傷病と医学的相当因果関係があると認められること、②治ゆ時の状態からみて明らかに症状が悪化していること、③療養を行えばその症状の改善が期待できると医学的に認められること」のいずれの要件も満たす必要がある。

イ ✕ 根拠 労働保険審査会裁決事案他 —

「再発」であると認定する要件とされていない。**ア**の解説参照。

ウ ○ 根拠 労働保険審査会裁決事案他 —

「再発」であると認定する要件の1つとして正しい。**ア**の解説参照。

エ ○ 根拠 労働保険審査会裁決事案他 —

「再発」であると認定する要件の1つとして正しい。**ア**の解説参照。

問8　正解　E　　正解率 46%

A　○　根拠 法12-Ⅲ、石綿救済法35、38-Ⅰ　　—

労災保険適用事業主から徴収する一般拠出金の額は、一般保険料の計算の基礎となる賃金総額に一般拠出金率を乗じて得た額とされており、一般拠出金率は、救済給付の支給に要する費用の予想額、独立行政法人環境再生保全機構に対する政府の交付金及び地方公共団体の拠出金があるときはそれらの額並びに指定疾病の発生の状況その他の事情を考慮して、政令で定めるところにより、環境大臣が厚生労働大臣及び事業所管大臣と協議して定めるものとされている（令和６年度は1000分の0.02)。

B　○　根拠 法19-ⅣⅥ、則36　　CH5 Sec5③

なお、労働保険料還付請求書は、官署支出官又は所轄都道府県労働局資金前渡官吏〔一元適用事業であって労働保険事務組合に労働保険事務の処理を委託しないもの（雇用保険に係る保険関係のみが成立している事業を除く。）及び労災保険に係る保険関係が成立している事業のうち二元適用事業についての一般保険料並びに二元適用事業の第１種特別加入保険料、第２種特別加入保険料及び第３種特別加入保険料に係る請求書にあっては、所轄都道府県労働局長及び所轄労働基準監督署長を経由して官署支出官又は所轄労働基準監督署長を経由して所轄都道府県労働局資金前渡官吏〕に提出することとされている。

確認してみよう！

還付の請求がない場合には、所轄都道府県労働局歳入徴収官は、超過額を次の保険年度の概算保険料若しくは未納の労働保険料その他法の規定による徴収金又は未納の一般拠出金等に充当するものとする。

C　○　根拠 則34　　CH5 Sec2①

一括有期事業報告書は、次の保険年度の６月１日から起算して40日以内又は保険関係が消滅した日から起算して50日以内（確定保険料の申告の際）に、（所轄労働基準監督署長を経由して）所轄都道府県労働局歳入徴収官に提出しなければならない。

D　○　根拠 法19-Ⅳ、21-ⅠⅡ、H25.3.29基発0329第10号　　CH5 Sec5④

追徴金は、天災その他やむを得ない理由により、認定決定による労働保険料又はその不足額を納付しなければならなくなった場合には徴収されないが、法令の不知は「天災その他やむを得ない理由」に含まれない。

確認してみよう！

「天災その他やむを得ない理由」とは、地震、火災、洪水、暴風雨等不可抗力的なできごと及びこれに類する真にやむを得ない客観的な事故をいう。

E ✕ 根拠 則38-Ⅱ②③ CH5 Sec4②

口座振替納付により労働保険料を納付する場合には、確定保険料申告書を所轄都道府県労働局歳入徴収官に提出するに当たり、年金事務所を経由することはできない。

問9 正解 A 正解率 22%

A ○ 根拠 法9、12-Ⅲ、S42.4.4基災発9号 —

継続事業の一括が行われた場合には、メリット制の適用は指定事業について行われる（指定事業以外の事業については保険関係が消滅する。）。したがって、メリット制に関する労災保険に係る保険関係の成立期間は、当該指定事業の労災保険に係る保険関係成立の日から起算し、指定事業以外の事業に係る一括前の保険料及び一括前の災害に係る給付は当該指定事業のいわゆるメリット収支率の算定基礎に算入しない。

B ✕ 根拠 法12-Ⅲ③、則4-Ⅰ⑥、17-Ⅲ CH5 Sec6①

有期事業の一括の適用を受けている建築物の解体の事業（建設の事業）については、その事業の当該保険年度の確定保険料の額が40万円未満のときは、メリット制の適用対象とならない。一括有期事業がメリット制の適用対象となるには、連続する3保険年度中の各保険年度において、確定保険料の額が40万円以上でなければならない。

C ✕ 根拠 則35-Ⅰ② CH5 Sec6②

設問文の「見込生産量」を「生産量」と読み替えると、正しい記述となる。

D ✕ 根拠 法20-Ⅲ、則36-Ⅰ、37-Ⅰ CH5 Sec6②

設問の場合、差額を未納の労働保険料等に充当することとなるのは、事業主から当該差額の還付の請求がない場合であり、還付の請求があった場合には、当該差額は還付される（充当は行われない。）。

E　✕　根拠 法20-Ⅱ　—

労働保険徴収法20条１項に規定する確定保険料の特例（有期事業のメリット制）は、第１種特別加入保険料に係る確定保険料の額については準用されるが、第２種特別加入保険料に係る確定保険料の額については準用されない。

問10　正解　B　正解率 43%

A　○　根拠 法11-ⅠⅡ、S34.1.26基発48号、S61.3.14基発141号　—

B　✕　根拠 法11-Ⅲ、則12-③、15　CH5 Sec3③

設問の事業については、「その事業の労働者につき労働基準法12条８項の規定に基づき厚生労働大臣が定める平均賃金に相当する額に、それぞれの労働者の使用期間の総日数を乗じて得た額の合算額」を賃金総額とする。なお、労災保険に係る保険関係が成立している立木の伐採の事業であって、労働保険徴収法11条１項、２項に規定する賃金総額を正確に算定することが困難なものについては、設問の額を賃金総額とする。

C　○　根拠 法11-Ⅲ、則４-Ⅰ⑥、13　CH5 Sec2①、Sec3③

D　○　根拠 法２-Ⅱ、11-Ⅱ、S24.6.14基災収3850号、S27.5.10基収2244号　—

なお、傷病手当金についても、一般保険料の額の算定の基礎となる賃金総額に含めない。

E　○　根拠 法２-Ⅱ、11-Ⅱ、S24.6.14基災収3850号　—

雇用保険法（労働保険の保険料の徴収等に関する法律を含む。）

問1 正解 B　　正解率 61%

A ○ 根拠 法37の6－Ⅱ　　CH4 Sec5①

特例高年齢被保険者がその申出に係る適用事業のうちいずれか1の適用事業を離職した場合には、離職した適用事業において支払われた賃金に限り、賃金日額の算定の基礎に算入することとされている。

B × 根拠 法37の4－Ⅵ、行政手引2270　　—

特例高年齢被保険者に係る高年齢求職者給付金の給付制限は、特例高年齢被保険者以外の高年齢受給資格者と同様であるが、法33条の給付制限（離職理由による給付制限）については、同日付で2の事業所を離職した場合（設問の場合）で、その離職理由が異なっているときは、給付制限の取扱いが離職者にとって不利益とならない方の離職理由に一本化して給付することとされている。したがって、設問の場合は「事業所を倒産により離職した場合」による取扱いに一本化され、「事業所を正当な理由なく自己の都合で退職」したことによる給付制限は行われない。

C ○ 根拠 法37の5－Ⅱ　　CH4 Sec2⑤

なお、設問の場合における申出は、特例高年齢被保険者が1の適用事業を離職したことにより、1週間の所定労働時間の合計が20時間未満となったとき、当該事実のあった日の翌日から起算して10日以内に、所定の事項を記載した届書に離職証明書等を添えて管轄公共職業安定所の長に提出することによって行うものとされている。

D ○ 根拠 法37の6－Ⅱ、行政手引2140　　CH4 Sec5①

特例高年齢被保険者に係る賃金日額の算定に当たり、賃金日額の下限の規定は適用されない。

E ○ 根拠 法37の5－Ⅰ①、行政手引1070　　CH4 Sec2①

特例高年齢被保険者となるためには、「2以上の事業主の適用事業に雇用される65歳以上の者であること」が必要であり、事業所が別であっても同一の事業主であるときは、特例高年齢被保険者となることができない。

確認してみよう！

特例高年齢被保険者となるための要件

① ２以上の事業主の適用事業に雇用される65歳以上の者であること。
② １の事業主の適用事業における１週間の所定労働時間が20時間未満であること。
③ ２の事業主の適用事業（申出を行う労働者の１の事業主の適用事業における１週間の所定労働時間が５時間以上であるものに限る。）における１週間の所定労働時間の合計が20時間以上であること。

問２　正解　D　　正解率　82%

A　×　根拠　行政手引20002　　—

雇用保険法において「事業主」とは、当該事業についての法律上の権利義務の主体となるものをいい、法人格がない社団も適用事業の事業主となり得る。

B　×　根拠　法７、行政手引20002　　—

請負事業の一括が行われるのは「労災保険に係る保険関係が成立している事業」についてのみであり、雇用保険に係る保険関係が成立している事業については行われない。したがって、被保険者に関する届出の事務等、雇用保険法の規定に基づく事務については、元請負人、下請負人のそれぞれが事業主として処理しなければならない。

C　×　根拠　行政手引20106　　CH4 Sec1②

事業主が適用事業に該当する部門（適用部門）と暫定任意適用事業に該当する部門（非適用部門）とを兼営する場合で、それぞれの部門が独立した事業と認められる場合は、適用事業に該当する部門のみが適用事業となる。

確認してみよう！

事業主が適用部門と非適用部門とを兼営する場合で、一方が他方の一部門にすぎず、それぞれの部門が独立した事業と認められない場合であって、主たる業務が適用部門であるときは、当該事業主の行う事業全体が適用事業となる。

D ○ 根拠 法5-Ⅰ、行政手引20051 CH4 Sec1②

確認してみよう！

日本人以外の事業主が行う事業

- 日本人以外の事業主が日本国内において行う事業が労働者が雇用される事業である場合は、当該事業主の国籍のいかん及び有無を問わず、その事業は適用事業である。
- 外国（在日外国公館、在日外国軍隊等）及び外国会社（日本法に準拠して、その要求する組織を具備して法人格を与えられた会社以外の会社）も労働者が雇用される事業である限り、その事業は適用事業である。

E × 根拠 行政手引20002 —

雇用保険法において「事業」とは、経営上一体をなす本店、支店、工場等を総合した企業そのものを指すのではなく、個々の本店、支店、工場、鉱山、事務所のように、1つの経営組織として独立性をもった経営体をいう。

得点UP！

「事業」と「事業所」との関係

適用事業の事業主は、被保険者に関する届出その他の事務について、原則としてその事業所ごとに処理しなければならないこととされているが、この「事業所」とは、「事業」が経済活動単位の機能面を意味するのに対し、その物的な存在の面を意味するものである。したがって、事業所の単位と事業の単位は、本来同一のものである。

問3 正解 C　正解率 84%

A ○ 根拠 則13-Ⅰ、行政手引21752 CH4 Sec2⑤

転勤後の事業所が転勤前と同じ公共職業安定所の管轄内にあっても、雇用保険被保険者転勤届を提出しなければならない。なお、雇用保険被保険者転勤届を提出すべき「転勤」とは、被保険者の勤務する場所が同一の事業主の一の事業所から他の事業所に変更されるに至ったことをいう。

B ○ 根拠 則6-ⅡⅢ CH4 Sec2⑤

C × 根拠 則7-Ⅰ CH4 Sec2⑤

雇用保険被保険者資格喪失届は、「当該事実のあった日の属する月の翌月10日まで」ではなく、「当該事実のあった日の翌日から起算して10日以内」に提出しなければならない。

D ○ 根拠 則６－Ⅸ CH4 Sec2⑦

特定法人（設問の事業年度開始の時における資本金の額が１億円を超える法人は、これに該当する）は、次の①～⑥の届出等については、電子申請が義務化されている。

① 雇用保険被保険者資格取得届
② 雇用保険被保険者資格喪失届
③ 雇用保険被保険者転勤届
④ 高年齢雇用継続基本給付金の申請（事業主を経由して提出する場合に限る）
⑤ 育児休業給付金の申請（事業主を経由して提出する場合に限る）
⑥ 出生時育児休業給付金の申請（事業主を経由して提出する場合に限る）

E ○ 根拠 則７－Ⅲ CH4 Sec2⑤

問４ 正解 C 正解率 68%

A × 根拠 法22-Ⅲ、23-Ⅰ③ニ、Ⅱ①、61の７－Ⅸ、則35-① CH4 Sec3②⑤

設問の場合、29歳０月で初めて一般被保険者となってから、35歳１月で離職するまでの６年１か月（73か月）が被保険者であった期間である。この期間のうち、設問文②及び③の育児休業給付金の支給に係る休業の期間（②の11か月＋③の12か月＝23か月）は算定基礎期間に算入されないため、４年２か月（73か月－23か月＝50か月）が算定基礎期間となる。また、設問の者は、事業所が破産手続を開始したことに伴い離職したため、特定受給資格者に該当し、離職時の年齢は35歳１月であることから、所定給付日数は150日となる。

B × 根拠 法22-Ⅲ、23-Ⅰ③ニ、Ⅱ①、61の７－Ⅸ、則35-① CH4 Sec3②⑤

Aの解説参照。

C ○ 根拠 法22-Ⅲ、23-Ⅰ③ニ、Ⅱ①、61の７－Ⅸ、則35-① CH4 Sec3②⑤

Aの解説参照。

D × 根拠 法22-Ⅲ、23-Ⅰ③ニ、Ⅱ①、61の７－Ⅸ、則35-① CH4 Sec3②⑤

Aの解説参照。

E × 根拠 法22-Ⅲ、23-Ⅰ③ニ、Ⅱ①、61の７－Ⅸ、則35-① CH4 Sec3②⑤

Aの解説参照。

問5 正解 E　　正解率 63%

A × 根拠 法61-Ⅰ①　　―

60歳に達した日の属する月から高年齢雇用継続基本給付金が支給されるためには、当該月において算定基礎期間に相当する期間が5年以上あることが必要であるが、当該期間の算定に当たっては「当該被保険者であった期間に係る被保険者となった日の直前の被保険者でなくなった日が当該被保険者となった日前1年の期間内にないときは、当該直前の被保険者でなくなった日前の被保険者であった期間」は算入しないこととされている。設問の場合、被保険者となった日の直前の被保険者でなくなった日が当該被保険者となった日の20か月前であり、57歳以前の被保険者であった期間は算定基礎期間に相当する期間に算入されないため、「5年以上」の要件を満たさないこととなる。したがって、60歳に達した日の属する月から高年齢雇用継続基本給付金は支給されない。

B × 根拠 法61-Ⅱ　　CH4 Sec9①

支給対象期間の暦月の初日から末日までの間に引き続いて介護休業給付の支給対象となる休業を取得した場合は、当該月に係る高年齢雇用継続基本給付金は支給されない。

確認してみよう！

高年齢雇用継続基本給付金の「支給対象月」とは、被保険者が60歳に達した日の属する月から65歳に達する日の属する月までの期間内にある月（その月の初日から末日まで引き続いて、被保険者であり、かつ、介護休業給付金又は育児休業給付金、出生時育児休業給付金若しくは出生後休業支援給付金の支給を受けることができる休業をしなかった月に限る。）をいう。

C × 根拠 法61の2-Ⅳ　　CH4 Sec7①

高年齢再就職給付金の支給を受けることができる者が、同一の就職につき再就職手当の支給を受けることができる場合において、その者が再就職手当の支給を受けたときは高年齢再就職給付金を支給せず、高年齢再就職給付金の支給を受けたときは再就職手当を支給しないこととされている。したがって、その者の意思にかかわらず高年齢再就職給付金が支給され、再就職手当が支給停止となるわけではない。

D　×　根拠 法61-Ⅰ、行政手引59311　—

高年齢雇用継続基本給付金の受給資格者が、被保険者資格喪失後、基本手当の支給を受けずに、１年以内に雇用され被保険者資格を再取得したときは、新たに取得した被保険者資格についても引き続き高年齢雇用継続基本給付金の受給資格者となり得る。

得点UP!

高年齢雇用継続基本給付金の受給資格者が、被保険者資格喪失後、基本手当の支給を受け、その後雇用され被保険者資格を再取得した場合であって、当該取得日が当該基本手当に係る受給期間内にあり、かつ、当該基本手当に係る支給残日数が100日以上であるときは、高年齢再就職給付金の支給対象となり得る。

E　○　根拠 法61の２-Ⅰ、行政手引59314　—

設問の場合、支給残日数が80日であるため、高年齢再就職給付金は支給されない。なお、高年齢再就職給付金の受給資格者が、被保険者資格喪失後、基本手当の支給を受けた場合の取扱いは、次のようになる。

①　新たに基本手当の受給資格を取得し、当該基本手当の支給を受けた場合は、新たな基本手当の受給資格に基づいては高年齢再就職給付金の受給資格は生じない。

②　当初の高年齢再就職給付金に係る基本手当の受給資格に基づいて再度基本手当を受給した後、被保険者資格の再取得があったときは、再度の基本手当に係る支給残日数が100日以上である限り、高年齢再就職給付金の支給対象となり得る。

得点UP!

高年齢再就職給付金の受給資格者が、被保険者資格喪失後、基本手当の支給を受けずに、受給期間内に雇用され被保険者資格を再取得したときは、当該高年齢再就職給付金に係る支給期間内にあれば、当該高年齢再就職給付金の受給資格に基づき、引き続き高年齢再就職給付金の支給が可能である。

問６　正解　E（エとオ）　正解率 29%

ア　×　根拠 法61の７-Ⅰ、則101の26　CH4 Sec9④

設問の場合、延長後の対象育児休業の期間はその子が「２歳」に達する日の前日までとされている。

イ × 根拠 法61の7-Ⅰ、則101の22-Ⅰ、行政手引59503-2　CH4 Sec9④

設問の場合、事業主がその休業の取得を引き続き認めていれば、その後の育児休業についても対象育児休業となる。

ウ × 根拠 法61の7-Ⅰ、行政手引59503-2　—

設問の場合、産後8週間を経過するまでは、産後休業として取り扱われ、対象育児休業とならない。

エ ○ 根拠 法61の7-Ⅰ、則101の25-①、行政手引59503-3　—

育児休業の申出に係る子について、**保育所等**（児童福祉法に規定する「**保育所**」、認定こども園法に規定する「**認定こども園**」又は児童福祉法に規定する「**家庭的保育事業等**」をいう。）における保育の利用を希望し、申込みを行っているが、当該子が1歳に達する日後の期間について、当面その実施が行われない場合（速やかな職場復帰を図るために保育所等における保育の利用を**希望**しているものであると**公共職業安定所長**が認める場合に限る。）には、他の要件を満たす限り、その子が1歳に達した日後の期間について育児休業給付金を受給することができる。設問の「無認可保育施設」は上記の「保育所等」に該当しないため、無認可保育施設を利用することができる場合であっても、保育所等の利用ができないときは、育児休業給付金を受給し得ることとなる。

オ ○ 根拠 法61の7-Ⅰ、則101の29-②　CH4 Sec9④

育児休業給付金が支給されるには、原則として「育児休業を開始した日前の2年間に、みなし被保険者期間が通算して12か月以上であること」が必要であるが、この2年間に疾病、負傷、出産、事業所の休業等により引き続き30日以上賃金の支払を受けることができなかった期間があるときは、賃金の支払を受けることができなかった期間を2年間に加算した期間（設問の場合、3年間）に、みなし被保険者期間が通算して12か月以上あれば足りることとされている。

問7 正解 A　正解率 77%

A × 根拠 法78、85　CH4 Sec10⑪

行政庁は、設問の失業の認定を受けようとする者に対して、その指定する医師の診断を受けるべきことを命ずることができるが、当該命令を拒んだ場合の罰則は設けられていない。

B　○　根拠 法74-Ⅰ　CH4 Sec10⑪

C　○　根拠 法72-Ⅰ　CH4 Sec1①

D　○　根拠 法77の２　—

E　○　根拠 則143　CH4 Sec10⑪

確認してみよう！

事業主及び労働保険事務組合は、雇用保険に関する書類（雇用安定事業又は能力開発事業に関する書類及び徴収法又は同法施行規則による書類を除く。）をその完結の日から２年間（被保険者に関する書類にあっては、４年間）保管しなければならない。

問８　正解　A　正解率 60%

A　○　根拠 整備省令17-ⅠⅡ　—

B　×　根拠 法２-Ⅱ、11-Ⅱ、S35.11.2基発932号、S61.6.30発労徴41号・基発383号、行政手引20352　—

在籍出向の場合、出向者が労働保険徴収法において出向元事業と出向先事業とのいずれの保険関係による「労働者」であるかについては、出向の目的、出向元事業主と出向先事業主との間で当該出向者の出向につき行った契約、出向先事業における出向者の労働の実態等に基づき、労働関係の所在を判断して決定することとされている。なお、労働者派遣事業により派遣される者に関する記述は正しい。

C　×　根拠 法２-Ⅱ、11-Ⅱ、行政手引20352　—

２以上の適用事業主に雇用される者については、労災保険に係る保険関係と雇用保険に係る保険関係とによって取扱いが異なる。雇用保険の被保険者資格は、その者が主たる賃金を受ける一の雇用関係についてのみ認められるため、雇用保険に係る保険関係については、主たる賃金を受ける一の事業以外の事業においては「労働者」としないこととなり、労働保険料の算定は設問の取扱いとなる。一方、労災保険に係る保険関係については、当該２以上のそれぞれの事業において労災保険法の適用を受けることとなり、当該２以上のそれぞれの事業において「労働者」とされるため、設問の場合における労働保険料の算定は、Aにおいて

Xに支払われる賃金をAの労働保険料の算定における賃金総額に含め、Bにおいて Xに支払われる賃金をBの労働保険料の算定における賃金総額に含めることとなる。

D ✕ 根拠 法2－Ⅱ、11－Ⅱ、行政手引20352 —

設問の場合、当該労働者は適用事業に雇用される者として雇用保険の被保険者とされるため、当該労働者に支払われる賃金は、労働保険料の算定における賃金総額に含める。

得点UP!

★ 日本国の領域外において就労する場合の雇用保険の被保険者資格

(1) 適用事業に雇用される労働者が事業主の命により日本国の領域外において就労する場合の雇用保険の被保険者資格は、次のとおりである。
① その者が日本国の領域外に出張して就労する場合は、被保険者となる。
② その者が日本国の領域外にある適用事業所の支店、出張所等に転勤した場合には、被保険者となる。現地で採用される者は、国籍のいかんにかかわらず被保険者とされない。
③ その者が日本国の領域外にある他の事業主の事業に出向し、雇用された場合でも、国内の出向元事業主との雇用関係が継続している限り被保険者となる。なお、雇用関係が継続しているかどうかは、その契約内容による。

(2) 上記(1)により被保険者とされる者については、特段の事務処理は必要なく、従前の適用事業に雇用されているものとして取り扱う。

E ✕ 根拠 法2－Ⅱ、11－Ⅱ、行政手引20351 —

在宅勤務者（労働日の全部又はその大部分について事業所への出勤を免除され、かつ、自己の住所又は居所において勤務することを常とする者をいう。）については、事業所勤務労働者との同一性が確認できれば、原則として雇用保険の被保険者となるので、その場合は、当該労働者に支払われる賃金を労働保険料の算定における賃金総額に含めることとなる。なお、設問文中の「労働保険の被保険者」は、雇用保険の被保険者のことであると思われる。

問9 正解 C　正解率 69%

A ○ 根拠 法附則5　CH5 Sec4⑥

設問の場合に、還付を行うとする規定はない。

B ○ 根拠 法附則5　CH5 Sec4⑤

なお、設問文の「労働保険徴収法施行規則に定める要件」とは、「変更後の一般保険料率に基づき算定した概算保険料の額が既に納付した概算保険料の額の100分の200を超え、かつ、その差額が13万円以上であること」である。

C　×　根拠　法16　CH5 Sec4⑦

増加概算保険料については、いわゆる認定決定は行われない。

D　○　根拠　法17　CH5 Sec4⑥

設問の場合に、還付を行うとする規定はない。

E　○　根拠　法17、則38-ⅠⅣⅤ　CH5 Sec4⑥

設問（概算保険料の追加徴収）の場合、所轄都道府県労働局歳入徴収官は、通知を発する日から起算して30日を経過した日をその納期限と定め、事業主に「①一般保険料率、第１種特別加入保険料率、第２種特別加入保険料率又は第３種特別加入保険料率の引上げによる労働保険料の増加額及びその算定の基礎となる事項、②納期限」を納付書により通知しなければならず、また、事業主は当該納期限までに当該納付書によって納付しなければならない。

確認してみよう！

概算保険料の追加徴収（保険料率引上げによる概算保険料の増加額の徴収）は、額の多少を問わず行われる。

問10　正解　B　　正解率　84%

A　○　根拠　法附則２-ⅠⅢ　CH5 Sec1③

雇用保険暫定任意適用事業の事業主は、その事業に使用される労働者の２分の１以上（設問の場合は、２人以上）が希望するときは、任意加入の申請をしなければならない。

B　×　根拠　法附則２-Ⅳ　CH5 Sec1③

設問の場合は、改めて任意加入の手続をする必要はない。

C　○　根拠　法４の２-Ⅱ、則５-Ⅰ⑤、Ⅱ　CH5 Sec1③

確認してみよう！

設問の「変更事項の届出」は、次に掲げる区分に従い、所轄労働基準監督署長又は所轄公共職業安定所長のいずれかに提出することとなる。

提出先：所轄労働基準監督署長

① 一元適用事業であって労働保険事務組合に労働保険事務の処理を委託しないもの（雇用保険に係る保険関係のみが成立している事業を除く）

② 労災保険に係る保険関係が成立している事業のうち二元適用事業

提出先：所轄公共職業安定所長

① 一元適用事業であって労働保険事務組合に労働保険事務の処理を委託するもの

② 一元適用事業であって労働保険事務組合に労働保険事務の処理を委託しないもののうち、雇用保険に係る保険関係のみが成立している事業

③ 雇用保険に係る保険関係が成立している事業のうち二元適用事業

D ○ 根拠 法10-Ⅰ　—

E ○ 根拠 法27-Ⅲ、国税徴収法47他　CH5 Sec9②

労働保険徴収法上の徴収金は、労働保険徴収法27条３項に「国税滞納処分の例によって、これを処分する」と規定し、国税徴収法を準用することとされているが、国税徴収法上規定されている滞納処分の執行手続は、①財産の差押え、②財産の換価、③換価代金等の配当（換価代金を滞納保険料に充当する措置等）とされている。

労務管理その他の労働及び社会保険に関する一般常識

問１ 正解 Ｅ　　正解率 73%

Ａ ○ 根拠「労働力調査（基本集計）2021年平均結果（総務省統計局）」 —

Ｂ ○ 根拠「労働力調査（基本集計）2021年平均結果（総務省統計局）」 —

Ｃ ○ 根拠「労働力調査（基本集計）2021年平均結果（総務省統計局）」 —

Ｄ ○ 根拠「労働力調査（基本集計）2021年平均結果（総務省統計局）」 —

Ｅ × 根拠「労働力調査（基本集計）2021年平均結果（総務省統計局）」 —

役員を除く雇用者全体に占める「正規の職員・従業員」の割合は、2015年以来「概ね横ばい」で推移している。

問２ 正解 Ｃ　　正解率 73%

Ａ ○ 根拠「令和３年就労条件総合調査（厚生労働省）」 —

Ｂ ○ 根拠「令和３年就労条件総合調査（厚生労働省）」 —

Ｃ × 根拠「令和３年就労条件総合調査（厚生労働省）」 —

「完全週休２日制」を採用している企業割合は48.4％となっており、「６割を超えて」いない。

Ｄ ○ 根拠「令和３年就労条件総合調査（厚生労働省）」 —

Ｅ ○ 根拠「令和３年就労条件総合調査（厚生労働省）」 —

問３ 正解 Ｄ　　正解率 31%

Ａ × 根拠「令和２年転職者実態調査（事業所調査）（厚生労働省）」 —

転職者がいる事業所の転職者の募集方法（複数回答）をみると、「ハローワーク等の公的機関」（57.3％）、「求人サイト・求人情報専門誌、新聞、チラシ等」（43.2％）、「縁故（知人、友人等）」（27.6％）が上位３つを占めている。

Ｂ × 根拠「令和２年転職者実態調査（事業所調査）（厚生労働省）」 —

転職者がいる事業所において、転職者の処遇（賃金、役職等）決定の際に考慮した要素（複数回答）をみると、「これまでの経験・能力・知識」(74.7%)、「年齢」(45.2%)、「免許・資格」(37.3%) が上位3つを占めている。

C ✕ 根拠「令和2年転職者実態調査(事業所調査)(厚生労働省)」 —

転職者がいる事業所で転職者を採用する際に問題とした点（複数回答）をみると、「必要な職種に応募してくる人が少ないこと」(67.2%)、「応募者の能力評価に関する客観的な基準がないこと」(38.8%)、「採用時の賃金水準や処遇の決め方」(32.3%) が上位3つを占めている。

D ○ 根拠「令和2年転職者実態調査(事業所調査)(厚生労働省)」 —

E ✕ 根拠「令和2年転職者実態調査(事業所調査)(厚生労働省)」 —

転職者がいる事業所の転職者に対する教育訓練の実施状況をみると、「教育訓練を実施した」事業所割合は74.5%となっており、「約半数」ではない。

問4 正解 A　正解率 45%

令和4年度（第54回）
択一式

A ✕ 根拠 労組法18-Ⅰ —

一の地域において従業する同種の労働者の大部分が一の労働協約の適用を受けるに至ったときは、当該労働協約の当事者の双方又は一方の申立てに基づき、労働委員会の決議により、「厚生労働大臣又は都道府県知事」は、当該地域において従業する他の同種の労働者及びその使用者も当該労働協約の適用を受けるべきことの「決定をすることができる」とされている。

得点UP!

労働組合法18条1項（設問）の「地域的の一般的拘束力」に係る決議及び決定は、当該地域が一の都道府県の区域内のみにあるときは、当該都道府県労働委員会（決議）及び当該都道府県知事（決定）が行い、当該地域が2以上の都道府県にわたるとき、又は中央労働委員会において当該事案が全国的に重要な問題に係るものであると認めたときは、中央労働委員会（決議）及び厚生労働大臣（決定）が行うものとする。

B ○ 根拠 育介法25-Ⅰ CH6 Sec2⑥

なお、事業主は、労働者が設問の相談を行ったこと又は事業主による当該相談への対応に協力した際に事実を述べたことを理由として、当該労働者に対して解雇その他不利益な取扱いをしてはならない。

C ○ 根拠 H27.3.25厚労告116号 —

D 〇 根拠 派遣法30の２ CH6 Sec3③

E 〇 根拠 H30.12.28厚労告430号 —

問５ 正解 C 正解率 75%

A 〇 根拠 社労士法２の２ CH10 Sec2③

確認してみよう！

社会保険労務士は、事業における労務管理その他の労働に関する事項及び労働社会保険諸法令に基づく社会保険に関する事項について、裁判所において、補佐人として、弁護士である訴訟代理人とともに出頭し、陳述をすることができる。

B 〇 根拠 社労士法５-③ CH10 Sec2③

確認してみよう！

次のいずれかに該当する者は、社会保険労務士となる資格を有しない。

①	未成年者
②	破産手続開始の決定を受けて復権を得ない者
③	懲戒処分により社会保険労務士の失格処分を受けた者で、その処分を受けた日から３年を経過しないもの
④	社会保険労務士法又は労働社会保険諸法令の規定により罰金以上の刑に処せられた者で、その刑の執行を終わり、又は執行を受けることがなくなった日から３年を経過しないもの
⑤	④の法令以外の法令の規定により禁錮以上の刑に処せられた者で、その刑の執行を終わり、又は執行を受けることがなくなった日から３年を経過しないもの
⑥	社会保険労務士の登録の取消しの処分を受けた者で、その処分を受けた日から３年を経過しないもの
⑦	公務員で懲戒免職の処分を受け、その処分を受けた日から３年を経過しない者
⑧	懲戒処分により、弁護士会から除名され、公認会計士の登録の抹消の処分を受け、税理士の業務を禁止され又は行政書士の業務を禁止された者で、これらの処分を受けた日から３年を経過しないもの
⑨	税理士法の規定により税理士業務の禁止処分を受けるべきであったことについて決定を受けた者で、当該処分を受けた日から３年を経過しないもの

C ✕ 根拠 社労士法25-① CH10 Sec2③

「戒告」とは、職責又は義務に反する行為を行った者に対し、本人の将来を戒める旨を申し渡す処分であり、懲戒処分としては最も軽微なものである。戒告を受けた社会保険労務士は、その業務の実施あるいはその資格について制約を受けることにはならないので、引き続き業務を行うことはできる。

確認してみよう！

社会保険労務士に対する懲戒処分には、次の３種類がある。

①	戒告（平たくいうと厳重注意すること）
②	１年以内の開業社会保険労務士若しくは開業社会保険労務士の使用人である社会保険労務士又は社会保険労務士法人の社員若しくは使用人である社会保険労務士の業務の停止
③	失格処分（社会保険労務士の資格を失わせる処分をいう）

D ○ 根拠 社労士法25、25の５ —

E ○ 根拠 社労士法25の16の２ CH10 Sec2③

問６ 正解 E 正解率 59%

A × 根拠 確給法16-Ⅰ —

規約の変更（厚生労働省令で定める軽微な変更を除く。）については、厚生労働大臣の「同意」ではなく「認可」を受けなければならない。

B × 根拠 確給法29-Ⅱ① CH10 Sec2②

障害給付金の給付は、規約で定めるところにより行うことができるとされている。

確認してみよう！

事業主等は、老齢給付金及び脱退一時金の給付を行うものとし、規約で定めるところにより、これらの給付に加え、障害給付金及び遺族給付金の給付を行うことができる。

C × 根拠 確給法57、58-Ⅰ CH10 Sec2②

事業主等は、少なくとも「５年」ごとに掛金の額を再計算しなければならない。なお、設問前段の記述は正しい。

D × 根拠 確給法91の５ —

連合会を設立するには、その会員となろうとする「20」以上の事業主等が発起人とならなければならない。

E　○　根拠 確給法100の２－Ⅰ　—

問7　正解　B　正解率 79%

A　○　根拠 高医法50　CH10 Sec1③

B　×　根拠 高医法54－ⅠⅡ　—

被保険者の資格の取得及び喪失に関する事項その他必要な事項について、当該被保険者の属する世帯の世帯主は、当該被保険者に代わって届出をすることが「できる」とされている。

C　○　根拠 高医法86－Ⅱ　CH10 Sec1③

確認してみよう！

後期高齢者医療給付は法定給付（絶対的必要給付と相対的必要給付）と任意給付に大別される。

①絶対的必要給付

療養の給付、入院時食事療養費、入院時生活療養費、保険外併用療養費、療養費、訪問看護療養費、移送費、高額療養費、高額介護合算療養費、特別療養費

②相対的必要給付

後期高齢者広域連合は、被保険者の死亡に関しては、条例の定めるところにより、葬祭費の支給又は葬祭の給付を行うものとする。ただし、特別の理由があるときは、その全部又は一部を行わないことができる。

③任意給付

後期高齢者広域連合は、上記②のほか、後期高齢者医療広域連合の条例の定めるところにより、傷病手当金の支給その他の後期高齢者医療給付を行うことができる。

D　○　根拠 高医法114　—

地方自治法243条の2,1項の規定では、普通地方公共団体（都道府県及び市町村）の長は、公金事務（公金の徴収若しくは収納又は支出に関する事務）を適切かつ確実に遂行することができる者として政令で定める者のうち当該普通地方公共団体の長が総務省令で定めるところにより指定するものに、公金事務を委託することができるとされている。

E　○　根拠 高医法128－Ⅰ　CH10 Sec1③

なお、高齢者医療確保法54条３項の規定による求めとは、電子資格確認を受けることができない状況にある被保険者による「資格確認書の交付又は被保険者の

資格に係る事項の電磁的方法による提供」の求めのことであり、同条5項の規定による求めとは、被保険者による「被保険者の資格に係る事実を記載した書面の交付又は当該書面に記載すべき事項の電磁的方法による提供」の求めのことである。

問8 正解 B　正解率 49%

A ✕ 根拠 国保法17-ⅠⅡ　CH10 Sec1①

組合の設立に係る認可の申請は、「15人」以上の発起人が規約を作成し、組合員となるべき者「300人」以上の同意を得て行うものとされている。なお、設問前段の記述は正しい。

B ○ 根拠 高医法137-Ⅰ　—

C ✕ 根拠 介保法9-②、11-Ⅱ　—

設問の第2号被保険者は、当該医療保険加入者でなくなった「日」から、その資格を喪失する。

D ✕ 根拠 船保法4-Ⅰ、6-ⅠⅡ　—

船員保険協議会の委員は、「12人」以内とし、船舶所有者、被保険者及び「船員保険事業の円滑かつ適正な運営に必要な学識経験を有する者」のうちから、厚生労働大臣が任命する。なお、その他の記述は正しい。

E ✕ 根拠 国保法83-Ⅰ、84-Ⅲ　—

設問の「2分の1」を「3分の2」と読み替えると、正しい記述となる。なお、設問前段の記述は正しい。

問9 正解 C　正解率 66%

A ○ 根拠 国保法82の3-Ⅰ　—

B ○ 根拠 船保法96　—

C ✕ 根拠 介保法18-③、53-Ⅰ、62　CH10 Sec1④

市町村は、要介護被保険者又は居宅要支援被保険者に対し、条例で定めるところにより、市町村特別給付を「行うことができる」とされている。

D ○ 根拠 高医法108-Ⅱ CH10 Sec1③

E ○ 根拠 高医法76-Ⅰ CH10 Sec1③

被保険者が特別療養費の適用を受けている場合には、特別療養費の支給対象となる。

問10 正解 D 正解率 51%

A ○ 根拠 児手法15 —

B ○ 根拠 国保法56-Ⅰ —

C ○ 根拠 児手法20-Ⅰ —

D × 根拠 船保法69-ⅠⅣ —

疾病任意継続被保険者にも傷病手当金は支給される。なお、疾病任意継続被保険者又は疾病任意継続被保険者であった者に係る傷病手当金の支給は、当該被保険者の資格を取得した日から起算して１年以上経過したときに発した疾病若しくは負傷又はこれにより発した疾病については、行われないが、設問の場合には、１年を経過していないので、傷病手当金の支給を受けることが「できる」こととなる。

E ○ 根拠 介保法８-Ⅺ、13-Ⅰ —

健康保険法

問1 正解 D　　正解率 50%

A ✕ 根拠 法1、H24.6.20事務連絡、H25.8.14事務連絡　—

被保険者又は被扶養者の業務災害については、健康保険法に基づく保険給付の対象外であるが、労災保険における審査の結果、業務外であることを理由に不支給となった場合は、原則として健康保険の給付対象となるため、労災保険法に規定する業務災害に係る請求が行われている場合であっても、健康保険の保険給付の支給申請を行うことは可能となっている。

B ✕ 根拠 令7-ⅡⅢ　CH7 Sec1④

健康保険組合の理事長は、規約で定めるところにより、「毎年度1回」通常組合会を招集しなければならない。なお、設問後半の記述は正しい。

C （改正により削除）

D ○ 根拠 法55-Ⅲ、R2.3.27保医発0327第3号　CH7 Sec9⑤

E ✕ 根拠 法43の2-Ⅰ、則26の2　CH7 Sec4⑥

設問の届出は、「速やかに」当該被保険者が所属する適用事業所の事業主を経由して、所定の事項を記載した届書を日本年金機構又は健康保険組合に提出することによって行う。

確認してみよう！

育児休業等終了時改定により、標準報酬月額は、育児休業等終了日の翌日から起算して2月を経過した日の属する月の翌月から、改定される。

問2 正解 A　　正解率 61%

A ✕ 根拠 法53の2、則52の2　CH7 Sec1①

設問の「5人以上」を「5人未満」と読み替えると、正しい記述となる。

B ○ 根拠 法35、S50.3.29保険発25号・庁保険発8号、H15.2.25保保発0225004号・庁保険発3号　CH7 Sec2⑦、Sec4③

C ○ 根拠 法103-Ⅰ　CH7 Sec6①

なお、傷病手当金の額が出産手当金の額を上回っている場合には、その差額が傷病手当金として支給される。

D ○ 根拠 法３－Ⅳ、157－Ⅰ、法附則３－Ⅵ　CH7 Sec2⑧

E （改正により削除）

問３ 正解 C（イとエ）　正解率 68%

ア ○ 根拠 法100－Ⅰ　CH7 Sec6⑤

なお、「政令で定める金額」は、５万円とされている。

イ × 根拠 法97、則80　CH7 Sec5⑧

移送費として支給される額は、原則として、最も経済的な通常の経路及び方法により移送された場合の費用により保険者が算定した額であり、当該額から３割の患者負担分を差し引くことはない。なお、その他の記述は正しい。

ウ ○ 根拠 法160－ⅥⅧ　CH7 Sec7③

確認してみよう！

全国健康保険協会が管掌する健康保険の一般保険料率（都道府県単位保険料率）は、1000分の30から1000分の130までの範囲内において、支部被保険者を単位として全国健康保険協会が決定し、当該支部被保険者に適用される。

エ × 根拠 法99、則84の２－Ⅶ、H27.12.18事務連絡　—

設問後段の記述が誤りである。設問の場合には、後の傷病に係る待期期間を経過した日を後の傷病に係る傷病手当金の支給を始める日として額を算定し、前の傷病に係る傷病手当金の額と比較して、いずれか多い額を支給することとなるが、この場合、後の傷病に係る傷病手当金の「支給を始める日」が確定するため、前の傷病手当金の支給が終了又は停止した日において、後の傷病手当金について再度額を算定する必要はない。

オ ○ 根拠 法88－Ⅸ、則72　CH7 Sec5⑦

問４ 正解 E　正解率 39%

A × 根拠 法３－Ⅶ、R3.4.30保保発0430第２号　CH7 Sec2⑩

設問の場合には、被扶養者とすべき者の員数にかかわらず、被保険者の年間収入（過去の収入、現時点の収入、将来の収入等から今後１年間の収入を見込んだものとする。）が多い方の被扶養者とすることとされている。

B　✕　根拠 法３-Ⅶ③　CH7 Sec2⑩

被保険者の事実上の婚姻関係にある配偶者の養父母に係る被扶養者の認定おいては、同一世帯要件が問われることとなるので、世帯が別である場合には、被扶養者とならない。

C　✕　根拠 法160-ⅩⅥ　CH7 Sec7③

介護保険料率は、各年度において保険者が納付すべき介護納付金（日雇特例被保険者に係るものを除く。）の額を「当該年度」における当該保険者が管掌する介護保険第２号被保険者である被保険者の総報酬額（標準報酬月額及び標準賞与額の合計額）の総額「の見込額」で除して得た率を基準として、保険者が定めることとされている。

D　✕　根拠 法86-Ⅱ　CH7 Sec5⑤

設問の場合、保険診療部分（30万円）の３割に当たる９万円及び選定療養部分の全額である10万円を合わせた「19万円」を保険医療機関に支払うこととなる。

E　〇　根拠 法７の37-Ⅰ、207の２　CH7 Sec10③

問５　正解　D　正解率 63%

A　〇　根拠 法７の14-ⅡⅢ　―

B　〇　根拠 法12　CH7 Sec1④

C　〇　根拠 法21-ⅣⅤ　―

D　✕　根拠 法104、法附則３-Ⅵ、H18.8.18事務連絡、S27.6.12保文発3367号

CH7 Sec6⑧

出産手当金は、出産日又は出産予定日以前42日（多胎妊娠の場合は98日）に至った日に受給権が発生するため、資格喪失後の出産手当金が支給されるためには、出産日又は出産予定日の42日（98日）前の日が資格喪失日の前日以前であることが必要であり、資格喪失の際、現に出産手当金の支給を「受けている」か「受け得る状態」であることを要する。設問の場合は、資格喪失日から６か月後に出産しているので、上記要件を満たすことはできないことから、資格喪失後の出産手

当金は支給されない。なお、設問文中の「特定退職被保険者」は「特例退職被保険者」の誤りであると思われる。

E ○ 根拠 則84-Ⅰ —

確認してみよう！

① 被保険者に係る療養の給付又は入院時食事療養費、入院時生活療養費、保険外併用療養費、療養費、訪問看護療養費、移送費、傷病手当金、埋葬料、家族療養費、家族訪問看護療養費、家族移送費若しくは家族埋葬料の支給は、同一の疾病、負傷又は死亡について、労災保険法、国家公務員災害補償法又は地方公務員災害補償法若しくは同法に基づく条例の規定によりこれらに相当する給付を受けることができる場合には、行わない。
② 保険者は、傷病手当金の支給を行うにつき必要があると認めるときは、労災保険法、国家公務員災害補償法又は地方公務員災害補償法若しくは同法に基づく条例の規定により給付を行う者に対し、当該給付の支給状況につき、必要な資料の提供を求めることができる。

問６ 正解 Ａ・Ｅ 正解率 74%

A × 根拠 法57 CH7 Sec9③

保険者は、給付事由が第三者の行為によって生じた場合において、保険給付を行ったときは、その給付の価額（当該保険給付が療養の給付であるときは、当該療養の給付に要する費用の額から当該療養の給付に関し被保険者が負担しなければならない一部負担金に相当する額を控除した額）の限度において、「保険給付を受ける権利を有する者（当該給付事由が被保険者の被扶養者について生じた場合には、当該被扶養者を含む。以下同じ。）が第三者に対して有する損害賠償の請求権を取得する。」この場合において、保険給付を受ける権利を有する者が第三者から同一の事由について損害賠償を受けたときは、保険者は、その価額の限度において、保険給付を行う責めを免れる。

B ○ 根拠 法135-Ⅲ CH7 Sec8⑧

C ○ 根拠 法150-Ⅰ～Ⅲ CH7 Sec10①

D ○ 根拠 法３-Ⅰ、S26.11.2保文発4602号 —

E × 根拠 法117、S2.4.27保理1956号 CH7 Sec9①

設問の給付制限の対象となるのは、闘争又は泥酔によりその際生じさせた事故であるので、被保険者が数日前に闘争しその当時は何らの事故は生じなかったが、相手が恨みを晴らす目的で、数日後に不意に危害を加えられたような場合は、設問の給付制限の対象とならない。

確認してみよう！

被保険者が闘争、泥酔又は著しい不行跡によって給付事由を生じさせたときは、当該給付事由に係る保険給付は、その全部又は一部を行わないことができる。

※　本問については、誤った選択肢について択一すべきところ、本来正答とされるべき選択肢**E**以外にも選択肢**A**が誤った内容のものであったため、選択肢**A**及び**E**が正答とされた。

問7　正解　B　　正解率 72%

A　×　根拠　則40-Ⅰ　　CH7 Sec2⑫

被保険者又はその被扶養者が65歳に達したことにより介護保険第２号被保険者に該当しなくなったときは、設問の届出は必要とされない。

B　○　根拠　法３-Ⅴ、S36.1.26保発５号　　CH7 Sec4①

C　×　根拠　法189-Ⅰ、192　　CH7 Sec10②

設問の処分取消しの訴えは、当該処分についての審査請求に対する社会保険審査官の決定を経た後でなければ、提起することができない。

D　×　根拠　法43-Ⅰ、R5.6.27事務連絡　　—

設問のようにガソリン単価の変動が月ごとに生じる場合でも、固定的賃金の変動として取り扱うことになり、標準報酬月額の随時改定の対象となりうる。

E　×　根拠　法116、H22.5.21保保発0521第１号　　CH7 Sec9①

被保険者が故意に給付事由を生じさせた場合は、その給付事由についての保険給付は行わないこととするのが原則であるが、自殺未遂による傷病について、その傷病の発生が精神疾患等に起因するものと認められる場合には、「故意」に給付事由を生じさせたことには当たらず、保険給付の対象とされる。

問8　正解　E　　正解率 36%

A　×　根拠　法43-Ⅰ、R5.6.27事務連絡　　—

減給の制裁は、固定的賃金の変動に当たらないため、減給の制裁が行われた結

令和４年度（第54回）
択一式

果、２等級以上の差が生じた場合であっても、随時改定の対象とならない。

B ✕ 根拠 法41-Ⅰ、R5.6.27事務連絡 —

労働契約上の労務の提供地が自宅の場合、業務命令により事務所等に一時的に出社し、その移動に係る実費を事業主が負担するときは、当該費用は原則として実費弁償と認められ「報酬」には含まれない。したがって、当該費用は標準報酬月額の定時決定の手続きにおいては、これを計算に含めない。

C ✕ 根拠 法41-Ⅰ、R5.6.27事務連絡 —

設問の仮払い金額のうち、被保険者Cが業務のために使用した通信費や電気料金の部分については、実費弁償に当たり「報酬」に含まれないため、定時決定の手続きにおいて計算に含める必要はないが、仮払い金額のうち使用しなかった金額については、事業所に返還する必要がないものであれば、「報酬」に含まれる。その場合、当該金額については、定時決定の手続きにおいて報酬に含めて計算しなければならない。

D ✕ 根拠 法43、R5.6.27事務連絡 —

超過勤務手当等の非固定的手当が廃止された場合は、賃金体系の変更に当たるため、２等級以上の差が生じたときは、随時改定の対象となる。

E ○ 根拠 法43、R5.6.27事務連絡 —

非固定的手当の新設・廃止は、賃金体系の変更に当たるため、設問の変動的な手当の新設・廃止により２等級以上の差が生じたときは、随時改定の対象となる。

問９ 正解 B

正解率 48%

A ✕ 根拠 法116、S26.3.19保文発721号 CH7 Sec9①

自殺による死亡は、絶対的な事故であり、埋葬料は生計を依存していたもので埋葬を行うものに対して支給されるという性質のものであるので、給付制限の対象とならない（埋葬料は支給される。）。

B ○ 根拠 法102、H11.3.31保険発46号・庁保険発９号 CH7 Sec6②

なお、同一期間内に事業主から介護休業手当等で報酬と認められるものが支給される場合には、出産手当金の支給額について調整が行われる。

C ✕ 根拠 法104 CH7 Sec6⑧

傷病手当金の継続給付を受けるためには、その資格を喪失した日の前日まで引き続き1年以上被保険者であったことが必要とされるが、当該期間には共済組合の組合員であった期間は含まれないため、設問の者については、この要件を満たさない（7か月＋3か月＝10か月で2か月足りない。）。したがって、設問の者については、傷病手当金の継続給付を受けることはできない。

D ✕ 根拠 法87-Ⅰ、S25.2.8保発9号、S25.11.7保険発225号他 —

設問の義眼（眼球摘出後眼窩保護のため装着した場合）、コルセットについては、療養費の支給対象となるが、眼鏡（小児弱視等の治療用眼鏡等を除く。）、補聴器、胃下垂帯及び人工肛門受便器（ペロッテ）については、療養費の支給対象とならない。

E ✕ 根拠 法87、97、H6.9.9保険発119号・庁保険発9号 CH7 Sec5⑧

設問の医学的管理等に要する費用にあっては、現に要した費用の額の範囲内で、移送費とは別に、診療報酬に係る基準を勘案してこれを評価し、療養費の支給対象とされる。

問10 正解 A・E

正解率 59%

A ✕ 根拠 法37-Ⅰ、157、165-ⅠⅡⅣ、令48、49 CH7 Sec7⑤

前納保険料の額は、前納に係る期間の各月の保険料の額の合計額から、その期間の各月の保険料の額を年4分の利率による複利現価法によって前納に係る期間の最初の月から当該各月までのそれぞれの期間に応じて割り引いた額の合計額（この額に1円未満の端数がある場合において、その端数金額が50銭未満であるときは、これを切り捨て、その端数金額が50銭以上であるときはこれを1円として計算する。）を控除した額を「（前納に係る期間の各月の保険料の額から）控除した額」となる。なお、その他の記述は正しい。

B ○ 根拠 法156-Ⅰ①、167-Ⅱ、介保法9-② CH7 Sec7②

被保険者に関する保険料額は、各月につき算定されるので、40歳に到達した月に賞与が支払われた場合には、その支払日が介護保険第2号被保険者に該当するに至った日前であっても、当該標準賞与額から被保険者が負担すべき一般保険料額とともに介護保険料額を控除することができる。

C　○　根拠 法156-Ⅲ、167-Ⅰ、S19.6.6保発363号、S27.7.14保文発3917号

CH7 Sec7②

被保険者資格の同月得喪の場合には、事業主（A社の事業主）は通貨をもって支払う報酬から、当該月（４月）の標準報酬月額に係る保険料を控除することができるが、その者がさらに同月に被保険者資格を取得し翌月以後（５月以後）も継続して被保険者である場合には、事業主（B社の事業主）は、被保険者資格取得に際して決定された標準報酬月額に係る当該月（４月）分の保険料を控除することができる（設問の場合は５月に通貨をもって支払う報酬から控除する。）。

D　○　根拠 法45-Ⅰ、159-Ⅰ、H19.1.31事務連絡

—

賞与に関する保険料が保険料免除の規定によって徴収されない場合であっても、当該賞与に係る標準賞与額は、標準賞与額の累計（上限573万円）の対象となる。

E　×　根拠 法169-ⅡⅢ

CH7 Sec8③⑤

日雇特例被保険者が１日に２以上の事業所に使用される場合における保険料の納付は、初めにその者を使用する事業主が行うこととされ、当該日雇特例被保険者及び当該事業主の負担すべきその日の標準賃金日額に係る保険料を納付する義務を負う。したがって、設問の場合には、当該日雇特例被保険者が午前に働いた適用事業所から受ける賃金額により、標準賃金日額を決定し、当該適用事業所の事業主が、日雇特例被保険者が提出する日雇特例被保険者手帳に健康保険印紙を貼り、これに消印して保険料を納付する。

※　本問については、誤った選択肢について択一すべきところ、本来正答とされるべき選択肢**E**以外にも選択肢**A**が誤った内容のものであったため、選択肢**A**及び**E**が正答とされた。

厚生年金保険法

問1 正解 B（イ・オの二つ） 正解率 82%

ア ✕ 根拠 法38-Ⅰ、法附則17 CH9 Sec9⑧

老齢基礎年金と老齢厚生年金は併給される。

イ ◯ 根拠 法38-Ⅰ、法附則17 CH9 Sec9⑧

老齢基礎年金と障害厚生年金は併給されず、どちらか一方の年金の支給が停止される。

ウ ✕ 根拠 法38-Ⅰ、法附則17 CH9 Sec9⑧

障害基礎年金と老齢厚生年金（受給権者が65歳に達しているものに限る。）は併給される。

エ ✕ 根拠 法38-Ⅰ、法附則17 CH9 Sec9⑧

障害基礎年金と遺族厚生年金（受給権者が65歳に達しているものに限る。）は併給される。

オ ◯ 根拠 法38-Ⅰ、法附則17 CH9 Sec9⑧

遺族基礎年金と障害厚生年金は併給されず、どちらか一方の年金の支給が停止される。

問2 正解 E 正解率 52%

A ✕ 根拠 法附則４の３-Ⅶ CH9 Sec2⑤

高齢任意加入被保険者を使用する適用事業所の事業主が、当該被保険者に係る保険料の半額を負担し、かつ、当該被保険者及び自己の負担する保険料を納付する義務を負うことにつき同意をしたときを除き、当該被保険者が、保険料の全額を負担し、自己の負担する保険料を納付する義務を負うものとされている。

B ✕ 根拠 法附則４の３-Ⅷ CH9 Sec2⑤

設問の高齢任意加入被保険者に係る保険料の半額を負担し、かつ、当該被保険者及び自己の負担する保険料を納付する義務を負うことにつき同意をした事業主は、被保険者の同意を得て、将来に向かって、当該同意を撤回することができる。

C ✕ 根拠 法附則４の３-Ⅵ CH9 Sec2⑤

設問の場合、法83条１項に規定する当該保険料の納期限の属する月の「前月の末日」に、被保険者の資格を喪失する。なお、初めて納付すべき保険料を滞納し、督促状の指定期限までに納付しない場合（保険料の半額負担・全額納付についての事業主の同意がある場合を除く。）は、高齢任意加入被保険者とならなかったものとみなされる。

D　✕　根拠 令６　CH9 Sec2⑧

適用事業所に使用される高齢任意加入被保険者の資格の取得については、設問の確認を要しないものとされている。

E　○　根拠 法附則４の３-Ⅴ③　CH9 Sec2⑤

問３　正解　E　正解率 74%

A　○　根拠 (60)法附則47-Ⅳ　CH9 Sec2⑦

昭和62年５月から平成元年10月までの被保険者期間の月数は30月であり、昭和61年４月１日から平成３年３月31日までの第３種被保険者であった期間については、実期間を５分の６倍するため、「30月×6/5＝36月」となる。なお、昭和61年３月31日までについては３分の４倍、平成３年４月１日以降については実期間でそれぞれ計算する。

B　○　根拠 法44-Ⅳ⑦　CH9 Sec4⑤

老齢厚生年金の加給年金額の加算対象となっていた子が婚姻をしたときは、その者に係る加給年金額は加算されないものとされ、その翌月から、年金の額が改定される。

C　○　根拠 法31-Ⅰ　CH9 Sec2⑧

被保険者又は被保険者であった者は、いつでも、設問の確認を請求することができる。

D　○　根拠 法56-①　CH9 Sec6⑩

障害手当金の支給要件に係る「障害の程度を定めるべき日」において年金たる保険給付の受給権者〔最後に障害等級に該当する程度の障害の状態（以下本解説において「障害状態」という。）に該当しなくなった日から起算して障害状態に該当することなく３年を経過した障害厚生年金の受給権者（現に障害状態に該当しない者に限る。）を除く。〕である者には、障害手当金は支給されない。

E ✕ 根拠 法24-Ⅱ　CH9 Sec3②

同時に２以上の事業所で報酬を受ける被保険者について報酬月額を算定する場合においては、「各事業所について、定時決定等の規定によって算定した額の合算額」をその者の報酬月額とする。

問４ 正解 D（イとオ）　正解率 23%

根拠 法85　CH9 Sec10⑥

保険料は次の(1)～(4)に掲げる場合においては、納期前であっても、すべて徴収することができる。したがって、**D**（イとオ）が、保険料を保険料の納期前であっても、すべて徴収することができる場合として正しいものの組合せとなる。

<table>
<tr><td rowspan="5">(1)</td><td rowspan="5">納付義務者が右欄のいずれかに該当する場合</td><td>①国税、地方税その他の公課の滞納によって、滞納処分を受けるとき。</td></tr>
<tr><td>②強制執行を受けるとき。</td></tr>
<tr><td>③破産手続開始の決定を受けたとき。</td></tr>
<tr><td>④企業担保権の実行手続の開始があったとき。</td></tr>
<tr><td>⑤競売の開始があったとき。</td></tr>
<tr><td>(2)</td><td colspan="2">法人たる納付義務者が、解散をした場合</td></tr>
<tr><td>(3)</td><td colspan="2">被保険者の使用される事業所が、廃止された場合</td></tr>
<tr><td>(4)</td><td colspan="2">被保険者の使用される船舶について船舶所有者の変更があった場合、又は当該船舶が滅失し、沈没し、若しくは全く運航に堪えなくなるに至った場合</td></tr>
</table>

問５ 正解 D　正解率 45%

A ○ 根拠 法附則７の３-Ⅱ他　CH9 Sec4⑧

なお、老齢厚生年金の支給「繰下げ」の申出については、これを単独で行うことも、老齢基礎年金の支給繰下げの申出と同時に行うこともできる。

B ○ 根拠 法附則７の３-Ⅳ、令６の３、(R３)令附則６　CH9 Sec4⑧

繰上げ減額率は、1000分の４に請求日の属する月から65歳に達する日の属する月の前月までの月数を乗じて得た率であるので、設問の場合、「0.4％×60月＝24％」となる。

C ○ 根拠 法44の３-Ⅲ　CH9 Sec4⑧

老齢厚生年金の支給繰下げの申出をした者に対する老齢厚生年金の支給は、法

36条１項の規定にかかわらず、当該申出のあった月の翌月から始めるものとされている。

D　×　根拠 令３の５の２－Ⅰ　　CH9 Sec4⑧

経過的加算として老齢厚生年金に加算された部分は、当該老齢厚生年金の支給繰下げの申出に応じた増額の対象となる。

E　○　根拠 (R２)法附則８　　―

設問の改正後の規定は、施行日の前日（令和４年３月31日）において、老齢厚生年金の受給権を取得した日から起算して５年を経過していない者について適用される。

問６　正解　D　　正解率 57%

A　×　根拠 法50の２－Ⅰ　　CH9 Sec6⑥

子は、障害厚生年金の加給年金額対象者とならない。

確認してみよう！

障害の程度が障害等級の１級又は２級に該当する者に支給される障害厚生年金には、受給権者によって生計を維持しているその者の65歳未満の配偶者があるときは、加給年金額が加算される。

B　×　根拠 (60)法附則60－Ⅱ他　　CH9 Sec6⑥

障害厚生年金の配偶者に係る加給年金額については、特別加算は行われない。なお、昭和９年４月２日以後に生まれた老齢厚生年金の受給権者に支給される配偶者に係る加給年金額については、受給権者の生年月日に応じた特別加算が行われる。

C　×　根拠 法44－Ⅰ　　CH9 Sec4⑤

設問の場合、配偶者に係る加給年金額は加算されない。老齢厚生年金の加給年金額は、受給権者がその権利を取得した当時（その権利を取得した当時、年金額の計算の基礎となる被保険者期間の月数が240未満であったときは、在職定時改定又は退職改定により当該月数が240以上となるに至った当時）に、加算対象となる配偶者又は子を有していなければ、加算されない。

D　○　根拠 法附則７の３－Ⅵ、９　　CH9 Sec4⑧、Sec5④

E ✕ 根拠 法44-Ⅳ② CH9 Sec4⑤

老齢厚生年金の加給年金額の加算対象となっている配偶者が、受給権者による生計維持の状態がやんだ場合には、当該配偶者に係る加給年金額は加算されないものとされ、その翌月から、年金の額が改定される。

問7 正解 B

正解率 68%

A ✕ 根拠 法12-⑤、(24)法附則17-Ⅰ CH9 Sec2①

「1週間の所定労働時間」及び「1月間の所定労働日数」が、同一の事業所に使用される通常の労働者の1週間の所定労働時間及び1月間の所定労働日数の4分の3以上であるという基準（以下「4分の3基準」という。）を満たさない短時間労働者については、次の⑴～⑷のいずれの要件にも該当する場合には、厚生年金保険の被保険者となる。設問のXは、⑴～⑷のいずれの要件にも該当するため、4分の3基準を満たさない短時間労働者であったとしても被保険者となる。

⑴	1週間の所定労働時間が20時間以上であること。
⑵	報酬（一定のものを除く。）について、資格取得時決定の規定の例により算定した額が、88,000円以上であること。
⑶	学校教育法に規定する高等学校の生徒、同法に規定する大学の学生その他の厚生労働省令で定める者でないこと。
⑷	特定適用事業所又は国若しくは地方公共団体の適用事業所に使用される者であること。

B ○ 根拠 法6-②、9、S24.7.28保発74号、疑義照会回答 CH9 Sec2①

C ✕ 根拠 法12-⑤ CH9 Sec2①

設問の学生Zは、4分の3基準を満たしているため、被保険者となる。

D ✕ 根拠 法7 CH9 Sec1③

強制適用事業所（船舶を除く。）が、強制適用の要件に該当しなくなったときは、その事業所について任意適用事業所の認可があったものとみなされるため、任意適用の申請をしなくても、引き続き適用事業所とされる。

E ✕ 根拠 法6-ⅠⅢ CH9 Sec1②

宿泊業は非適用業種であるため、宿泊業の個人事業所を適用事業所とするためには、その事業主は、任意適用の申請をし、厚生労働大臣の認可を受ける必要がある。

問８　正解　E　　正解率 78%

A × 根拠 法46-Ⅰ　　CH9 Sec4⑥

総報酬月額相当額は、在職老齢年金の支給停止額の計算の対象となる被保険者である日が属する月について、その者の標準報酬月額とその月以前の１年間の標準賞与額の総額を12で除して得た額とを合算して得た額であり、その計算の基礎となる標準報酬月額や標準賞与額が変更されれば、総報酬月額相当額も変更される。

B × 根拠 法46-Ⅰ　　CH9 Sec4⑥

70歳以上の使用される者（被保険者であった70歳以上の者であって適用事業所に使用されるものとして厚生労働省令で定める要件に該当するものをいう。）に対しても、在職老齢年金の仕組みが適用される。

C × 根拠 法46-Ⅰ、(60)法附則62-Ⅰ　　CH9 Sec4⑥

老齢基礎年金及び老齢厚生年金の経過的加算額は、いずれも在職老齢年金の支給停止の対象とならない。

D × 根拠 法11の６-Ⅰ他　　CH9 Sec5⑨

60歳台前半の老齢厚生年金の受給権者である被保険者が、雇用保険法に基づく高年齢雇用継続基本給付金の支給を受けることができるときは、その間、在職老齢年金の仕組みによる支給停止額に加え、原則として、標準報酬月額に所定の率を乗じて得た額に相当する額が支給停止される。

E ○ 根拠 法46-Ⅲ　　CH9 Sec4⑥

法46条３項では、「支給停止調整額は、48万円とする。ただし、48万円に平成17年度以後の各年度の物価変動率に法43条の2,1項２号に掲げる率を乗じて得た率をそれぞれ乗じて得た額（その額に５千円未満の端数が生じたときは、これを切り捨て、５千円以上１万円未満の端数が生じたときは、これを１万円に切り上げるものとする。）が48万円（この項の規定による支給停止調整額の改定の措置が講ぜられたときは、直近の当該措置により改定した額）を超え、又は下るに至った場合においては、当該年度の４月以後の支給停止調整額を当該乗じて得た額に改定する。」と規定している。

問9　正解　B　　正解率 88%

A　○　根拠 法43-Ⅰ　　CH9 Sec4⑤

B　×　根拠 法43-Ⅱ　　CH9 Sec4⑦

設問の在職定時改定の規定に係る基準日は、「9月1日」である。なお、基準日の属する月の翌月から年金額が改定されるとする記述は正しい。

C　○　根拠 法92-Ⅰ　　CH9 Sec10⑧

保険給付を受ける権利に基づき支払期月ごとに支払うものとされる保険給付の支給を受ける権利は、保険給付を支給すべき事由が生じた日の属する月の翌月以後に到来する当該保険給付の支給に係る法36条3項本文に規定する支払期月の翌月の初日から5年を経過したときは、時効によって、消滅する。

D　○　根拠 法78の28　　—

E　○　根拠 法46-Ⅵ、令3の7-①　　CH9 Sec4⑤

確認してみよう！

加給年金額が加算された老齢厚生年金については、当該加給年金額の対象者である配偶者が、次に掲げる年金たる給付の支給を受けることができるとき（障害を支給事由とする給付にあっては、その全額につき支給を停止されているときを除く。）は、その間、当該配偶者について加算する額（加給年金額）に相当する部分の支給を停止する。

① 老齢厚生年金（その年金額の計算の基礎となる被保険者期間の月数が240以上であるものに限る。）
② 障害厚生年金
③ 国民年金法による障害基礎年金…等

問10　正解　E　　正解率 85%

A　×　根拠 法6-Ⅰ②　　CH9 Sec1②

法人の事業所又は事務所であって、常時従業員を使用するものは、適用事業所とされる。したがって、設問の個人経営の美容業（非適用業種）の事務所が法人化した場合には、適用事業所となる。

B　×　根拠 法12-①ロ　　CH9 Sec2①

臨時に使用される者（船舶所有者に使用される船員を除く。）であって、2月以内の期間を定めて使用され、当該定めた期間を超えて使用されることが見込まれないものは、当該定めた期間を超え、引き続き使用されるに至った場合を除き、適用除外に該当し、厚生年金保険の被保険者とされない。なお、当該定めた期間を超え、引き続き使用されるに至った場合は、そのときから被保険者となる。

C ✕ 根拠 法59-Ⅰ、65 CH9 Sec7⑤

夫が死亡した当時、当該夫により生計を維持していた子のいない38歳の妻は、遺族厚生年金を受けることができる遺族となるが、当該妻に中高齢寡婦加算は支給されない。なお、設問後半の記述は正しい。

D ✕ 根拠 法50-Ⅰ、51 CH9 Sec6⑥

障害厚生年金の額については、障害認定日の属する「月」までの被保険者期間をその計算の基礎とする。なお、その他の記述については正しい。

E ○ 根拠 法37-Ⅴ CH9 Sec9④

国民年金法

問1　正解　B　　正解率　80%

A　✕　根拠　法109の2の2-Ⅰ　　CH8 Sec3⑥

学生納付特例事務法人は、その教育施設の学生等である被保険者の委託を受けて、「学生納付特例申請」をすることはできるが、「保険料納付に関する事務」について行うことができるとはされていない。

B　○　根拠　法附則7の5-Ⅰ　　CH8 Sec2⑥

C　✕　根拠　則6の3-Ⅰ　　CH8 Sec2⑥

設問の場合、第3号被保険者は、「種別確認」の届出を日本年金機構に提出しなければならない。

D　✕　根拠　則7-Ⅰカッコ書、8-Ⅰカッコ書　　CH8 Sec2⑥

第1号被保険者の氏名及び住所の変更の届出は、厚生労働大臣が住民基本台帳法の規定により機構保存本人確認情報の提供を受けることができる者については、行うことを要しない。

E　✕　根拠　則23-Ⅰ　　CH8 Sec2⑥

設問の「6か月」を「1月」と読み替えると、正しい記述となる。

問2　正解　D（ウとオ）　　正解率　16%

ア　○　根拠　法114-②　　CH8 Sec9⑧

なお、設問のほか、被保険者又は受給権者の死亡の届出をしなかった戸籍法の規定による死亡の届出義務者は、10万円以下の過料に処せられる。

イ　○　根拠　法113の4-①　　―

ウ　✕　根拠　法112-②　　CH8 Sec9⑧

設問の場合、世帯主は、「6月以下の懲役又は30万円以下の罰金」に処せられる。

確認してみよう！

虚偽の届出等に関する罰則

次のいずれかに該当する者は、６月以下の懲役又は30万円以下の罰金に処せられる。

①	第１号被保険者又は第３号被保険者の資格の得喪等に関して虚偽の届出をした被保険者（第１号被保険者に係る届出の場合は、世帯主を含む）
②	資産若しくは収入の状況に関する書類その他の物件の提出を命ぜられてこれに従わず、若しくは虚偽の書類その他の物件の提出をし、又は行政庁職員（機構の職員を含む）の質問に対して答弁せず、若しくは虚偽の陳述をした被保険者

エ　○　根拠　法113の２-②　CH8 Sec9⑧

確認してみよう！

無届等に関する罰則

次のいずれかに該当する者は、30万円以下の罰金に処せられる。

①	第１号被保険者又は第３号被保険者の資格の得喪等の届出をしなかった被保険者（第１号被保険者に係る届出の場合は、世帯主から届出がなされたときを除く）
②	保険料の滞納者の財産についての徴収職員の質問に対して答弁をせず、又は偽りの陳述をしたときの当該違反行為をした者
③	徴収職員の検査を拒み、妨げ、又は忌避したときの当該違反行為をした者
④	徴収職員の物件の提示又は提出の要求に対し、正当な理由がなくこれに応じず、又は偽りの記載若しくは記録をした帳簿書類その他の物件を提示し、若しくは提出したときの当該違反行為をした者

オ　×　根拠　法111の２　—

設問の場合、違反行為をした者は、「１年以下の懲役又は50万円以下の罰金」に処せられる。

問３　正解　D　　正解率　49%

A　○　根拠　法20-ⅠⅡ、法附則９の２の４　—

B　○　根拠　法49-Ⅰ　CH8 Sec7②

なお、夫の死亡の当時、60歳未満である設問の妻に支給する寡婦年金は、法18条１項の規定にかかわらず、妻が60歳に達した日の属する月の翌月から、その支給を始める。

C ○ 根拠 法附則9の3の2-Ⅰ③ CH8 Sec7④

D × 根拠 法72-② CH8 Sec9⑥

設問の場合、障害基礎年金の額の「全部又は一部につき、その支給を停止することができる」とされている。

E ○ 根拠 法20-ⅠⅡ、47 CH8 Sec7①

付加年金は、老齢基礎年金がその全額につき支給を停止されているときは、その間、その支給が停止される。

問4 正解 E

正解率 44%

A × 根拠 法27-④ CH8 Sec4⑧

保険料半額免除期間については、当該期間の月数（480から保険料納付済期間の月数及び保険料4分の1免除期間の月数を合算した月数を控除して得た月数を限度とする。）の「4分の1」ではなく「4分の3」に相当する月数が老齢基礎年金の年金額に反映される。

確認してみよう！

年金額の基礎となる保険料免除期間の月数（平成21年4月以後の期間）

保険料納付済期間の月数	×1
保険料4分の1免除期間の月数	×8分の7
保険料半額免除期間の月数	×4分の3
保険料4分の3免除期間の月数	×8分の5
保険料全額免除期間の月数	×2分の1

B × 根拠 法36、36の2 CH8 Sec5⑩

「国民年金法30条の2の規定による事後重症による障害基礎年金」は、その受給権者が日本国内に住所を有しないことによりその支給を停止されることはない。なお、20歳前傷病による障害基礎年金に関する記述については正しい。

C × 根拠 法87の2-Ⅳ —

現在、設問のような規定はない。なお、平成26年4月1日前においては、申出により付加保険料を納付する者となった者が付加保険料を納期限までに納付しなかったときは、当該納期限の日に付加保険料を納付するものでなくなる申出をしたものとみなされていた。

確認してみよう！

付加保険料を納付する者となったものは、いつでも、厚生労働大臣に申し出て、その申出をした日の属する月の前月以後の各月に係る付加保険料（原則として既に納付されたもの及び前納されたものを除く。）につき、付加保険料を納付する者でなくなることができる。

D　✕　根拠　法41、41の２他　—

遺族基礎年金について、設問のような支給停止の規定はない。

E　○　根拠　法109の４－Ⅰ④　—

確認してみよう！

被保険者又は被保険者であった者は、国民年金原簿に記録された自己に係る特定国民年金原簿記録が事実でない、又は国民年金原簿に自己に係る特定国民年金原簿記録が記録されていないと思料するときは、厚生労働省令で定めるところにより、厚生労働大臣に対し、国民年金原簿の訂正の請求をすることができる。

問５　正解　C

正解率　43%

A　✕　根拠　法32－Ⅱ　CH8 Sec5⑦

障害基礎年金の受給権者が更に障害基礎年金の受給権を取得した場合において、新たに取得した障害基礎年金が法36条１項の規定により６年間その支給を停止すべきものであるときは、その停止すべき期間、その者に対して、併合認定の規定により前後の障害を併合した障害の程度による障害基礎年金ではなく、「従前の障害基礎年金」を支給する。

B　✕　根拠　法33の２－Ⅰ　CH8 Sec5⑧

障害基礎年金に、配偶者に係る加算は行われない。

確認してみよう！

障害基礎年金には、受給権者によって生計を維持している18歳に達する日以後の最初の３月31日までの間にあるか20歳未満であって障害等級に該当する障害の状態にあるその者の子について、加算が行われる。

C ○ 根拠 法附則９－Ⅰ、(16)法附則19－Ⅳ、(26)法附則14－Ⅲ　CH8 Sec6②

保険料納付済期間又は保険料免除期間（学生納付特例及び納付猶予の規定により納付することを要しないものとされた保険料に係るものを除く。）を有する者のうち、保険料納付済期間と保険料免除期間とを合算した期間が25年に満たない者であって保険料納付済期間、保険料免除期間及び合算対象期間を合算した期間が25年以上であるものは、遺族基礎年金の支給要件の規定の適用については、「保険料納付済期間と保険料免除期間とを合算した期間が25年以上であるもの」とみなされる。

D × 根拠 法109の５－Ⅴ～Ⅶ　—

財務大臣から設問の権限を委任された国税庁長官は、当該委任された権限の全部又は一部を納付義務者の居住地を管轄する「国税局長」に委任することができ、国税局長は、当該委任された権限の全部又は一部を納付義務者の居住地を管轄する税務署長に委任することができるとされている。

E × 根拠 法７－Ⅰ③、８－①　CH8 Sec2③

設問の被扶養配偶者が第３号被保険者の資格を取得するのは、当該「被扶養配偶者」が20歳に達したときである。

問６ 正解 E　正解率 62%

A ○ 根拠 法40－ⅠⅢ　CH8 Sec6⑨

遺族基礎年金を20歳まで受給できる子には、遺族基礎年金の受給権発生後、18歳に達する日以後の最初の３月31日までの間に障害等級に該当する障害の状態になった子も含まれる。

B ○ 根拠 法附則７の３－Ⅰ～Ⅲ　CH8 Sec2⑥

C ○ 根拠 (16)法附則20、21－ⅠⅡ　CH8 Sec2⑥

D ○ 根拠 (60)法附則34－Ⅰ①　CH8 Sec3②

確認してみよう！

基礎年金の給付に要する費用についての国庫負担

原則（下記以外の基礎年金の給付費）	２分の１
保険料４分の１免除期間に係る老齢基礎年金の給付費	７分の４
保険料半額免除期間に係る老齢基礎年金の給付費	３分の２
保険料４分の３免除期間に係る老齢基礎年金の給付費	５分の４
保険料全額免除期間（学生納付特例期間及び納付猶予期間を除く）に係る老齢基礎年金の給付費	全額
20歳前傷病による障害基礎年金の給付費	10分の６
付加年金・死亡一時金（加算額8,500円に限る）の給付費	４分の１

E × 根拠 法附則５－Ⅵ①、Ⅶ　CH8 Sec2④

設問の場合、任意加入被保険者は、原則として、日本国内に住所を有しなくなった「日の翌日」に、被保険者の資格を喪失する。

問７ 正解 A　正解率 69%

A ○ 根拠 法９－⑤、法附則４　CH8 Sec2③

B × 根拠 法137の19－Ⅰ～Ⅲ　CH8 Sec10④

国民年金連合会は、責任準備金に相当する額を徴収した国民年金基金（以下問９解説まで「基金」という。）に係る解散基金加入員が老齢基礎年金の受給権を取得したときは、当該解散基金加入員に年金を支給するが、当該年金の額は、「200円」に当該解散した基金に係る加入員期間の月数を乗じて得た額とされる。

C × 根拠 則36の５、R3.6.24厚労告248号　CH8 Sec2⑥

いわゆる20歳前傷病による障害基礎年金の受給権者に係る障害基礎年金所得状況届等の指定日は、受給権者の誕生日の属する月の末日ではなく、「９月30日」である。

D × 根拠 法92の４－ⅠⅡ　—

被保険者が保険料を納付受託者に交付したときは、納付受託者は、「政府」に対して当該保険料の納付の責めに任ずるものとされている。なお、納付受託者が被保険者から保険料の交付を受けたときに、遅滞なく、厚生労働省令で定めるところにより、その旨及び交付を受けた年月日を厚生労働大臣に報告しなければならないとする記述については正しい。

E　✕　根拠 法附則9の2-Ⅴ　CH8 Sec7②

寡婦年金の受給権は、受給権者が繰上げ支給による老齢基礎年金の受給権を取得したときは、消滅する。

問8　正解　E　正解率 80%

A　✕　根拠 法5-Ⅰ、7-Ⅰ②、(60)法附則8-Ⅳ　CH8 Sec2①、Sec4⑤

20歳未満の厚生年金保険の被保険者期間は、法5条1項において保険料納付済期間とされるが、当分の間、老齢基礎年金の額の計算に係る保険料納付済期間には算入されない。

B　✕　根拠 法27-⑧、90の3-Ⅰ、(16)法附則19-Ⅳ、(26)法附則14-Ⅲ　CH8 Sec4⑧

学生納付特例期間についても、納付猶予期間と同様に、当該期間に係る保険料が追納されなければ、老齢基礎年金の額に反映されない。

C　✕　根拠 法94の3-ⅠⅡ、令11の3　CH8 Sec3③

基礎年金拠出金の額の算定基礎となる第1号被保険者数は、「保険料納付済期間、保険料4分の1免除期間、保険料半額免除期間又は保険料4分の3免除期間」を有する者の総数とされている。なお、第2号被保険者については20歳以上60歳未満の者、第3号被保険者についてはすべての者が基礎年金拠出金の額の算定基礎となる。

D　✕　根拠 法5-Ⅰ、7-Ⅰ②、(60)法附則8-Ⅱ①、Ⅳ　CH8 Sec4⑤

設問の第1号厚生年金被保険者としての被保険者期間（42年）のうち60歳以後の期間（5年）は、老齢基礎年金の額の計算において保険料納付済期間とされず、また、設問の者は他の被保険者期間を有さないことから、設問の者が65歳から受給できる老齢基礎年金の額は、満額とはならない。

E　〇　根拠 法9-①③　CH8 Sec2③

問9　正解　D　正解率 65%

A　✕　根拠 (60)法附則14-Ⅰ　CH8 Sec4⑨

振替加算の額は、「224,700円に改定率を乗じて得た額」に受給権者の生年月日に応じて政令で定める率を乗じて得た額である。なお、設問前半の記述は正しい。

B　✕　根拠 法44　CH8 Sec7①

設問の「400円」を「200円」と読み替えると、正しい記述となる。

C　✕　根拠 法19-Ⅰ、52の３-Ⅰ　CH8 Sec7③

死亡一時金を受けることができる遺族の範囲と、未支給の年金の支給を請求できる遺族の範囲は異なる。死亡一時金を受けることができる遺族の範囲は、死亡した者の「配偶者、子、父母、孫、祖父母又は兄弟姉妹であって、その者の死亡の当時その者と生計を同じくしていたもの」とされている。これに対し、未支給の年金の支給を請求できる遺族の範囲は、死亡した者の「配偶者、子、父母、孫、祖父母、兄弟姉妹又はこれらの者以外の三親等内の親族であって、その者の死亡の当時その者と生計を同じくしていたもの」とされている。

D　〇　根拠 法89-Ⅰ　CH8 Sec3⑥

E　✕　根拠 法129-Ⅰ　CH8 Sec10③

基金が支給する年金は、「少なくとも、当該基金の加入員であった者が老齢基礎年金の受給権を取得したときには、その者に支給されるものでなければならない」と規定されており、その支給開始の時期は、当該基金の加入員であった者が老齢基礎年金の受給権を取得した時点に限定されていない。

問10　正解　B　正解率 91%

A　〇　根拠 法39-Ⅲ⑥、40-Ⅱ　CH8 Sec6⑨

配偶者が有する遺族基礎年金の受給権は、子が１人であるときはその子が、子が２人以上であるときは同時に又は時を異にしてそのすべての子が、配偶者の年金額の減額改定事由のいずれかに該当するに至ったときは、消滅する。

B　✕　根拠 法37-④　CH8 Sec6②

設問の場合、遺族基礎年金は支給される。保険料納付済期間と保険料免除期間とを合算した期間が25年以上である者が死亡したときは、他の要件を満たす限り、保険料納付要件を問うことなく、遺族基礎年金は支給される。

C　〇　根拠 法30-Ⅰ　CH8 Sec5②

D ○ 根拠 法27、33の 2 - I　—

E ○ 根拠 法88- II III　CH8 Sec3⑤

令和３年度
（2021年度・第53回）
解答・解説

合格基準点

選択式	総得点**24点**以上、かつ、 各科目**3点**以上 （ただし、労一は**1点**、国年は**2点**可）
択一式	総得点**45点**以上、かつ、 各科目**4点**以上

受験者データ

受験申込者数	50,433人
受験者数	37,306人
合格者数	2,937人
合格率	7.9%

繰り返し記録シート（令和３年度）

解いた回数	科目	問題No.	点数	解いた回数	科目	点数
選択式1回目	労基安衛	問1	／5	択一式1回目	労基安衛	／10
	労災	問2	／5		労災徴収	／10
	雇用	問3	／5		雇用徴収	／10
	労一	問4	／4		労一社一	／10
	社一	問5	／5		健保	／10
	健保	問6	／5		厚年	／10
	厚年	問7	／5		国年	／10
	国年	問8	／5		合計	／70
		合計	／39			
選択式2回目	労基安衛	問1	／5	択一式2回目	労基安衛	／10
	労災	問2	／5		労災徴収	／10
	雇用	問3	／5		雇用徴収	／10
	労一	問4	／4		労一社一	／10
	社一	問5	／5		健保	／10
	健保	問6	／5		厚年	／10
	厚年	問7	／5		国年	／10
	国年	問8	／5		合計	／70
		合計	／39			
選択式3回目	労基安衛	問1	／5	択一式3回目	労基安衛	／10
	労災	問2	／5		労災徴収	／10
	雇用	問3	／5		雇用徴収	／10
	労一	問4	／4		労一社一	／10
	社一	問5	／5		健保	／10
	健保	問6	／5		厚年	／10
	厚年	問7	／5		国年	／10
	国年	問8	／5		合計	／70
		合計	／39			

令和３年度
(2021年度・第53回)
解答・解説
選択式

正解一覧

問	記号	番号	正解
問1	A	⑱	身元保証人
	B	⑪	通常の労働時間の賃金
	C	⑭	当該労働契約の定める賃金体系全体における当該手当の位置付け
	D	⑩	心身の条件
	E	③	2メートル
問2	A	⑳	負傷、疾病、障害又は死亡の原因又は要因となる事由が生じた時点において事業主が同一人でない2以上の事業に同時に使用されていた労働者
	B	⑬	その収入が当該複数事業労働者の生計を維持する程度の最も高いもの
	C	⑩	その事由が生じた月の翌月からその事由が消滅した月まで
	D	⑥	60
	E	③	18
問3	A	①	1年間
	B	④	30
	C	①	1
	D	②	求人への応募書類の郵送
	E	①	巡回職業相談所
問4	A	④	昭和43年4月2日から昭和63年4月1日までに生まれた者
	B	①	65歳超雇用推進助成金
	C	①	(公財)産業雇用安定センター
	D	④	特定求職者雇用開発助成金
	E		
問5	A	⑪	国民健康保険事業費納付金の納付
	B	⑩	国民健康保険事業に要する費用
	C	⑱	被扶養者
	D	④	15　日
	E	①	3　年
問6	A	⑯	特定保険料率
	B	⑪	その額から健康保険法第153条及び第154条の規定による国庫補助額を控除した
	C	⑩	総報酬額の総額
	D	③	9月1日
	E	⑥	100分の0.5
問7	A	②	3か月を超える期間ごとに
	B	⑥	厚生年金保険給付費等
	C	⑪	交付金として交付
	D	⑭	船　舶
	E	⑨	厚生労働大臣の承認を受けて、
問8	A	⑪	給付の支給に支障が生じない
	B	⑯	調　整
	C	③	開始年度
	D	⑧	給付として支給を受けた金銭を標準
	E	⑳	老齢基礎年金及び付加年金

問１ 労働基準法及び労働安全衛生法

根拠 労基法16、最一小Ｒ2.3.30国際自動車事件、安衛法62、則518-Ⅰ

A	⑱	身元保証人	CH1 Sec2③	正解率 92%
B	⑪	通常の労働時間の賃金	—	正解率 89%
C	⑭	当該労働契約の定める賃金体系全体における当該手当の位置付け	—	正解率 63%
D	⑩	心身の条件	—	正解率 88%
E	③	２メートル	—	正解率 63%

問２ 労働者災害補償保険法

根拠 法９-Ⅱ、16の２、(40)法附則43-Ⅰ、則１-Ⅱ②、５

A	⑳	負傷、疾病、障害又は死亡の原因又は要因となる事由が生じた時点において事業主が同一人でない２以上の事業に同時に使用されていた労働者	CH3 Sec2②	正解率 84%
B	⑬	その収入が当該複数事業労働者の生計を維持する程度の最も高いもの	CH3 Sec1①	正解率 86%
C	⑩	その事由が生じた月の翌月からその事由が消滅した月まで	CH3 Sec7①	正解率 96%
D	⑥	60	CH3 Sec6①	正解率 29%
E	③	18	CH3 Sec6①	正解率 99%

問３ 雇用保険法

根拠 法13-ⅠⅡ、行政手引50151、51254

A	①	１年間	CH4 Sec3②	正解率 90%
B	④	30	CH4 Sec3②	正解率 96%
C	①	1	CH4 Sec3③	正解率 49%
D	②	求人への応募書類の郵送	CH4 Sec3③	正解率 73%
E	①	巡回職業相談所	CH4 Sec3③	正解率 68%

問4　労務管理その他の労働に関する一般常識

根拠　労働施策総合推進則1の3－Ⅰ③ニ、同則附則10、雇保則104－Ⅰ①イ、ハ、110－Ⅱ①イ、「令和2年版厚生労働白書（厚生労働省）」P.254

A	④	昭和43年4月2日から昭和63年4月1日までの間に生まれた者	—	正解率 33%
B	①	65歳超雇用推進助成金	CH4 Sec10⑧	正解率 49%
C	①	(公財)産業雇用安定センター	—	正解率 48%
D	④	特定求職者雇用開発助成金	—	正解率 46%
E		（改正により削除）		

解説

Aに係る「就職氷河期世代（昭和43年4月2日から昭和63年4月1日までの間に生まれた者）の不安定就労者・無業者に限定した募集・採用」に係る年齢制限の禁止の例外は、令和7年3月31日までの間の暫定措置である。

問5　社会保険に関する一般常識

根拠　国保法76－Ⅰ、船保法93、児手法8－Ⅲ、確給法41－Ⅲ

A	⑪	国民健康保険事業費納付金の納付	CH10 Sec3⑧	正解率 80%
B	⑩	国民健康保険事業に要する費用	—	正解率 70%
C	⑱	被扶養者	CH10 Sec1②	正解率 71%
D	④	15　日	—	正解率 81%
E	①	3　年	CH10 Sec2②	正解率 37%

問6　健康保険法

根拠　法40－Ⅱ、156－Ⅰ①、160－XⅣ、XⅤ

A	⑯	特定保険料率	CH7 Sec7③	正解率 67%
B	⑪	その額から健康保険法第153条及び第154条の規定による国庫補助額を控除した	CH7 Sec7③	正解率 75%
C	⑩	総報酬額の総額	CH7 Sec7③	正解率 60%
D	③	9月1日	CH7 Sec4②	正解率 95%
E	⑥	100分の0.5	CH7 Sec4②	正解率 95%

問７ 厚生年金保険法

根拠 法３－Ⅰ④、８の２－Ⅰ、84の３

A	②	３か月を超える期間ごとに	CH9 Sec3①	正解率 97%
B	⑥	厚生年金保険給付費等	—	正解率 31%
C	⑪	交付金として交付	—	正解率 82%
D	⑭	船　舶	CH9 Sec1④	正解率 92%
E	⑨	厚生労働大臣の承認を受けて、	CH9 Sec1④	正解率 53%

問８ 国民年金法

根拠 法16の２－Ⅰ、25

A	⑪	給付の支給に支障が生じない	CH8 Sec3①	正解率 30%
B	⑯	調　整	CH8 Sec3①	正解率 78%
C	③	開始年度	CH8 Sec3①	正解率 57%
D	⑧	給付として支給を受けた金銭を標準	CH8 Sec9②	正解率 58%
E	⑳	老齢基礎年金及び付加年金	CH8 Sec9②	正解率 95%

令和3年度
(2021年度・第53回)
解答・解説
択一式

正解一覧

労基安衛	問1	E
	問2	A
	問3	C
	問4	E
	問5	A
	問6	B
	問7	E
	問8	E
	問9	D
	問10	C
労災徴収	問1	B
	問2	C
	問3	D
	問4	D
	問5	A
	問6	A
	問7	E
	問8	D
	問9	C
	問10	C
雇用徴収	問1	D
	問2	A
	問3	E
	問4	B
	問5	B
	問6	E
	問7	A
	問8	D
	問9	E
	問10	C
労一社一	問1	B
	問2	C
	問3	B
	問4	C
	問5	D
	問6	A
	問7	C
	問8	D
	問9	A
	問10	E
健保	問1	B
	問2	D
	問3	E
	問4	C
	問5	A
	問6	B
	問7	D
	問8	A
	問9	A：× B：× C：× D：×
	問10	B
厚年	問1	C
	問2	E
	問3	A
	問4	B
	問5	E
	問6	D
	問7	D
	問8	E
	問9	B
	問10	D
国年	問1	B
	問2	E
	問3	A
	問4	B
	問5	C
	問6	B
	問7	A
	問8	E
	問9	C
	問10	B

労働基準法及び労働安全衛生法

問1 正解 E 正解率 90%

A ○ 根拠 法１－Ⅱ、S63.3.14基発150号 CH1 Sec1①

確認してみよう！

★ 労働基準法１条２項

労働基準法で定める労働条件の基準は最低のものであるから、労働関係の当事者は、この基準を理由として労働条件を低下させてはならないことはもとより、その向上を図るように努めなければならない。

B ○ 根拠 法３ CH1 Sec1②

確認してみよう！

★ 労働基準法３条

使用者は、労働者の国籍、信条又は社会的身分を理由として、賃金、労働時間その他の労働条件について、差別的取扱をしてはならない。

C ○ 根拠 法５、S63.3.14基発150号 —

確認してみよう！

★ 労働基準法５条

使用者は、暴行、脅迫、監禁その他精神又は身体の自由を不当に拘束する手段によって、労働者の意思に反して労働を強制してはならない。

D ○ 根拠 法７ CH1 Sec1②

確認してみよう！

公民権の行使に係る時間については、有給であると無給であるとは当事者の自由に委ねられた問題で、無給でもよいとされている。

E × 根拠 法11、S63.3.14基発150号 CH1 Sec3①

設問の所得税等を事業主が労働者に代わって負担する場合は、これらの労働者が法律上当然生ずる義務を免れるのであるから、この事業主が労働者に代わって負担する部分は、法11条の賃金と認められる。

確認してみよう！

賃金になるもの・ならないもの

賃金になるもの	賃金にならないもの
・休業手当（法定超過額を含む） ・通勤手当（通勤定期乗車券の支給を含む） ・税金や社会保険料の補助 ・スト妥結一時金	・休業補償（法定超過額を含む） ・出張旅費・宿泊費・無料乗車券 ・生命保険料の補助や財産形成貯蓄奨励金の支給 ・解雇予告手当 ・労働者持ちの器具の損料

問2 正解 A 正解率 74%

A ○ 根拠 法14-Ⅰ CH1 Sec2③

確認してみよう！

契約期間の上限

期間の定めのないもの	なし
一定の事業の完了に必要な期間を定めるもの	一定の事業の完了に必要な期間
原則	3年
専門的知識等であって高度のものを有する労働者（当該高度の専門的知識等を必要とする業務に就く者に限る。）との間に締結されるもの	5年
満60歳以上の労働者との間に締結されるもの	

令和3年度（第53回）
択一式

B （改正により削除）

C × 根拠 法17、S33.2.13基発90号 CH1 Sec2③

労働者が使用者から人的信用に基づいて受ける金融又は賃金の前払いのような単なる弁済期の繰上げ等で明らかに身分的拘束を伴わないと認められるものは、「労働することを条件とする前貸の債権」には含まれない。

D × 根拠 法18-Ⅱ CH1 Sec2③

使用者は、労働者の貯蓄金をその委託を受けて管理しようとする場合においては、当該事業場に、労働者の過半数で組織する労働組合があるときはその労働組合、労働者の過半数で組織する労働組合がないときは労働者の過半数を代表する者との書面による協定をし、これを行政官庁に届け出なければならないこととされている。したがって、設問のように意見聴取をした上で就業規則に記載し届け出たとしても、上記の要件は満たさず、任意貯蓄を行うことはできない。

確認してみよう！

任意貯蓄

任意貯蓄には、社内預金と通帳保管があり、どちらの場合でも、使用者は、次の措置をとらなければならない。

①	労使協定（貯蓄金管理協定）を締結し、行政官庁（所轄労働基準監督署長）に届け出ること
②	貯蓄金管理規程を定め、これを労働者に周知させるため作業場に備え付ける等の措置をとること
③	労働者が貯蓄金の返還を請求したときには、遅滞なく返還すること

E　×　根拠 法39-Ⅴ、H21.5.29基発0529001号　CH1 Sec8④

日単位による年次有給休暇の取得を請求した場合に時間単位に変更することは、時季変更に当たらず、認められない。

問３　正解　C（ウ・エ・オの三つ）　正解率 59%

ア　×　根拠 則７の２　CH1 Sec3②

退職手当を設問の方法により支払う場合は、労働者の同意を得る必要がある。

確認してみよう！

賃金は、通貨で支払わなければならないが、法令若しくは労働協約に別段の定めがある場合又は一定の賃金について確実な支払の方法で一定のものによる場合においては、通貨以外のもので支払うことができる。

イ　×　根拠 法24-Ⅰ、S63.3.14基発150号　CH1 Sec3②

労働協約の定めによって通貨以外のもので支払うことが許されるのは、その労働協約の適用を受ける労働者に限られる。**ア**の確認してみよう！参照。

ウ　○　根拠 法24-Ⅰ、最二小H2.11.26日新製鋼事件　CH1 Sec3②

確認してみよう!

労働基準法24条1項本文の定めるいわゆる賃金全額払の原則の趣旨とするところは、使用者が一方的に賃金を控除することを禁止し、もって労働者に賃金の全額を確実に受領させ、労働者の経済生活を脅かすことのないようにしてその保護を図ろうとするものというべきであるから、使用者が労働者に対して有する債権をもって労働者の賃金債権と相殺することを禁止する趣旨をも包含する。

エ ○ 根拠 法24-Ⅰ、最一小S44.12.18福島県教組事件　CH1 Sec3②

設問の判例では、「賃金支払事務においては、＜中略＞、賃金の過払が生ずることのあることは避けがたいところであり、このような場合、これを精算ないし調整するため、後に支払わるべき賃金から控除できるとすることは、右のような賃金支払事務における実情に徴し合理的理由があるといいうるのみならず、労働者にとっても、このような控除をしても、賃金と関係のない他の債権を自働債権とする相殺の場合とは趣を異にし、実質的にみれば、本来支払わるべき賃金は、その全額の支払を受けた結果となるのである。」とし、このような「適正な賃金の額を支払うための手段たる相殺」については、労働者の同意がなくとも、一定の要件（設問の内容）の下に認められるものとしている。**ウ**の判例との相違に注意。

オ ○ 根拠 法25、則9　CH1 Sec3③

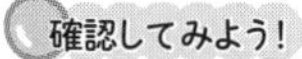

確認してみよう!

法25条にいう「非常の場合」とは、労働者又はその収入によって生計を維持する者が、次のいずれかに該当した場合をいう。

①	出産し、疾病にかかり、又は災害をうけた場合
②	結婚し、又は死亡した場合
③	やむを得ない事由により1週間以上にわたって帰郷する場合

問4 正解 E　正解率 90%

A × 根拠 法26、S22.12.15基発502号　—

法26条は、強行法規をもって、平均賃金の100分の60までを保障しようとする趣旨の規定であって、賃金債権を全額確保しうる民法の規定を排除するものではないから、労働者にとって不利なものとはなっていない。

令和3年度（第53回）
択一式

民法（536条２項前段）では、「債権者の責めに帰すべき事由によって債務を履行することができなくなったときは、債権者は、反対給付の履行を拒むことができない。」とされている。

B　×　根拠 法26、Ｓ24.3.22基収4077号　CH1 Sec3④

労働協約、就業規則又は労働契約により休日と定められている日については、法35条の休日であると、法35条によらない所定の休日であるとにかかわらず、休業手当を支給する義務はない。

C　×　根拠 法26、Ｓ23.7.12基発1031号　CH1 Sec3④

就業規則に設問のような規定を定めたとしても、その規定中の「会社の業務の都合」が、法26条の「使用者の責に帰すべき事由」に該当する場合には、使用者に同条の休業手当の支払義務が生ずる。なお、この場合には、休業手当の額に満たない賃金を支給する旨の規定は無効となる。

D　×　根拠 法26、Ｓ23.6.11基収1998号　CH1 Sec3④

設問の休業は、法26条の「使用者の責に帰すべき事由」に該当する。

確認してみよう！

使用者の責に帰すべき事由による休業に該当するもの	使用者の責に帰すべき事由による休業に該当しないもの
・経営障害（材料不足・輸出不振・資金難・不況等）による休業 ・予告なしに解雇した場合の予告期間中の休業 ・新規学卒採用内定者の自宅待機	・天災地変等の不可抗力による休業 ・労働安全衛生法の規定による健康診断の結果に基づいて行った休業 ・ロックアウトによる休業（社会通念上正当と認められるものに限る） ・代休付与命令による休業 ・休電による休業

E　○　根拠 法26、Ｓ63.3.14基発150号　CH1 Sec3④

Ｄの 確認してみよう! 参照。

問５　正解　Ａ　　正解率 32%

A　○　根拠 法36-Ⅰ　CH1 Sec6③

設問の時間外及び休日労働に関する協定（いわゆる三六協定）は、これを所轄労働基準監督署長に届け出てはじめて適法に時間外労働等を行い得る。したがって、設問においては協定を届け出た令和3年4月9日からその効力が発生するため、令和3年4月1日から令和3年4月8日までに行われた法定労働時間を超える労働は、適法なものとはならない。

B ✕ 根拠 法32の2 CH1 Sec6③

設問のいわゆる1箇月単位の変形労働時間制における労使協定は、その締結により効力が発生するものであり、所轄労働基準監督署長への届出が効力発生要件となっているわけではない。

C ✕ 根拠 法33-Ⅰ、60-Ⅰ、H11.3.31基発168号 CH1 Sec9③

満18歳に満たない者についても、法33条（災害等による臨時の必要がある場合の時間外労働等）の規定は適用される。

確認してみよう！

変形労働時間制、36協定による時間外・休日労働、労働時間及び休憩の特例並びに高度プロフェッショナル制度の規定は、満18歳に満たない者については、これを適用しない。

D ✕ 根拠 法41、66、S61.3.20基発151号・婦発69号 CH1 Sec9④

監督又は管理の地位にある者等法41条に該当する者については、妊産婦であっても法32条（法定労働時間）又は法40条（労働時間及び休憩の特例）等の労働時間に関する規定は適用されない。

確認してみよう！

使用者は、妊産婦が請求した場合には、次のとおりにしなければならない。

① 1箇月単位の変形労働時間制、1年単位の変形労働時間制及び1週間単位の非定型的変形労働時間制を採用している場合であっても、1週間について1週の法定労働時間、1日について1日の法定労働時間を超えて労働させてはならない。

② 災害等若しくは公務のために臨時の必要がある場合又は三六協定を締結している場合であっても、時間外労働をさせてはならず、又は休日に労働させてはならない。

③ 深夜業をさせてはならない。

※「法41条該当者」及び「高度プロフェッショナル制度の対象労働者」については、上記①②の規定は適用されないが、③の規定は適用される。

E ✕ 根拠 法32の3、H30.12.28基発1228第15号 —

フレックスタイム制を導入している場合の法36条による時間外労働に関する協定においては、１日について延長することができる時間を協定する必要はなく、１箇月及び１年について協定すれば足りる。

問６　正解　B　正解率 85%

A　〇　根拠　法65、S23.12.23基発1885号　CH1 Sec9④

B　×　根拠　法65、S26.4.2婦発113号　―

出産の範囲は妊娠４か月以上の分娩であるため、妊娠４か月以後に行った妊娠中絶も出産に含まれる。

C　〇　根拠　法65、S25.3.31基収4057号　CH1 Sec9④

D　〇　根拠　法65-Ⅰ　CH1 Sec9④

確認してみよう！

産前産後休業

産前６週間（多胎妊娠の場合は14週間）	請求した場合には就業禁止
産後８週間	就業禁止（ただし、産後６週間を経過した女性が請求した場合、医師が支障がないと認めた業務に就かせることは、差し支えない。）

E　〇　根拠　法65-Ⅲ、S61.3.20基発151号・婦発69号　CH1 Sec9④

問７　正解　E　正解率 51%

A　×　根拠　法89、H11.3.31基発168号　CH1 Sec10②

設問の場合には、使用者は法89条違反の責任を免れない。なお、設問のうち、就業規則の効力の発生に関する記述は正しい。

B　×　根拠　法89、S63.3.14基発150号　CH1 Sec10②

設問の場合には、就業規則に規定することが必要である。

C　×　根拠　法90、S63.3.14基発150号　CH1 Sec10①

設問のように同一事業場において一部の労働者についてのみ適用される就業規則を別に作成する場合においても、当該事業場の就業規則の一部分であるから、その作成又は変更に際しては、当該事業場に、全労働者の過半数で組織する労働組合がある場合においてはその労働組合、全労働者の過半数で組織する労働組合がない場合においては全労働者の過半数を代表する者の意見を聴かなければならない。

D ✕ 根拠 法91、S26.3.31基収938号 CH1 Sec10③

設問の定めは法91条（制裁規定の制限）に違反しない。

確認してみよう！

労働基準法91条（制裁規定の制限）

就業規則で、労働者に対して減給の制裁を定める場合においては、その減給は、1回の額が平均賃金の1日分の半額を超え、総額が1賃金支払期における賃金の総額の10分の1を超えてはならない。

E ○ 根拠 法91、S25.9.8基収1338号 —

Dの 確認してみよう！ 参照。

問8 正解 E 正解率 42%

A ✕ 根拠 法2-② CH2 Sec1③

労働安全衛生法における「労働者」とは、労働基準法9条に規定する労働者（同居の親族のみを使用する事業又は事務所に使用される者及び家事使用人を除く。）をいう。

B ✕ 根拠 法5、S47.11.15基発725号 CH2 Sec1④

設問の場合、当該事業の仕事に従事する労働者を当該代表者のみが使用する労働者とみなすが、下請負人の労働者も含めてみなすことはしない。なお、その他の記述は正しい。

C ✕ 根拠 法28の2-Ⅰ、則24の11-Ⅰ③ CH2 Sec4①

設問の調査は、「1か月以内」ではなく、「作業方法又は作業手順を新規に採用し、又は変更するとき」に行うものとされている。

D ✕ 根拠 法57の4-Ⅰ CH2 Sec5⑤

「有害性の調査を行うよう努めなければならない」ではなく、「有害性の調査を行い、当該新規化学物質の名称、有害性の調査の結果その他の事項を厚生労働大臣に届け出なければならない」とされている。なお、厚生労働大臣は、当該届出があった場合には、有害性の調査の結果について学識経験者の意見を聴き、当該届出に係る化学物質による労働者の健康障害を防止するため必要があると認めるときは、届出をした事業者に対し、施設又は設備の設置又は整備、保護具の備付けその他の措置を講ずべきことを勧告することができる。

E ○ 根拠 法57の５－ⅠⅢ　―

問９ 正解 D（イ・ウ・エ・オの四つ） 正解率 39%

ア × 根拠 法10－Ⅰ、令２、S47.9.18発基91号　CH2 Sec2①

総括安全衛生管理者は、労働安全衛生法施行令で定める業種の事業場の労働者数を基準として選任するのであり、当該事業場の「企業全体における」労働者数を基準として選任するのではない。なお「事業場」とは、工場、鉱山、事務所、店舗等のように一定の場所において、相関連する組織の下に継続的に行われる作業の一体をいう。

確認してみよう！

総括安全衛生管理者を選任する事業場

業　種	使用労働者数
① 林業、鉱業、建設業、運送業及び清掃業	常時100人以上
② 製造業(物の加工業を含む)、電気業、ガス業、熱供給業、水道業、通信業、各種商品卸売業、家具･建具･じゅう器等卸売業、各種商品小売業、家具･建具･じゅう器小売業、燃料小売業、旅館業、ゴルフ場業、自動車整備業、機械修理業	常時300人以上
③ その他の業種	常時1,000人以上

イ ○ 根拠 法10－Ⅰ①　CH2 Sec2①

確認してみよう！

① 総括安全衛生管理者は、安全管理者、衛生管理者及び救護に関する技術的事項を管理する者の指揮をするとともに、安全衛生に関する業務を統括管理しなければならない。

② 総括安全衛生管理者は、当該事業場においてその事業の実施を統括管理する者をもって充てなければならない（総括安全衛生管理者となるために、特段の資格や免許、経験を有する必要はない。）。

ウ ○ 根拠 法10-Ⅰ②　CH2 Sec2①

エ ○ 根拠 法10-Ⅰ③　CH2 Sec2①

オ ○ 根拠 法10-Ⅰ④　CH2 Sec2①

問10 正解 C　正解率 63%

A × 根拠 法101-Ⅰ　CH2 Sec10④

設問の周知義務は、すべての事業者に課せられており、常時10人以上の労働者を使用する事業場に限るものではない。

B × 根拠 法101-Ⅱ、令5、則98の2-Ⅱ　CH2 Sec10④

設問の周知義務は、産業医の選任をした事業者に課せられており、常時100人以上の労働者を使用する事業場に限るものではない。

得点UP!

産業医を選任した事業者は、その事業場における産業医の業務の内容その他の産業医の業務に関する事項で次の①～③に掲げるものを、常時各作業場の見やすい場所に掲示し、又は備え付けることその他の厚生労働省令で定める方法により、労働者に周知させなければならない。

① 事業場における産業医の業務の具体的な内容
② 産業医に対する健康相談の申出の方法
③ 産業医による労働者の心身の状態に関する情報の取扱いの方法

C ○ 根拠 法101-Ⅳ　―

D × 根拠 法11、12　―

安全管理者又は衛生管理者については、設問のような周知義務はない。なお、産業医についてBの 得点UP! 参照。

確認してみよう!

事業者は、安全管理者又は衛生管理者を選任したときは、遅滞なく、選任報告書を、所轄労働基準監督署長に提出しなければならない。

E × 根拠 則97　―

設問のような周知義務はない。設問の場合は、遅滞なく、電子情報処理組織を使用して、所定の事項を所轄労働基準監督署長に報告しなければならない（労働者死傷病報告）。

労働者死傷病報告は、休業日数が４日未満の場合には、１月から３月まで、４月から６月まで、７月から９月まで及び10月から12月までの期間における最後の月の翌月末日までに行えば足りる。

労働者災害補償保険法（労働保険の保険料の徴収等に関する法律を含む。）

問１　正解　B　　正解率 55%

A　○　根拠 法７－Ⅰ①、S34.5.11基収2212号　　—

B　×　根拠 法７－Ⅰ①、S27.6.5基災収1241号　　—

設問の場合、業務災害と認められない。

C　○　根拠 法７－Ⅰ①、S34.10.13基収5040号　　—

D　○　根拠 法７－Ⅰ①、S42.1.24 41基収7808号　　—

E　○　根拠 法７－Ⅰ①、S32.12.25基収6636号　　—

問２　正解　C　　正解率 20%

A　○　根拠 法７－Ⅰ③、H28.12.28基発1228第１号　　CH3 Sec2③

通勤に係る移動は、合理的な経路により行うことを要するが、他に子を監護する者がいない労働者が、その子を託児所等にあずけるためにとる経路などは、そのような立場にある労働者であれば、当然、就業のためにとらざるを得ない経路であるので、合理的な経路となる。

確認してみよう！

通勤とは、労働者が、就業に関し、次の⑴～⑶に掲げる移動を、合理的な経路及び方法により行うことをいい、業務の性質を有するものを除くものとする。

⑴　住居と就業の場所との間の往復

⑵　厚生労働省令で定める就業の場所から他の就業の場所への移動

⑶　上記⑴に掲げる往復に先行し、又は後続する住居間の移動（厚生労働省令で定める要件に該当するものに限る。）

B　○　根拠 法７－Ⅲ　　CH3 Sec2③

設問の負傷は、通勤に係る移動の経路を逸脱している間に生じたものであり、通勤災害と認められない。

C　×　根拠 法７－Ⅲ、則８、H28.12.28基発1228第１号　　CH3 Sec2③

設問の自動車教習所における教習は、「日常生活上必要な行為であって厚生労働省令で定めるもの」に該当せず、当該教習（中断）後の移動中の負傷は通勤災害と認められない。

確認してみよう！

労働者が、通勤の移動の経路を逸脱し、又は通勤の移動を中断した場合においては、当該逸脱又は中断の間及びその後の移動は、通勤としない。ただし、当該逸脱又は中断が、日常生活上必要な行為であって厚生労働省令で定めるもの（下記①～⑤）をやむを得ない事由により行うための最小限度のものである場合は、当該逸脱又は中断の間を除き、この限りでない。

①	日用品の購入その他これに準ずる行為
②	職業能力開発促進法に規定する公共職業能力開発施設の行う職業訓練、学校教育法に規定する学校において行われる教育その他これらに準ずる教育訓練であって職業能力の開発向上に資するものを受ける行為
③	選挙権の行使その他これに準ずる行為
④	病院又は診療所において診察又は治療を受けることその他これに準ずる行為
⑤	要介護状態にある配偶者、子、父母、孫、祖父母及び兄弟姉妹並びに配偶者の父母の介護（継続的に又は反復して行われるものに限る。）

D ○ 根拠 法７－Ⅱ③、則７－①ロ、H28.12.28基発1228第１号 CH3 Sec2③

いわゆる住居間移動における赴任先住居から帰省先住居への移動の場合、実態等を踏まえて、業務に従事した当日又はその翌日に行われた場合は、就業との関連性を認めて差し支えないものとされており、翌々日以後に行われた場合は、交通機関の状況等の合理的理由があるときに限り、就業との関連性が認められるものとされている。設問は、夏季休暇の２日目（業務に従事した翌々日）の帰省であり、交通機関の状況等に特に問題のない場合であるから、その移動中の負傷は通勤災害と認められない。

確認してみよう！

住居間移動における帰省先住居から赴任先住居への移動が、実態等を踏まえ、業務に就く当日又は前日に行われた場合は、就業との関連性を認めて差し支えない。ただし、前々日以前に行われた場合は、交通機関の状況等の合理的理由があるときに限り、就業との関連性が認められる。

E ○ 根拠 法７－Ⅰ③、H28.12.28基発1228第１号 CH3 Sec2③

通勤に係る移動は、合理的な方法により行うことを要するが、単なる免許証不携帯、免許証更新忘れによる無免許運転の場合等は、諸般の事情を勘案して給付の支給制限が行われることがあるものの、必ずしも合理性を欠くものとして取り扱う必要はないものとされている。

得点UP!
免許を一度も取得したことのないような者が自動車を運転する場合、自動車・自転車等を泥酔して運転するような場合には、合理的な方法と認められない。

問3　正解　D

正解率　72%

A　×　根拠　H15.5.20基発0520002号　　CH3 Sec9①

中小事業主の特別加入に当たっては、事業主と当該事業主の事業に従事する者について包括して加入申請を行うことが前提とされているが、就業実態のない事業主（高齢その他の事情のため、実際に就業しない事業主など）については、事業主が自らを包括加入の対象から除外することを申し出た場合には、特別加入者としないこととされている。

確認してみよう!
就業実態のない事業主（次の①又は②のいずれかに該当するもの）が自らを包括加入の対象から除外することを申し出た場合には、当該事業主を特別加入者としないこととする。
① 病気療養中、高齢その他の事情のため、実際に就業しない事業主
② 事業主の立場において行う事業主本来の業務のみに従事する事業主

B　×　根拠　法35-Ⅰ、則46の22の２　　CH3 Sec9②

設問の者には、通勤災害に関する規定は適用されない。

確認してみよう!
一人親方等の特別加入者のうち、次に掲げる者は、住居と就業の場所との通勤の実態がはっきりとしないため、通勤災害に関する保険給付は、行われない。
① 自動車を使用して行う旅客若しくは貨物の運送の事業又は原動機付自転車若しくは自転車を使用して行う貨物の運送の事業に従事する者（個人タクシー業者、個人貨物運送業者、フリーランスの自転車配達員等）
② 漁船による水産動植物の採捕の事業（船員法１条に規定する船員が行う事業を除く。）に従事する者
③ 特定農作業従事者
④ 指定農業機械作業従事者
⑤ 家内労働者及びその補助者であって、危険有害作業に従事する者

C　×　根拠　法34-Ⅰ④　　CH3 Sec9②

設問の場合、政府は、当該事故に係る保険給付の全部又は一部を行わないことができる。

確認してみよう！

特別加入者の支給制限

政府は、次の事故に係る保険給付の全部又は一部を行わないことができる。

① 保険料滞納による支給制限
特別加入者の業務災害、複数業務要因災害又は通勤災害の原因である事故が、特別加入保険料が滞納されている期間（督促状の指定期限後の期間に限る。）中に生じたものであるとき
② 故意又は重大な過失による業務災害に係る支給制限
中小事業主等の特別加入者の業務災害の原因である事故が、当該事業主の故意又は重大な過失によって生じたものであるとき

D ○ 根拠 法33-⑦、S52.3.30基発192号 CH3 Sec9①

海外派遣者として特別加入することができるのは、新たに派遣される者に限られるものではなく、したがって、既に海外の事業に派遣されている者についても特別加入することができる。なお、海外の事業で直接採用された者（現地採用者）は、特別加入の対象とならない。

E ✕ 根拠 則46の18-⑤、H30.2.8基発0208第１号 CH3 Sec9①

家事支援従事者が特別加入者として追加される前（平成30年４月１日前）に介護作業従事者として特別加入している者は、平成30年４月１日以後は介護及び家事支援のいずれの作業にも従事するものとして取り扱われ、設問の場合、業務災害と認められることがある。

得点UP！

介護作業、家事支援作業はいずれも則46条の18,5号に規定されている作業であり、実際に行う作業がどちらか一方のみの場合であっても、則46条の18,5号加入者（介護作業従事者及び家事支援従事者）として加入することとなるため、そのいずれの作業にも従事するものとして取り扱われる。

問４ 正解 D 正解率 66%

A ○ 根拠 R5.9.1基発0901第２号 —

B ○ 根拠 R5.9.1基発0901第２号 —

C ○ 根拠 R5.9.1基発0901第２号 —

D ✕ 根拠 R5.9.1基発0901第2号 —

設問の場合、心理的負荷の程度は「中」になる。

E ○ 根拠 R5.9.1基発0901第2号 —

問5 正解 A

正解率 73%

A ○ 根拠 則14-V、H23.2.1基発0201第1号 CH3 Sec5①

設問の場合、いわゆる加重に該当するため、障害補償年金の額は、現在の第5級に応ずる障害補償年金の額（給付基礎日額の184日分）から、既にあった第8級に応ずる障害補償一時金の額（給付基礎日額の503日分）を25で除して得た額を差し引いた額（給付基礎日額の163.88日分）となる。

確認してみよう！

加重

① 既にあった障害及び加重後の障害がともに障害等級第7級以上（年金）の場合

加重後の障害（補償）等年金の額	−	既存障害の等級に応ずる障害（補償）等年金の額

② 既にあった障害及び加重後の障害がともに障害等級第8級以下（一時金）の場合

加重後の障害（補償）等一時金の額	−	既存障害の等級に応ずる障害（補償）等一時金の額

③ 既にあった障害が第8級以下（一時金）で加重後の障害が障害等級第7級以上（年金）の場合

加重後の障害（補償）等年金の額	−	既存障害の等級に応ずる障害（補償）等一時金の額×1/25

B ✕ 根拠 則14-V、H23.2.1基発0201第1号 CH3 Sec5①

解説A参照。

C ✕ 根拠 則14-V、H23.2.1基発0201第1号 CH3 Sec5①

解説A参照。

D ✕ 根拠 則14-V、H23.2.1基発0201第1号 CH3 Sec5①

解説A参照。

E ✕ 根拠 則14-V、H23.2.1基発0201第1号 CH3 Sec5①

解説**A**参照。

問6　正解　A　　正解率 87%

A　✕　根拠 法16の７　　CH3 Sec6③

労働者の死亡当時その収入によって生計を維持していた父母は、労働者の死亡当時その収入によって生計を維持していなかった配偶者より「後順位」となる。

確認してみよう！

遺族（補償）等一時金の受給権者

遺族（補償）等一時金を受けることができる遺族は、次の①から④に掲げる者であり、また、その支給を受けるべき遺族の順位は、次の①、②、③、④の順序により、②、③に掲げる者のうちにあっては、それぞれ、②、③に掲げる順序による。

①	配偶者
②	労働者の死亡の当時その収入によって生計を維持していた子、父母、孫及び祖父母
③	労働者の死亡の当時その収入によって生計を維持していなかった子、父母、孫及び祖父母
④	兄弟姉妹

B　〇　根拠 法16の７　　CH3 Sec6③

Aの 確認してみよう！ 参照。

C　〇　根拠 法16の７　　CH3 Sec6③

Aの 確認してみよう！ 参照。

D　〇　根拠 法16の７　　CH3 Sec6③

Aの 確認してみよう！ 参照。

E　〇　根拠 法16の７　　CH3 Sec6③

Aの 確認してみよう！ 参照。

問7　正解　E　　正解率 75%

A　〇　根拠 H9.2.3基発65号　　—

B　〇　根拠 H9.2.3基発65号　　—

C　〇　根拠 H9.2.3基発65号　　—

D ○ 根拠 H9.2.3基発65号 —

E × 根拠 H9.2.3基発65号 —

一般に上肢障害は、業務から離れ、あるいは業務から離れないまでも適切な作業の指導・改善等を行い就業すれば、症状は軽快し、また、適切な療養を行うことによっておおむね「３か月」程度で症状が軽快すると考えられ、手術が施行された場合でも一般的におおむね「６か月」程度の療養が行われれば治ゆするものと考えられるので留意することとされている。

問８ 正解 D 正解率 43%

A × 根拠 法３、整備法７ CH5 Sec1③

設問の場合、「該当するに至った日の翌日」ではなく、「該当するに至った日」に、当該事業について労災保険に係る保険関係が成立する。

B × 根拠 整備法５－Ⅰ、整備省令１、14 CH5 Sec1③

設問の場合、「厚生労働大臣の認可があった日の翌日」ではなく、「厚生労働大臣の認可があった日」に、当該事業について労災保険に係る保険関係が成立する。

C × 根拠 整備法８－Ⅱ③ CH5 Sec1④

設問の事業（特例として行う労災保険の保険給付が行われることとなった労働者を使用する事業）については、特別保険料が徴収されるため、保険関係が成立した後１年以上を経過していても、「特別保険料の徴収期間」が経過するまでの間は脱退が認められないこととなる。

確認してみよう！

労災保険の消滅申請の要件

①	その事業に使用される労働者の過半数の同意を得ること
②	擬制任意適用事業以外の事業にあっては、保険関係が成立した後１年を経過していること
③	特別保険料が徴収される場合は、特別保険料の徴収期間を経過していること

D ○ 根拠 整備法８－Ⅰ、整備省令３－Ⅰ、14 CH5 Sec1④

E × 根拠 整備法８－Ⅰ CH5 Sec1④

設問の認可により労災保険に係る保険関係が消滅した場合に、当該消滅に同意しなかった者について個別に保険関係が存続するという規定はない。

問９　正解　C　正解率 38%

A　〇　根拠　法15-ⅠⅡ、則38-Ⅳ　CH5 Sec4②

確認してみよう！
納入告知書により通知が行われるのは、次のものである。

①	確定保険料の認定決定及び追徴金
②	印紙保険料の認定決定及び追徴金
③	有期事業のメリット制の適用による確定保険料の差額徴収
④	特例納付保険料の額及び納期限

※上記以外については、納付書によって行う。

B　〇　根拠　法３、15-Ⅱ、18、則28-Ⅰ　CH5 Sec4①④

確認してみよう！
有期事業の延納の要件

①	次のいずれかに該当していること ⓐ　納付すべき概算保険料の額が75万円以上の事業であること ⓑ　事業に係る労働保険事務の処理が労働保険事務組合に委託されている事業であること
②	事業の全期間が６月以内の事業ではないこと

C　×　根拠　法15-ⅠⅡ、16、則24-Ⅱ、25-Ⅱ　―

増加概算保険料に係る申告書の記載事項として、「保険料算定基礎額の見込額が増加した年月日」等が規定されており、概算保険料に係る申告書の記載事項と同一ではない。

D　〇　根拠　法15-Ⅲ、則１-Ⅲ　CH5 Sec4⑦

E　〇　根拠　法15-Ⅳ　CH5 Sec4⑦

問10　正解　C　正解率 74%

A　〇　根拠　法７、則６-Ⅰ①　CH5 Sec2①

確認してみよう！

有期事業の一括の要件

①	それぞれの事業の事業主が同一人であること
②	それぞれの事業が有期事業であること
③	それぞれの事業が、労災保険に係る保険関係が成立している事業のうち、建設の事業であり、又は立木の伐採の事業であること
④	それぞれの事業の規模が、概算保険料を算定することとした場合における概算保険料の額に相当する額が160万円未満であり、かつ、建設の事業にあっては、請負金額（消費税等相当額を除く）が１億8,000万円未満、立木の伐採の事業にあっては、素材の見込生産量が1,000立方メートル未満であること
⑤	それぞれの事業が、他のいずれかの事業の全部又は一部と同時に行われること
⑥	それぞれの事業が、労災保険率表に掲げる事業の種類を同じくすること
⑦	それぞれの事業に係る労働保険料の納付の事務が１の事務所（一括事務所）で取り扱われること

B ○ 根拠 法７、則６－Ⅱ① CH5 Sec2①

Aの確認してみよう！参照。

C × 根拠 法７、則６－Ⅱ②、S40.7.31基発901号 CH5 Sec2①

有期事業の一括が適用されるには、労働保険徴収法施行規則別表第１（労災保険率表）に掲げる「事業の種類を同じくすること」が要件とされており、労災保険率が同じ事業であっても、事業の種類が異なる場合は、有期事業の一括の対象とはされない。Aの確認してみよう！参照。

D ○ 根拠 法７、S40.7.31基発901号 CH5 Sec2①

「事業主」とは、個人企業の場合は個人、法人企業の場合は法人であるので、設問のように代表取締役が同一人であることは、「事業主が同一人であること」には該当しない。

E ○ 根拠 法７、S40.7.31基発901号 —

X会社がY会社の下請として施工する建設の事業は、労働保険徴収法の規定の適用については、その事業を一の事業とみなし、元請負人（Y会社）のみが当該事業の事業主とされる（請負事業の一括）。したがって、X会社が下請として施工する建設の事業（Y会社のみが事業主とされる）は、X会社が元請として施工する有期事業と「事業主が同一人であること」とする有期事業の一括の要件を満たさないこととなり、有期事業の一括は行われない。

雇用保険法（労働保険の保険料の徴収等に関する法律を含む。）

問1　正解　D　　正解率 59%

A　〇　根拠 行政手引20303　—

なお、「1週間の所定労働時間」とは、就業規則、雇用契約書等により、その者が通常の週に勤務すべきこととされている時間をいい、この場合の「通常の週」とは、祝祭日及びその振替休日、年末年始の休日、夏季休暇等の特別休日（すなわち、週休日その他概ね1か月以内の期間を周期として規則的に与えられる休日以外の休日）を含まない週をいう。

B　〇　根拠 行政手引20303　—

得点UP！

夏季休暇等のため、特定の月の所定労働時間が例外的に長く又は短く定められているときは、当該特定の月以外の通常の月の所定労働時間を12分の52で除して得た時間を1週間の所定労働時間とする。

C　〇　根拠 行政手引20303　—

D　×　根拠 行政手引20303　—

所定労働時間が1年間の単位で定められている場合であっても、さらに、週又は月を単位として所定労働時間が定められている場合には、当該週又は月を単位として定められた所定労働時間により1週間の所定労働時間を算定することとされている。

確認してみよう！

所定労働時間が1年間の単位でしか定められていない場合には、当該時間を52で除して得た時間を1週間の所定労働時間とする。

E　〇　根拠 行政手引20303　—

なお、設問の場合（雇用契約書等における1週間の所定労働時間と実際の勤務時間に常態的に乖離がある場合であって、当該乖離に合理的な理由がない場合）、具体的には、事業所における入職から離職までの全期間を平均して1週間当たりの通常の実際の勤務時間が概ね20時間以上に満たず、そのことについて合理的な理由がない場合は、原則として1週間の所定労働時間は20時間未満であると判断し、被保険者とならない。

問２ 正解 Ａ　　正解率 94%

A ○ 根拠 法10の３－ⅠⅡ　　CH4 Sec10②

確認してみよう！

未支給の失業等給付の支給を請求することができるのは、死亡した者の配偶者（婚姻の届出をしていないが、事実上婚姻関係と同様の事情にあった者を含む。）、子、父母、孫、祖父母又は兄弟姉妹であって、その者の死亡の当時その者と生計を同じくしていたものであり、未支給の失業等給付の支給を受けるべき者の順位は、この順序による。

B × 根拠 法10の３－Ⅰ　　CH4 Sec10②

未支給の失業等給付は、支給を受けるべき順位にあるその者の遺族が「死亡した者の名」ではなく「自己の名」でその支給を請求することができる。

C × 根拠 法31－Ⅰ、則47、行政手引53103　　—

正当な理由がなく自己の都合によって退職したことにより基本手当を支給しないこととされた期間中の日については、未支給の基本手当は支給されない。

得点UP！

未支給の失業等給付のうち、死亡者が、死亡したため所定の認定日に公共職業安定所に出頭し失業の認定を受けることができなかった基本手当については、当該未認定の日について失業の認定をした上支給される。したがって、次の①～③に掲げる日等本来受給資格者が死亡していなくても失業の認定を受けることができない日については支給されない。

① 待期期間中の日
② 雇用保険法32条１項（就職拒否・職業訓練拒否）若しくは同条２項（職業指導拒否）による給付制限又は同法33条１項（離職理由）による給付制限により基本手当を支給しないこととされた期間中の日
③ 自己の労働による収入があるため、基本手当を支給しないこととされた日

D × 根拠 行政手引53103　　—

設問の場合、原則として、死亡直前に係る失業認定日から死亡日の前日までの基本手当を受けることができることとなり、また、死亡の時刻等を勘案し、死亡の日を含めて失業の認定ができる場合（おおむね正午以後に死亡した場合）は、死亡直前に係る失業認定日から死亡日までの基本手当を受けることができる。

E × 根拠 則17の２－Ⅰ　　CH4 Sec10②

未支給の失業等給付の支給の請求は、当該受給資格者の死亡の翌日から起算して「６か月以内」にしなければならない。

問3 正解 E 正解率 83%

A ○ 根拠 法22-Ⅲ、61の7-Ⅸ CH4 Sec3⑤

確認してみよう！

次の期間は、算定基礎期間に含まれない。

①	離職後1年以内に被保険者資格を再取得しなかった場合の前の被保険者であった期間
②	基本手当又は特例一時金の支給を受けたことがある場合の当該給付の支給の算定基礎となった被保険者であった期間
③	育児休業給付金又は出生時育児休業給付金の支給を受けたことがある場合の当該給付金の支給に係る休業の期間
④	資格取得の確認が遅れた場合の当該確認があった日の2年前の日（特例対象者にあっては、被保険者の負担すべき労働保険料の額がその者に支払われた賃金から控除されていたことが明らかである時期のうち最も古い時期として厚生労働省令で定める日）前の被保険者であった期間

B ○ 根拠 法22-ⅣⅤ、行政手引23501 CH4 Sec3⑤

Aの 確認してみよう！ 参照。

C ○ 根拠 法22-Ⅲ、行政手引20352 CH4 Sec2②

D ○ 根拠 法22-Ⅲ①、行政手引50302 CH4 Sec3⑤

Aの 確認してみよう！ 参照。

E × 根拠 法22-Ⅲ②、行政手引50302 CH4 Sec3⑤

特例一時金の支給を受け、その特例受給資格に係る離職の日以前の被保険者であった期間は、基本手当の支給に係る算定基礎期間に含まれない（Aの 確認してみよう！ 参照）。また、特例一時金については、算定基礎期間という概念はない。

問4 正解 B 正解率 55%

A × 根拠 法23-Ⅱ①、則35-③、行政手引50305 CH4 Sec3②

設問の者は、特定受給資格者に該当しない。なお、事業所の廃止（当該事業所の事業活動が停止し、再開する見込みがない場合を含み、事業の期間が予定されている事業において当該期間が終了したことによるものを除く。）に伴い離職した受給資格者は、（雇用保険法22条2項に規定する厚生労働省令で定める理由により就職が困難なものを除き）特定受給資格者に該当する。

B　〇　根拠 法13-Ⅲ、則19の２-①、行政手引50305-２　CH4 Sec3②

確認してみよう！

特定理由離職者

特定理由離職者とは、離職した者のうち、倒産・解雇等離職者に該当する者以外の者であって、次のいずれかの理由により離職したものをいう。

① 期間の定めのある労働契約の期間が満了し、かつ、当該労働契約の更新がないこと（その者が当該更新を希望したにもかかわらず、当該更新についての合意が成立するに至らなかった場合に限る。）

② 雇用保険法33条１項の正当な理由

C　×　根拠 法23-Ⅱ②、則36-⑥、行政手引50305　CH4 Sec3②

設問の者は、特定受給資格者に該当する。受給資格を取得した場合に特定受給資格者となる者には、「事業主が労働者の職種転換等に際して、当該労働者の職業生活の継続のために必要な配慮を行っていないことにより離職した者」が掲げられており、設問の者はこれに該当する。

D　×　根拠 法23-Ⅱ②、則36-①、行政手引50305　CH4 Sec3②

設問の者は、特定受給資格者に該当する。受給資格を取得した場合に特定受給資格者となる者には、「解雇（自己の責めに帰すべき重大な理由によるものを除く。）により離職した者」が掲げられており、設問の者はこれに該当する。

E　×　根拠 法13-Ⅲ、則19の２-②、行政手引50305-２　CH4 Sec3②

設問の者は、特定理由離職者に該当しない。

問５　正解　B　　正解率 79%

A　〇　根拠 法40-Ⅲ　CH4 Sec5②

確認してみよう！

★ 受給期限

① 特例一時金	離職日の翌日から起算して６か月
② 高年齢求職者給付金	離職日の翌日から起算して１年

※特例一時金・高年齢求職者給付金については、受給期限が延長されることはない。

B ✕ 根拠 行政手引55151　CH4 Sec5②

特例一時金については、疾病又は負傷により職業に就くことができない期間があっても、受給期限の延長は認められない。

C ○ 根拠 法40-Ⅳ　CH4 Sec5①

特例一時金についても、待期の規定が適用される。

D ○ 根拠 法附則３、行政手引55104　CH4 Sec5②

短期雇用特例被保険者の被保険者期間は、暦月をとって計算するものであるから、同一暦月において、Ａの事業所において賃金支払の基礎となった日数が11日以上で離職し、直ちにＢ事業所に就職して、賃金支払の基礎となった日数が11日以上ある場合でも、被保険者期間２か月として計算するのでなく、その日数はその暦月において合計して計算されるのであり、したがって、被保険者期間１か月として計算される。

E ○ 根拠 法24-Ⅰカッコ書、41-Ⅰ、令４-Ⅰ、11、令附則４　CH4 Sec5②

なお、この場合に支給される求職者給付は、基本手当、技能習得手当及び寄宿手当に限られる。

確認してみよう！

傷病手当は、受給資格者の所定給付日数から当該受給資格に基づき既に基本手当を支給した日数を差し引いた日数を限度として支給するものであり、所定給付日数という概念のない特例受給資格者に支給されることはない。

問６ 正解 E　正解率 64%

A ○ 根拠 則101の２の11の２-Ⅰ①　CH4 Sec8①

特定一般教育訓練受講予定者（教育訓練給付対象者であって、特定一般教育訓練に係る教育訓練給付金の支給を受けようとするもの）は、当該特定一般教育訓練を開始する日の14日前までに、教育訓練給付金及び教育訓練支援給付金受給資格確認票に設問の書類（キャリアコンサルティングを踏まえて記載した職務経歴等記録書）等を添えて管轄公共職業安定所の長に提出しなければならない。

B ○ 根拠 行政手引58014 —

C ○ 根拠 法60の３-ⅠⅡ CH4 Sec10⑤

不正受給者であっても、その後新たに支給要件を満たした場合には、その新たな支給要件に基づく給付は支給される。

D ○ 根拠 法附則11の２-Ⅰ CH4 Sec8②

教育訓練支援給付金の支給対象となるのは、専門実践教育訓練を開始した日における年齢が45歳未満の者である。

確認してみよう！

教育訓練支援給付金は、教育訓練給付対象者（教育訓練給付金の支給を受けたことがない者のうち、基準日が当該基準日の直前の一般被保険者ではなくなった日から１年（原則）の期間内にある一般被保険者であった者であって、一定の要件を満たす者に限る。）であって、令和９年３月31日以前に一定の専門実践教育訓練を開始したもの（当該教育訓練を開始した日における年齢が45歳未満であるものに限る。）が、当該教育訓練を受けている日（当該教育訓練に係る指定教育訓練実施者によりその旨の証明がされた日に限る。）のうち失業している日（失業していることについての認定を受けた日に限る。）について支給される。

E × 根拠 法60の２-Ⅰ②、則101の２の５-Ⅰ、行政手引58022 —

設問の場合は、傷病手当の支給を受けていても、教育訓練給付適用対象期間の延長の対象となる。

問７ 正解 A 正解率 50%

A ○ 根拠 行政手引59573 —

B × 根拠 法61の７-Ⅵ、行政手引59524 CH4 Sec9④

休業開始時賃金日額は、原則として、育児休業（同一の子について２回以上の育児休業をした場合にあっては、初回の育児休業とする。）を開始した日（又はその開始日の各応当日）前の賃金締切日からその前の賃金締切日翌日までの間に賃金支払基礎日数が11日以上ある場合、その各月を１か月として計算し、休業開始日からさかのぼって６か月の間に支払われた賃金の総額を180で除して得た額で算定される。

得点UP!

基本手当に係る賃金日額は、「算定対象期間において被保険者期間として計算された最後の６か月間に支払われた賃金（臨時に支払われる賃金及び３か月を超える期間ごとに支払われる賃金を除く。以下同じ。）の総額を180で除して得た額」であるが、これは「算定対象期間における最後の完全な６賃金月に支払われた賃金の総額を180で除して得た額を賃金日額とする」ことを意味している。ここにいう「賃金月」とは、同一の事業主の下における賃金締切日の翌日から次の賃金締切日までの期間をいい、「完全な賃金月」とは、当該期間が満１か月あり、かつ、賃金支払基礎日数が11日以上ある賃金月をいう。育児休業給付金の額の算定において用いる「休業開始時賃金日額」等についても賃金日額と同様の取扱いとなる。

C ✕ 根拠 法61の７-Ⅶ　　CH4 Sec9④

事業主から支給単位期間に支払われた賃金の額が、休業開始時賃金日額に支給日数を乗じて得た額の「100分の80」に相当する額であるときは、育児休業給付金は支給されない。

確認してみよう!

育児休業給付金と賃金との調整

①	事業主から支払われた賃金額が休業開始時賃金日額に支給日数を乗じて得た額の30%（13%）以下であるとき	減額されない
②	事業主から支払われた賃金額が休業開始時賃金日額に支給日数を乗じて得た額の30%（13%）を超え80%未満であるとき	休業開始時賃金日額に支給日数を乗じて得た額の80%相当額と事業主から支払われた賃金額との差額が支給される
③	事業主から支払われた賃金額が休業開始時賃金日額に支給日数を乗じて得た額の80%以上であるとき	支給されない

※（　）内は、休業日数（出生時育児休業給付金の支給に係る休業日数を含む。）が通算して180日に達するまでの間

D ✕ 根拠 行政手引59503　　—

男性が育児休業給付金の支給対象となる育児休業を取得する場合は、配偶者の出産予定日又は当該育児休業の申出に係る子の出生日のいずれか早い日から対象育児休業とすることができる。

E ✕ 根拠 法61の７－ⅠⅡ、行政手引59503 —

育児休業給付金の支給対象となる育児休業は、原則として同一の子について２回まで認められている。したがって、設問のように、再度（２回目）同一の子について育児休業を取得した場合には、その休業の理由のいかんにかかわらず、原則として育児休業給付金の支給対象となる。

問８ 正解 D　正解率 10%

A ✕ 根拠 法26-ⅠⅢⅤ CH5 Sec8①

設問の事業主は、特例納付保険料を「納付することができる」とされており、当然に特例納付保険料を納付する義務を負うわけではなく、特例納付保険料の納付を申し出た場合に、特例納付保険料を納付する義務を負うこととなる。

確認してみよう！

特例納付保険料の納付の流れ

① 納付の勧奨
厚生労働大臣は、やむを得ない事情のため勧奨を行うことができない場合を除き、対象事業主に対して、特例納付保険料の納付を勧奨しなければならない。
② 納付の申出
勧奨を受けた対象事業主は、特例納付保険料を納付する旨を、厚生労働大臣に対し、書面により申し出ることができる。
③ 特例納付保険料の納付の通知
政府は、②の申出を受けた場合には、特例納付保険料の額を決定し、期限を指定して、これを対象事業主に通知する。
④ 特例納付保険料の納付
対象事業主は、③の期限までに特例納付保険料を納付しなければならない。

B ✕ 根拠 法26-Ⅰ、則56-Ⅰ、57 CH5 Sec8②

特例納付保険料の基本額に加算されるのは、当該特例納付保険料の基本額に100分の10を乗じて得た「加算額」であって、「同法第21条第１項の追徴金の額」ではない。特例納付保険料の額は、追徴金と同様の趣旨により、基本額に加算額（基本額に100分の10を乗じて得た額）を加算した額とされているが、加算額はあくまで特例納付保険料の額の一部であり、追徴金ではない。

確認してみよう！

特例納付保険料は、本来申告などにより事業主が納めるべき義務が課せられている性質の保険料ではないため、追徴金の規定は適用されない。

C ✕ 根拠 則38の4 CH5 Sec5⑤

特例納付保険料は、口座振替による納付の対象とはされていない。

確認してみよう！

口座振替による納付の対象となる労働保険料

①	概算保険料
②	延納により納付する概算保険料
③	確定保険料

D ○ 根拠 法26～28 —

確認してみよう！

特例納付保険料を納付する旨を申し出た場合は、所定の納期限までに特例納付保険料を納付しなければならないこととされるので、督促、滞納処分及び延滞金の規定が適用される。

E ✕ 根拠 則59 CH5 Sec8④

設問の場合、所轄都道府県労働局歳入徴収官は、「労働保険料の増加額及びその算定の基礎となる事項並びに納期限」ではなく、「特例納付保険料の額及び納期限」を通知しなければならない。なお、設問前半の納期限についての記述は正しい。

問9 正解 E 正解率 54%

A ○ 根拠 法36、則68-③ CH5 Sec10③

確認してみよう！

労働保険事務組合は、労働保険事務の処理を委託している事業主ごとに「①労働保険事務等処理委託事業主名簿及び②労働保険料等徴収及び納付簿」を、雇用保険に係る保険関係が成立している事業にあっては、労働保険事務の処理の委託をしている事業主ごとに「③雇用保険被保険者関係届出事務等処理簿」を事務所に備えておかなければならない。

B ○ 根拠 法33-Ⅰ、則62-Ⅰ CH5 Sec10①

C 〇 根拠 法33-Ⅰ、H12.3.31発労徴31号 CH5 Sec10①

確認してみよう！

次の事務は、労働保険事務組合に処理を委託することができる事務の範囲に含まれない。

①	労災保険の保険給付及び社会復帰促進等事業として行う特別支給金に関する請求書等に係る事務手続及びその代行
②	雇用保険の失業等給付等に関する請求書等に係る事務手続及びその代行
③	雇用保険の二事業に係る事務手続及びその代行
④	印紙保険料に関する事項

D 〇 根拠 則69 —

E ✕ 根拠 則64-Ⅰ CH5 Sec10③

設問の届書は、「委託を受けた日の翌日から起算して14日以内に」ではなく、「遅滞なく」提出しなければならない。なお、労働保険事務組合は、労働保険事務の処理の委託の解除があったときは、遅滞なく、所定の事項を記載した届書を、その主たる事務所の所在地を管轄する都道府県労働局長に提出しなければならない。

確認してみよう！

労働保険事務組合は、労働保険事務組合認可申請書又は当該申請書に係る一定の添付書類に記載された事項に変更を生じた場合には、その変更があった日の翌日から起算して14日以内に、その旨を記載した届書をその主たる事務所の所在地を管轄する都道府県労働局長に提出しなければならない。

問10 正解 C 正解率 53%

A ✕ 根拠 則27-Ⅰ CH5 Sec4④

設問の場合、令和元年度の概算保険料は、「３期」ではなく、「２期」に分けて納付することが認められる（７月10日に保険関係が成立しているため、７月10日から11月30日までを最初の期、12月１日から翌年３月31日までを第２期とする。）。なお、納付期日についての記述は正しい。

確認してみよう！

✪ 年度の途中で保険関係が成立した場合の最初の期

４月１日から５月31日までに保険関係が成立した事業については保険関係成立の日から７月31日までを、６月１日から９月30日までに保険関係が成立した事業については保険関係成立の日から11月30日までを最初の期とする。

B ✕ 根拠 法15-Ⅰ①、則24-Ⅰ　CH5 Sec4③

設問の場合、令和２年度における賃金総額の見込額が7,400万円、令和元年度の賃金総額の確定額が4,000万円であり、令和２年度の賃金総額の見込額が令和元年度の賃金総額の確定額の100分の50以上100分の200以下となっていることから、令和２年度の概算保険料の額の算定に当たっては、「令和元年度の賃金総額」を用いて計算することとなる。したがって、令和２年度の概算保険料は、「4,000万円」×1000分の15＝「60万円」となる。

C ○ 根拠 法15-Ⅰ①、19-Ⅲ、則27　CH5 Sec4③④

設問の場合、令和３年度における賃金総額の見込額が3,600万円、令和２年度の賃金総額の確定額が7,600万円であり、令和３年度の賃金総額の見込額が令和２年度の賃金総額の確定額の100分の50以上100分の200以下の範囲内でないことから、令和３年度の概算保険料の額の算定に当たっては、「令和３年度の賃金総額の見込額」を用いて計算することとなる。また、前保険年度より保険関係が引き続く場合は、労働保険料は３期に分けて納付することができる。したがって、設問の場合、令和３年度の最初の期分と令和２年度の確定精算分とを合わせた額が、第１期分の保険料となる。

D ✕ 根拠 法16、則25-Ⅰ　CH5 Sec4⑤

設問の場合、増加後の賃金総額の見込額が増加前の賃金総額の見込額の100分の200を超えていないことから、増加概算保険料を納付する必要はない。

確認してみよう！

✪ 増加概算保険料の納付要件

① 保険料算定基礎額が増加した場合
ⓐ 増加後の保険料算定基礎額の見込額が増加前の保険料算定基礎額の見込額の100分の200を超えること ⓑ 増加後の保険料算定基礎額の見込額に基づき算定した概算保険料の額と既に納付した概算保険料の額との差額が13万円以上であること
② 労災保険又は雇用保険に係る保険関係のみが成立していた事業が両保険関係とも成立するに至った場合
ⓐ 変更後の一般保険料率に基づき算定した概算保険料の額が既に納付した概算保険料の額の100分の200を超えること ⓑ 変更後の一般保険料率に基づき算定した概算保険料の額と既に納付した概算保険料の額との差額が13万円以上であること

E ✕ 根拠 則29-Ⅰ　　CH5 Sec4⑦

事業主は、いわゆる概算保険料の認定決定を受けた場合であっても、延納の要件に該当するときは、当該概算保険料の延納の申請を行うことができる。

労務管理その他の労働及び社会保険に関する一般常識

問1 正解 B　　正解率 45%

A ○ 根拠「令和元年版労働経済白書(厚生労働省)」P.126　—

B × 根拠「令和元年版労働経済白書(厚生労働省)」P.126、127　—

正社員について、働きやすさの向上のために、労働者が重要と考えている企業側の雇用管理を男女別・年齢階層別にみると、男女ともにいずれの年齢階級においても「職場の人間関係やコミュニケーションの円滑化」が最も多くなっている。なお、次いで「有給休暇の取得促進」、「労働時間の短縮や働き方の柔軟化」が高くなっている。

C ○ 根拠「令和元年版労働経済白書(厚生労働省)」P.130　—

D ○ 根拠「令和元年版労働経済白書(厚生労働省)」P.134、135　—

E ○ 根拠「令和元年版労働経済白書(厚生労働省)」P.133　—

問2 正解 C　　正解率 66%

A × 根拠「令和元年就業形態の多様化に関する総合実態調査の概況(厚生労働省)」　—

「正社員以外の労働者がいる事業所」は84.1％で、前回調査（平成26年）の80.1％と比べて「上昇」している。

B × 根拠「令和元年就業形態の多様化に関する総合実態調査の概況(厚生労働省)」　—

正社員以外の就業形態別事業所割合をみると、「パートタイム労働者がいる」が65.9％と最も高くなっている。

C ○ 根拠「令和元年就業形態の多様化に関する総合実態調査の概況(厚生労働省)」　—

D × 根拠「令和元年就業形態の多様化に関する総合実態調査の概況(厚生労働省)」　—

正社員以外の労働者を活用する上での問題点（複数回答）をみると、「良質な人材の確保」56.8%が最も高くなっている。

E　×　根拠「令和元年就業形態の多様化に関する総合実態調査の概況（厚生労働省）」

—

期間を定めない雇用契約への変更希望の有無をみると、「希望しない」が47.1%、「希望する」が35.0%で、「希望しない」が「希望する」を上回っている。

問３　正解　B　正解率 30%

A　○　根拠 労契法７、H24.8.10基発0810第２号　CH6 Sec2①

なお、就業規則が存在する事業場で使用者が就業規則の変更を行った場合については、労働契約法10条の問題となる。

B　×　根拠 労契法10、H24.8.10基発0810第２号　—

「労働組合等」には、労働者の過半数で組織する労働組合その他の多数労働組合や事業場の過半数を代表する労働者のほか、少数労働組合や、労働者で構成されその意思を代表する親睦団体等労働者の意思を代表するものが広く含まれる。

C　○　根拠 労契法13、H24.8.10基発0810第２号　—

得点UP!

労働契約法13条の「労働協約」とは、労働組合法14条にいう「労働組合と使用者又はその団体との間の労働条件その他に関する」合意で、「書面に作成し、両当事者が署名し、又は記名押印したもの」をいい、また、同条の「労働協約に反する場合」とは、就業規則の内容が労働協約において定められた労働条件その他労働者の待遇に関する基準（規範的部分）に反する場合をいう。

D　○　根拠 労契法18-Ⅰ、H24.8.10基発0810第２号　CH6 Sec2①

なお、無期労働契約に転換した後における解雇については、個々の事情により判断されるものであるが、一般的には、勤務地や職務が限定されている等労働条件や雇用管理がいわゆる正社員と大きく異なるような労働者については、こうした限定等の事情がない、いわゆる正社員と当然には同列に扱われることにならないと解される。

E　○　根拠 労契法19、H24.8.10基発0810第２号　—

問4 正解 C（イとエ） 正解率 79%

ア ○ 根拠 H27.3.25厚労告117号 —

確認してみよう！

① **募集及び採用時の合理的配慮**

事業主は、労働者の募集及び採用について、障害者と障害者でない者との均等な機会の確保の支障となっている事情を改善するため、労働者の募集及び採用に当たり障害者からの申出により当該障害者の障害の特性に配慮した必要な措置を講じなければならない。ただし、事業主に対して過重な負担を及ぼすこととなるときは、この限りでない。

② **採用後の合理的配慮**

事業主は、障害者である労働者について、障害者でない労働者との均等な待遇の確保又は障害者である労働者の有する能力の有効な発揮の支障となっている事情を改善するため、その雇用する障害者である労働者の障害の特性に配慮した職務の円滑な遂行に必要な施設の整備、援助を行う者の配置その他の必要な措置を講じなければならない。ただし、事業主に対して過重な負担を及ぼすこととなるときは、この限りでない。

イ × 根拠 高齢法10の2 CH6 Sec3④

設問の事業主は、設問の措置を講ずることにより、65歳から70歳までの安定した雇用を確保するよう「努めなければならない」（努力義務）とされている。

ウ ○ 根拠 労働施策総合推進法30の2－Ⅰ、（R元）法附則3 —

なお、中小事業主については、令和4年4月1日から設問の義務規定が適用されている。

エ × 根拠 H30.12.28厚労告430号 —

「短時間・有期雇用労働者及び派遣労働者に対する不合理な待遇の禁止等に関する指針（平成30.12.28厚労告430号）」では、パートタイム・有期雇用労働法8条及び9条に基づき、短時間・有期雇用労働者の待遇に関して、原則となる考え方及び具体例を示している。同指針では、基本給については、「基本給であって、労働者の能力又は経験に応じて支給するものについて、通常の労働者と同一の能力又は経験を有する短時間・有期雇用労働者には、能力又は経験に応じた部分につき、通常の労働者と同一の基本給を支給しなければならない。また、能力又は経験に一定の相違がある場合においては、その相違に応じた基本給を支給しなければならない。」と原則となる考え方を示しており、設問のケースは、「問題とならない例」として挙げられている。

オ ○ 根拠 最一小H26.10.23広島中央保健生活協同組合事件 —

得点UP！

設問の最高裁判所の判例では、「均等法の規定の文言や趣旨等に鑑みると、同法９条３項の規定は、上記の目的及び基本的理念を実現するためにこれに反する事業主による措置を禁止する強行規定として設けられたものと解するのが相当であり、女性労働者につき、妊娠、出産、産前休業の請求、産前産後の休業又は軽易業務への転換等を理由として解雇その他不利益な取扱いをすることは、同項に違反するものとして違法であり、無効であるというべきである。」としている。

問５ 正解 D

正解率 62%

A × 根拠 社労士法27 —

他人に使用され、その指揮命令のもとに事務を行う場合は、社労士法27条にいう「業として」行うには該当しない。

B × 根拠 社労士法２の２ CH10 Sec2③

社会保険労務士は、事業における労務管理その他の労働に関する事項及び労働社会保険諸法令に基づく社会保険に関する事項について、裁判所において、補佐人として、弁護士である訴訟代理人とともに「出頭し、陳述」をすることができるとされているが、「尋問」をすることができるとはされていない。

C × 根拠 社労士法24-Ⅰ —

法24条１項にいう「その業務に関し必要な報告」とは、法令上義務づけられているものに限られず、事務所の経営状態等についての報告も含まれる。

D ○ 根拠 社労士法25の16 CH10 Sec2③

E × 根拠 社労士法25の22の３-Ⅲ —

社会保険労務士法人の解散及び清算を監督する裁判所は、厚生労働大臣に対し、意見を求め、又は調査を嘱託することができるとされており、「必ず厚生労働大臣に対し、意見を求めなければならない」とはされていない。

問６ 正解 A

正解率 54%

A × 根拠 確拠法12 —

企業型年金加入者の資格を取得した月にその資格を喪失した者は、その資格を取得した日にさかのぼって、企業型年金加入者でなかったものとみなされる。

B ○ 根拠 確拠法19-Ⅰ CH10 Sec2①

なお、企業型年金加入者は、政令で定める基準に従い企業型年金規約で定めるところにより、年1回以上、定期的に自ら掛金を拠出することができる。

確認してみよう!

個人型年金加入者は、政令で定めるところにより、年1回以上、定期的に掛金を拠出する。

C ○ 根拠 確拠法19-Ⅳ CH10 Sec2①

なお、事業主掛金の額は、原則として企業型年金規約で定めるものとされているが、簡易企業型年金に係る事業主掛金の額については、政令で定める基準に従い企業型年金規約で定める額とされている。

確認してみよう!

個人型年金加入者掛金の額は、個人型年金規約で定めるところにより、個人型年金加入者が決定し、又は変更する。

D ○ 根拠 確拠法62-Ⅰ③ CH10 Sec2①

E ○ 根拠 確拠法63-Ⅱ —

問7 正解 C 正解率 69%

A × 根拠 国保法7 CH10 Sec1①

都道府県等が行う国民健康保険の被保険者は、都道府県の区域内に住所を有するに至った「日」又は国民健康保険法6条各号（適用除外）のいずれにも該当しなくなった「日」から、その資格を取得する。

B × 根拠 国保法6-⑨ CH10 Sec1①

生活保護法による保護を受けている世帯に属する者は、その保護が停止されている場合を除き、国民健康保険の被保険者とならない。

C ○ 根拠 国保法62 CH10 Sec1①

D × 根拠 国保法87-Ⅰ、88-Ⅰ —

設問後段部分が誤りである。国民健康保険診療報酬審査委員会は、都道府県知事が定める保険医及び保険薬剤師を代表する委員、保険者を代表する委員並びに「公益」を代表する委員をもって組織する。

E　✕　根拠 国保法127-Ⅲ　—

設問の過料は、偽り又は不正の行為により徴収を免れた金額の「10倍」ではなく、「５倍」に相当する金額以下とされている。

問８　正解　D　正解率 71%

A　✕　根拠 介保法129-Ⅳ　CH10 Sec1④

市町村は、第２号被保険者からは保険料を徴収しない。

B　✕　根拠 介保法14、15-Ⅱ　—

介護認定審査会の委員は、介護支援専門員から任命されるのではなく、「要介護者等の保健、医療又は福祉に関する学識経験を有する者」のうちから任命される。なお、介護認定審査会が市町村に置かれるとする設問の記述は正しい。

C　✕　根拠 介保法132-Ⅲ　—

設問の場合、配偶者の一方は、当該保険料を連帯して納付する義務を負う。

確認してみよう！

世帯主は、市町村が当該世帯に属する第１号被保険者の保険料を普通徴収の方法によって徴収しようとする場合において、当該保険料を連帯して納付する義務を負う。

D　〇　根拠 介保法183-Ⅰ、184、191-Ⅰ　CH10 Sec1④

得点UP！

介護保険審査会は、次の①～③に掲げる委員をもって組織し、その定数は、当該①～③に定める数とされており、その委員は、都道府県知事が任命する。

①　被保険者を代表する委員・・・３人
②　市町村を代表する委員・・・３人
③　公益を代表する委員・・・３人以上であって政令で定める基準に従い条例で定める員数

E　✕　根拠 介保法28-Ⅲ　—

設問の場合の要介護更新認定の申請は、要介護認定の有効期間の満了前に当該申請をすることができなかった理由がやんだ日から「１月」以内に限り、することができる。

問9　正解　A　正解率 25%

A　×　根拠 国保法1　CH10 Sec1①

国民健康保険法1条では、「この法律は、国民健康保険事業の健全な運営を確保し、もつて社会保障及び国民保健の向上に寄与することを目的とする。」と規定している。なお、同法2条では、「国民健康保険は、被保険者の疾病、負傷、出産又は死亡に関して必要な保険給付を行うものとする。」と規定している。

B　○　根拠 健保法1　CH7 Sec1①

C　○　根拠 高医法1　CH10 Sec1③

D　○　根拠 船保法1　CH10 Sec1②

E　○　根拠 介保法1　CH10 Sec1④

問10　正解　E　正解率 88%

A　×　根拠「令和2年版厚生労働白書(厚生労働省)」P.296　—

公的年金制度の被保険者数の増減について見てみると、第2号被保険者等（65歳以上70歳未満の厚生年金被保険者を含む。）は対前年比70万人増で、近年増加傾向にある一方、第1号被保険者や第3号被保険者はそれぞれ対前年比34万人、23万人減で、近年減少傾向にある。これらの要因として、被用者保険の適用拡大や厚生年金の加入促進策の実施、高齢者等の就労促進などが考えられる。

B　×　根拠「令和2年版厚生労働白書(厚生労働省)」P.304　—

設問の「老齢年金生活者支援給付金の支給要件に該当している場合は、本人による請求手続きは一切不要である」としている点が誤りである。日本年金機構が受給資格要件に該当する者に対して送付する請求書に、氏名等を記載して返送することが必要である。

C　×　根拠「令和2年版厚生労働白書(厚生労働省)」P.359　—

2008（平成20）年度の後期高齢者医療制度発足時における激変緩和措置として、政令で定めた軽減割合を超えて、予算措置により軽減を行っていたが、世代間・世代内の負担の公平を図り、負担能力に応じた負担を求める観点から、段階的に見直しを実施し、保険料の所得割を５割軽減する特例について、2018（平成30）年度から本則（軽減なし）とし、元被扶養者の保険料の均等割を９割軽減する特例について、2019（令和元）年度から本則（資格取得後２年間に限り５割軽減とする）とするといった見直しを行っている。

D　✕　根拠「令和２年版厚生労働白書（厚生労働省）」P.120　—

社会保障給付費の部門別構成割合の推移を見ると、1989（平成元）年度においては年金が49.5％、医療が39.4％を占めていたが、医療は1990年代半ばから、年金は2004（平成16）年度からその割合が減少に転じ、介護、福祉その他の割合が増加してきている。2017年度には、介護と福祉その他を合わせて21.6％と、1989年度の約２倍となっている。

E　○　根拠「令和２年版厚生労働白書（厚生労働省）」P.355　CH10 Sec3②

健康保険法

問1 正解 B　正解率 61%

A ○ 根拠 法43-Ⅰ、H15.2.25保保発0225004号・庁保険発3号　―

B × 根拠 法43-Ⅰ、R5.6.27事務連絡　―

一時帰休に伴う随時改定は、低額な休業手当等の支払いが継続して3か月を超える場合に行うこととなるが、当該3か月は暦日ではなく、月単位で計算する。したがって、2月19日を一時帰休の開始日とした場合、5月1日をもって「3か月を超える場合」に該当し、2月、3月、4月の報酬を平均して2等級以上の差が生じていれば、5月以降の標準報酬月額から随時改定を行う。ただし、設問のように、5月1日時点で一時帰休の状況が解消している場合には、3か月を超えていないため、随時改定は行わない。

C ○ 根拠 法43-Ⅱ　CH7 Sec4⑤

確認してみよう!

標準報酬月額の有効期間

決定・改定	有効期間	
資格取得時決定	・1/1～5/31に資格取得	その年の8月まで
	・6/1～12/31に資格取得	翌年の8月まで
定時決定		その年の9月～翌年の8月まで
・随時改定 ・育児休業等終了時改定 ・産前産後休業終了時改定	・1月～6月に改定	その年の8月まで
	・7月～12月に改定	翌年の8月まで

D ○ 根拠 法45-Ⅰ、156-Ⅲ　CH7 Sec7②

前月から引き続き被保険者である者がその資格を喪失した場合においては、その資格を喪失した月において支払われた賞与は、保険料賦課の対象にはならないが、標準賞与額として決定され、年度における標準賞与額の累計額に算入される。

E ○ 根拠 法88-Ⅰカッコ書　CH7 Sec3③、Sec5⑦

問2 正解 D　正解率 48%

A ○ 根拠 法70-Ⅱ　CH7 Sec3①

B　○　根拠 法25-Ⅰ　CH7 Sec1④

なお、設問の同意は、各適用事業所について得なければならない。

確認してみよう！

健康保険組合が設立事業所を減少させるときは、健康保険組合の被保険者である組合員の数が、設立事業所を減少させた後においても、常時700人（健康保険組合を共同して設立している場合にあっては、常時3,000人)以上でなければならない。

C　○　根拠 法153　CH7 Sec7①

D　×　根拠 法７の33、令１の２　―

設問の方法以外に、「信託業務を営む金融機関（金融機関の信託業務の兼営等に関する法律１条１項の認可を受けた金融機関をいう。）への金銭信託」により運用することも認められている。

E　○　根拠 法205の４-Ⅰ①、則159の７-①　―

なお、設問の事務は、国民健康保険団体連合会に委託することもできる。

問３　正解　E　正解率 45%

A　×　根拠 法60-Ⅰ　―

設問の「保険者」を「厚生労働大臣」と読み替えると、正しい記述となる。

B　×　根拠 法86-Ⅱ②　CH7 Sec5⑤

食事療養に要した費用は、保険外併用療養費の支給の対象となる。

C　×　根拠 法８　CH7 Sec1④

健康保険組合は、適用事業所の事業主、その適用事業所に使用される被保険者及び「任意継続被保険者」(特定健康保険組合である場合には、これらに加えて特例退職被保険者）をもって組織する。

D　（改正により削除）

E　○　根拠 法55-Ⅳ、公害健康被害の補償等に関する法律14-Ⅰ、公害健康被害の補償等に関する法律施行令７-Ⅰ①　CH7 Sec9⑤

問 4　正解　C（ア・ウ・オの三つ）　正解率 41%

ア　×　根拠 法193-Ⅰ　CH7 Sec10③

療養の給付は現物給付であり、その受ける権利について時効の問題は発生しない。

イ　○　根拠 法26-Ⅲ　CH7 Sec1④

ウ　×　根拠 法203-Ⅰ、令61-Ⅰ①　CH7 Sec8①

設問の事務は、厚生労働大臣が指定する地域をその区域に含む市町村（特別区を含むものとし、地方自治法に規定する指定都市にあっては、区又は総合区とする。）の長が行うものとされている。

エ　○　根拠 法58-Ⅲ　CH7 Sec9②

オ　×　根拠 法３-Ⅰ⑨ニ、R4.9.28保保発0928第６号　―

設問の「その他これらに準ずる者」とは、事業主との雇用関係を存続した上で、事業主の命により又は事業主の承認を受け、大学院等に在学する者（いわゆる社会人大学院生等）としている。

問 5　正解　A　正解率 78%

A　○　根拠 法194の２-Ⅰ　―

確認してみよう！

厚生労働大臣等（設問の者）以外の者は、健康保険事業又は当該事業に関連する事務の遂行のため保険者番号及び被保険者等記号・番号（被保険者等記号・番号等）の利用が特に必要な場合として厚生労働省令で定める場合を除き、何人に対しても、その者又はその者以外の者に係る被保険者等記号・番号等を告知することを求めてはならない。

B　×　根拠 法３-Ⅰ、S24.7.7職発921号　CH7 Sec2⑥

労働組合の専従者は、従前の事業主との関係においては被保険者の資格を喪失し、当該労働組合が適用事業所である場合には、当該労働組合に雇用又は使用される者として被保険者となる。

C　×　根拠 則25-Ⅰ　CH7 Sec4④

設問の「同月末日」を「同月10日」と読み替えると、正しい記述となる。

令和３年度（第53回）
択一式

D ✕ 根拠 法３-Ⅶ、H11.3.19保険発24号・庁保険発４号 —

被保険者と同一の世帯に属することが被扶養者としての要件である者（従来被保険者と住居を共にしていた者に限る。）が、設問の施設に入所することとなった場合においては、病院又は診療所に入院する場合と同様に、一時的な別居であると考えられることから、なお被保険者と住居を共にしていることとして取り扱い、その他の要件に欠けるところがなければ、被扶養者の認定を取り消す必要がない。現に当該施設に入所している者（かつて、被保険者と住居を共にしていた者に限る。）の被扶養者の届出があった場合についても、これに準じて取り扱う。

E ✕ 根拠 法37-Ⅱ CH7 Sec2⑧

保険料の納付の遅延について正当な理由があると保険者が認めたときは、任意継続被保険者となることができる。

問６ 正解 B 正解率 75%

A ✕ 根拠 法208-① CH7 Sec10③

設問の場合には、「６月以下の懲役又は50万円以下の罰金」に処せられる。

B ○ 根拠 法193-Ⅰ、S30.9.7保険発199号の２ CH7 Sec10③

C ✕ 根拠 法116 CH7 Sec9①

健康保険法においては、「被保険者又は被保険者であった者が、自己の故意の犯罪行為により、又は故意に給付事由を生じさせたときは、当該給付事由に係る保険給付は、行わない。」と規定されている。

D ✕ 根拠 法105-Ⅰ CH7 Sec6⑩

埋葬料は、「埋葬を行う者は誰でも」支給を受けることができるのではなく、「被保険者であった者により生計を維持していた者であって、埋葬を行うもの」が支給を受けることができる。

E ✕ 根拠 法85-Ⅶ —

設問の場合は、入院時食事療養費の支給があったものと「みなされる」。

問７ 正解 D 正解率 87%

A ○ 根拠 令22-Ⅰ、則11 —

B ○ 根拠 法101、R3.8.18保発0818第4号 —

確認してみよう！

直接支払制度

出産育児一時金の医療機関等への直接支払制度は、被保険者が医療機関等との間に、出産育児一時金の支給申請及び受取に係る代理契約を締結の上、出産育児一時金の額を限度として、医療機関等が被保険者に代わって出産育児一時金の支給申請及び受取を直接保険者と行うものである。

C ○ 根拠 則74-Ⅰ、R2.3.5保発0305第5号 —

D × 根拠 法101、S8.3.14保規61号 —

設問の場合、出産育児一時金は支給される。設問の場合は、分娩は生存中に開始され、たまたま分娩完了前に死亡が競合したにすぎず、かつ死亡後といえども、分娩を完了させたのみならず、たとえ被保険者が死亡してもその当日は依然被保険者としての資格を有しており、分娩に関する出費は生存中分娩が完了したときと同様であるとされている。

E ○ 根拠 法164-Ⅱ CH7 Sec7⑤

問8 正解 A（アとウ） 正解率 58%

ア × 根拠 法3-Ⅰ⑨イ、(24)法附則46-Ⅰ、R4.9.28保保発0928第6号

CH7 Sec2⑥

設問の4分の3基準を満たさない短時間労働者が被保険者となるには、1週間の所定労働時間が20時間以上であること等一定の要件を満たさなければならないが、設問の短時間労働者の1週間の所定労働時間は18時間であるため、被保険者として取り扱われない。

確認してみよう！

特定適用事業所等に使用される4分の3基準を満たさない短時間労働者は、次に掲げるいずれの要件にも該当しないときは、被保険者となる。

① 1週間の所定労働時間が20時間未満であること。

② 報酬（最低賃金法4条3項各号に掲げる賃金に相当するものとして厚生労働省令で定めるものを除く。）について、法42条1項（資格取得時決定）の規定の例により算定した額が、88,000円未満であること。

③ 学校教育法に規定する高等学校の生徒、同法に規定する大学の学生その他の厚生労働省令で定める者であること。

イ　(改正により削除)

ウ　✕　根拠 法41-Ⅰカッコ書、(24)法附則46-Ⅰ、則24の２　CH7 Sec4④

設問の被保険者に係る定時決定については、報酬支払基礎日数が11日未満の月を算定対象月から除いて報酬月額を算定するため、設問の場合は、「４月」、５月及び６月の報酬月額の平均額をもとにその年の標準報酬月額の定時決定を行う。

エ　○　根拠 法３-Ⅰ、36、Ｈ27.9.30保保発0930第９号　―

オ　○　根拠 法３-Ⅶ、Ｈ5.3.5保発15号・庁保発４号、Ｒ2.4.10事務連絡　CH7 Sec2⑩

※　本問**問８**の**C**及び**D**は、本試験ではそれぞれ（イとエ）、（イとオ）とされていたが、改正によりイを削除したため、**C**及び**D**をそれぞれ（エのみ）、（オのみ）と改題している。

問９　正解　**A:✕、B:✕、C:✕、D:✕**　正解率 **61%**

A　✕　根拠 法114　CH7 Sec6④

家族出産育児一時金は、被保険者の被扶養者が出産したときに支給されるものであるため、被保険者の被扶養者である子が出産した場合にも支給される。

B　✕　根拠 法104、Ｈ19.3.31事務連絡、Ｓ26.5.1保文発1346号　CH7 Sec6⑧

設問の場合には、資格喪失後の出産手当金を受けることはできない。出産手当金は、出産日又は出産予定日以前42日（多胎妊娠の場合は98日）に至った日に受給権が発生するため、資格喪失後の出産手当金が支給されるには、出産日又は出産予定日の42日（98日）前の日が資格喪失日の前日以前であることが必要であり、また、資格喪失の際、現に出産手当金の支給を受けているか受けうる状態にあることを要する。設問の場合には、退職日において通常勤務しているので、資格喪失の際、出産手当金の支給を受けうる状態にはなく、資格喪失後の出産手当金を受けることはできない。

C　✕　根拠 法99-Ⅱ　CH7 Sec6①

傷病手当金の額は、傷病手当金の支給を始める日の属する月以前の直近の継続した期間において標準報酬月額が定められている月が12月以上ある場合は、１日につき、傷病手当金の支給を始める日の属する月以前の直近の継続した12月間の各月の標準報酬月額（被保険者が現に属する保険者等により定められたものに限る。以下同じ。）を平均した額の30分の１に相当する額の３分の２に相当する金額となる。ただし、傷病手当金の支給を始める日の属する月以前の直近の継続した期間において標準報酬月額が定められている月が12月に満たない場合には、①傷病手当金の支給を始める日の属する月以前の直近の継続した各月の標準報酬月額を平均した額の30分の１に相当する額、②傷病手当金の支給を始める日の属する年度の前年度の９月30日における全被保険者の同月の標準報酬月額を平均した額を標準報酬月額の基礎となる報酬月額とみなしたときの標準報酬月額の30分の１に相当する額、のいずれか少ない額の３分の２に相当する金額となる。

D ✕ 根拠 法99-Ⅰ、S3.9.11事発1811号、S4.2.20保理489号 CH7 Sec6①

自費診療で療養を受けた場合であっても、労務不能について相当の証明があるときは支給される。

E （改正により削除）

問10 正解 B 正解率 67%

A ○ 根拠 法43-Ⅰ、R5.6.27事務連絡 —

B ✕ 根拠 法41-Ⅲ CH7 Sec4④

７月から９月までのいずれかの月に育児休業等を終了した際の標準報酬月額の改定若しくは産前産後休業を終了した際の標準報酬月額の改定が行われた場合についても、その年の標準報酬月額の定時決定は行わない。

C ○ 根拠 法167-Ⅰ CH7 Sec7⑤

D ○ 根拠 法165-Ⅰ、H22.3.24保保発0324第３号 —

倒産、解雇などにより離職した者（雇用保険の特定受給資格者）及び雇止めなどにより離職した者（雇用保険の特定理由離職者）については、国民健康保険料（税）を軽減する制度が適用されるが、特定受給資格者等が任意継続被保険者となり、保険料を前納した後に当該国民健康保険料（税）を軽減する制度を知った場合は、当該任意継続被保険者の申出により、当該前納を初めからなかったものとすることができる。

E ○ 根拠 法87-Ⅱ CH7 Sec5⑥

厚生年金保険法

問１　正解　C　　正解率 69%

A　×　根拠 法62-Ⅰ、65　　CH9 Sec7⑤

中高齢寡婦加算の額は、遺族基礎年金の額に４分の３を乗じて得た額に端数処理をして得た額である。

B　×　根拠 (60)法附則73-Ⅰ、別表９　　CH9 Sec7⑤

経過的寡婦加算額が加算されるのは、昭和31年４月１日以前に生まれた妻に支給する遺族厚生年金に限る。したがって、設問の昭和32年４月１日生まれの妻に支給する遺族厚生年金に経過的寡婦加算額は加算されない。

C　○　根拠 法78の35-Ⅰ　　―

D　×　根拠 則78の３-Ⅱ①、78の17-Ⅱ　　―

離婚が成立した日の翌日から起算して２年を経過した日以後に、又は離婚が成立した日の翌日から起算して２年を経過した日前６月以内に、請求すべき按分割合を定めた審判が確定したときは、その確定した日の翌日から起算して６月を経過する日までは３号分割標準報酬改定請求を行うことができる。

E　×　根拠 法78の14-Ⅰただし書、令３の12の11、則78の17-Ⅰ①カッコ書

CH9 Sec8②

特定被保険者が、特定期間の全部をその額の計算の基礎とする障害厚生年金の受給権者であった場合には、当該特定被保険者の被扶養配偶者は、３号分割標準報酬改定請求をすることができない。なお、特定期間の一部のみが障害厚生年金の額の計算の基礎となっている場合には、特定期間のうち障害厚生年金の額の計算の基礎となっていた被保険者期間を除いて、３号分割標準報酬改定請求をすることができる。

問２　正解　E　　正解率 76%

A　×　根拠 (60)法附則59-Ⅱ　　―

経過的加算額は、定額部分の額から老齢基礎年金相当額を控除して得た額であるが、60歳以上の厚生年金保険の被保険者期間は、所定の上限月数の範囲内で定額部分の額の計算の基礎とされる。なお、60歳以上の厚生年金保険の被保険者期

間は、老齢基礎年金相当額の計算の基礎とされない。

B × 根拠 (60)法附則59-Ⅱ　CH9 Sec4⑤

経過的加算額の計算において、定額部分の額については、第３種被保険者期間に係る特例が適用されるが、老齢基礎年金相当額については、第３種被保険者期間に係る特例は適用されない。

C × 根拠 則22-Ⅰ　CH9 Sec2②

第１号厚生年金被保険者（船員被保険者を除く。）の資格喪失の届出は、当該事実があった日から５日以内に、所定の届書又は当該届書に記載すべき事項を記録した光ディスクを日本年金機構に提出することによって行うものとされている。

D × 根拠 則22-Ⅳ　CH9 Sec2②

船員被保険者の資格喪失の届出は、当該事実があった日から10日以内に、被保険者の氏名等、所定の事項を記載した届書を日本年金機構に提出することによって行うものとされている。

E ○ 根拠 則22-Ⅰ②　CH9 Sec2⑤

確認してみよう！

高齢任意加入被保険者の資格喪失の事由が次に掲げるものであるときは、資格喪失の届出は必要ない。

① 老齢厚生年金、老齢基礎年金その他の老齢又は退職を支給事由とする年金たる給付であって政令で定める給付の受給権を取得したとき

② 適用事業所に使用される高齢任意加入被保険者が、実施機関に申し出て、被保険者の資格を喪失するとき

③ 適用事業所以外の事業所に使用される高齢任意加入被保険者が、厚生労働大臣の資格喪失の認可を受けたとき

④ 適用事業所に使用される高齢任意加入被保険者が、保険料（初めて納付すべき保険料を除く。）を滞納し、督促状の指定の期限までに、その保険料を納付しないとき（保険料の負担及び納付に係る事業主の同意があるときを除く。）

問3 正解 A　正解率 72%

A × 根拠 法44-Ⅳ⑨　CH9 Sec4⑤

18歳に達する日以後の最初の３月31日までの間にある子が、障害等級２級に該当する程度の障害の状態でなくなった場合であっても、その時点では加給年金額の加算対象から外れない。その後、18歳に達する日以後の最初の３月31日が終了

したときに、加給年金額の加算対象から外れることとなる。

B　〇　根拠 H23.3.23年発0323第１号　―

加給年金額の生計維持認定対象者に係る生計同一関係の認定に当たっては、配偶者又は子について、住民票上の住所が受給権者と異なっている場合であっても、次の①又は②のいずれかに該当するときは、生計を同じくする者に該当するものとされ、加給年金額の加算の対象となり得る。

①　現に起居を共にし、かつ、消費生活上の家計を一つにしていると認められるとき

②　単身赴任、就学又は病気療養等の止むを得ない事情により住所が住民票上異なっているが、次のような事実が認められ、その事情が消滅したときは、起居を共にし、消費生活上の家計を一つにすると認められるとき

ア　生活費、療養費等の経済的な援助が行われていること

イ　定期的に音信、訪問が行われていること

C　〇　根拠 法附則８の２－ⅠⅡ　CH9 Sec5②

昭和35年８月22日生まれの第１号厚生年金被保険者期間のみを有する女子に係る特別支給の老齢厚生年金の支給開始年齢は62歳、同日生まれの第１号厚生年金被保険者期間のみを有する男子に係る特別支給の老齢厚生年金の支給開始年齢は64歳である。

確認してみよう！

特別支給の老齢厚生年金の支給開始年齢の引上げ

① 定額部分の引上げ

生年月日		支給開始年齢	
男子・第２号〜４号女子	第１号女子	定額部分	報酬比例部分
S16. 4. 2 〜 S18. 4. 1	S21. 4. 2 〜 S23. 4. 1	61歳	60歳
S18. 4. 2 〜 S20. 4. 1	S23. 4. 2 〜 S25. 4. 1	62歳	
S20. 4. 2 〜 S22. 4. 1	S25. 4. 2 〜 S27. 4. 1	63歳	
S22. 4. 2 〜 S24. 4. 1	S27. 4. 2 〜 S29. 4. 1	64歳	
S24. 4. 2 〜 S28. 4. 1	S29. 4. 2 〜 S33. 4. 1	引上げ完了	

② 報酬比例部分の引上げ

生年月日		支給開始年齢	
男子・第２号〜４号女子	第１号女子	定額部分	報酬比例部分
S28. 4. 2 〜 S30. 4. 1	S33. 4. 2 〜 S35. 4. 1		61歳
S30. 4. 2 〜 S32. 4. 1	S35. 4. 2 〜 S37. 4. 1		62歳
S32. 4. 2 〜 S34. 4. 1	S37. 4. 2 〜 S39. 4. 1		63歳
S34. 4. 2 〜 S36. 4. 1	S39. 4. 2 〜 S41. 4. 1		64歳

D ○ 根拠 法附則８の２－ⅠⅡ　CH9 Sec5②

昭和35年８月22日生まれの第４号厚生年金被保険者期間のみを有する女子及び同日生まれの第４号厚生年金被保険者期間のみを有する男子に係る特別支給の老齢厚生年金の支給開始年齢は、いずれも64歳である。

E ○ 根拠 (12)法附則22－Ⅰ　CH9 Sec7⑧

問４ 正解 B（アとウ）　正解率 78%

ア ○ 根拠 法47の３－Ⅲ　CH9 Sec6②

基準傷病による障害厚生年金の受給権は、初めて、基準障害と他の障害とを併合して障害等級の１級又は２級に該当する程度の障害の状態に該当するに至ったときに発生するが、その支給は、請求があった月の翌月から始まるものとされている。

イ × 根拠 法48－Ⅱ　CH9 Sec6⑤

設問の場合、従前の障害厚生年金の受給権は、消滅する。

ウ　○　根拠 法49-Ⅰ　CH9 Sec6⑤

確認してみよう！

障害厚生年金（その権利を取得した当時から引き続き障害等級の１級又は２級に該当しない程度の障害の状態にある受給権者に係るものを除く。以下同じ。）の受給権者が更に障害厚生年金の受給権を取得した場合において、新たに取得した障害厚生年金が労働基準法の規定による障害補償を受ける権利を取得したことよりその支給を停止すべきものであるときは、その停止すべき期間、その者に対して従前の障害厚生年金を支給する。

エ　×　根拠 法50-Ⅳ　—

設問の場合、従前の障害厚生年金の受給権は消滅する。また、支給される前後の障害を併合した障害の程度による障害厚生年金の額は、従前の障害厚生年金の額に相当する額とする。

オ　×　根拠 法52-Ⅶ、法附則16の３-Ⅱ　CH9 Sec6⑦

65歳以上の者又は国民年金法による老齢基礎年金の受給権者であって障害厚生年金の受給権者である者（当該障害厚生年金と同一の支給事由に基づく障害基礎年金の受給権を有しない者に限る。）については、年金額の改定の請求をすることができず、また、実施機関の職権による改定も行うことはできない。

問５　正解　E（エとオ）　正解率 70%

ア　○　根拠 法58-Ⅰ④、法附則14-Ⅰ　CH9 Sec7①

確認してみよう！

遺族厚生年金は、被保険者又は被保険者であった者が次表の①～④のいずれかに該当する場合に、所定の遺族に支給される。ただし、①又は②に該当する場合には、保険料納付要件を満たしている必要がある。

区分	支給要件	保険料納付要件
短期要件	① 被保険者（失踪の宣告を受けた被保険者であった者であって、行方不明となった当時被保険者であったものを含む。）が、死亡したとき	保険料納付要件必要
短期要件	② 被保険者であった者が、被保険者の資格を喪失した後に、被保険者であった間に初診日がある傷病により当該初診日から起算して5年を経過する日前に死亡したとき	保険料納付要件必要
短期要件	③ 障害等級1級又は2級に該当する障害の状態にある障害厚生年金の受給権者が、死亡したとき	保険料納付要件不要
長期要件	④ 老齢厚生年金の受給権者（保険料納付済期間と保険料免除期間とを合算した期間が25年※以上である者に限る。）又は保険料納付済期間と保険料免除期間とを合算した期間が25年※以上である者が、死亡したとき	保険料納付要件不要

※合算対象期間がある場合は、その期間を含む。

イ ○ 根拠 法58-Ⅰ②、(60)法附則64-Ⅱ　CH9 Sec7①

設問の者は、被保険者の資格を喪失した後に、被保険者であった間に初診日がある傷病により当該初診日から起算して5年を経過する日前に死亡しており、特例（経過措置）による保険料納付要件（死亡日の属する月の前々月までの1年間のうちに未納期間がないこと。）を満たす場合には、遺族厚生年金の支給対象となる。

確認してみよう！

原則の保険料納付要件を満たさない場合であっても、令和8年4月1日前に死亡した者の死亡については、当該死亡日の前日において当該死亡日の属する月の前々月までの1年間（当該死亡日において国民年金の被保険者でなかった者については、当該死亡日の属する月の前々月以前における直近の国民年金の被保険者期間に係る月までの1年間）のうちに保険料納付済期間及び保険料免除期間以外の国民年金の被保険者期間がないときは、当該死亡に係る者が当該死亡日において65歳以上であるときを除き、特例による保険料納付要件を満たす。

ウ ○ 根拠 法59-Ⅰ②　CH9 Sec7③

子については、18歳に達する日以後の最初の3月31日までの間にあるか、又は20歳未満で障害等級の1級若しくは2級に該当する障害の状態にあり、かつ、現に婚姻をしていないことが、遺族厚生年金を受けることができる遺族の要件とされている。

エ　×　根拠 法63-Ⅰ③　CH9 Sec7⑦

遺族厚生年金の受給権は、受給権者が直系血族及び直系姻族以外の者の養子（届出をしていないが、事実上養子縁組関係と同様の事情にある者を含む。）となったときは、消滅する。設問の乙は、丙にとって直系姻族に当たるため、丙が乙の養子となった場合であっても、丙の遺族厚生年金の受給権は消滅しない。

オ　×　根拠 法63-Ⅰ⑤イ　CH9 Sec7⑦

遺族厚生年金の受給権を取得した当時30歳未満である妻が当該遺族厚生年金と同一の支給事由に基づく国民年金法による遺族基礎年金の受給権を取得しないときは、当該遺族厚生年金の受給権を取得した日から起算して５年を経過したときに、その受給権は消滅する。

問６　正解　D　正解率 91%

A　○　根拠 法28の２-Ⅰ　CH9 Sec2⑪

得点UP！

① 厚生労働大臣は、訂正請求に理由があると認めるときは、当該訂正請求に係る厚生年金保険原簿の訂正をする旨を決定しなければならない。
② 厚生労働大臣は、上記①による決定をする場合を除き、訂正請求に係る厚生年金保険原簿の訂正をしない旨を決定しなければならない。
③ 厚生労働大臣は、上記①②による決定をしようとするときは、あらかじめ、社会保障審議会に諮問しなければならない。

B　○　根拠 法40-Ⅱ、78の25　—

C　○　根拠 法19-Ⅴ　CH9 Sec2⑦

D　×　根拠 法23の２-Ⅰ、23の３-Ⅰ　CH9 Sec3②

育児休業等終了日又は産前産後休業終了日の翌日が属する月以後３か月間に報酬支払の基礎となった日数が17日未満の月があるときは、その月を除いて報酬月額を算定し、標準報酬月額の改定を行う。

E　○　根拠 法23の２-Ⅰ　CH9 Sec3②

標準報酬月額の低下について、理由は問われない。

問7 正解 D 正解率 74%

A ✕ 根拠 法26-Ⅰ CH9 Sec3②

3歳に満たない子を養育する被保険者等の平均標準報酬額の特例は、当該特例の申出が行われた日の属する月前の月にあっては、当該特例の申出が行われた日の属する月の前月までの2年間のうちにあるものに限られる。

B ✕ 根拠 法46-Ⅰ CH9 Sec4⑥、Sec5⑤

基本月額とは、老齢厚生年金の額（その者に加給年金額が加算されていればその額を除いた額）を12で除して得た額のことをいう。

C ✕ 根拠 法24の4-Ⅰ CH9 Sec3③

被保険者が賞与を受けた月における標準賞与額が150万円を超えるときは、これを150万円として決定される。年間の累計額による上限は設けられていない。

D ○ 根拠 法18の2-Ⅱ CH9 Sec2②

確認してみよう！

・第2号厚生年金被保険者、第3号厚生年金被保険者又は第4号厚生年金被保険者は、同時に、第1号厚生年金被保険者の資格を取得しない。
・第1号厚生年金被保険者が同時に第2号厚生年金被保険者、第3号厚生年金被保険者又は第4号厚生年金被保険者の資格を有するに至ったときは、その日に、当該第1号厚生年金被保険者の資格を喪失する。

E ✕ 根拠 令3の13の7 —

2以上の種別の被保険者であった期間を有する者の遺族に支給する遺族厚生年金について中高齢寡婦加算額が加算される場合は、原則として、各号の厚生年金被保険者期間のうち最も長い1の期間に基づく遺族厚生年金について当該加算額が加算される。

問8 正解 E 正解率 61%

A ✕ 根拠 法23-Ⅰ、23の2-Ⅰ、H29.6.2事務連絡 CH9 Sec3②

固定的賃金の増額・減額と、実際の平均報酬月額の増額・減額が一致しない場合、随時改定の対象とはならない。したがって、設問の場合、随時改定には該当せず、育児休業等終了時改定に該当する。

B　×　根拠 法附則７の４－Ⅰ～Ⅲ、令６の４－Ⅰ、則34の３－Ⅰ　CH9 Sec5⑨

基本手当を受給することができるときであっても、求職の申込みをしていなければ、60歳台前半の老齢厚生年金の支給停止は行われない。また、60歳台前半の老齢厚生年金の受給権者が雇用保険法の規定による求職の申込みをしたときは、当該求職の申込みがあった月の翌月から、当該老齢厚生年金は、支給停止される。ただし、当該求職の申込みがあった月の翌月以降の各月について、基本手当の支給を受けた日とみなされる日（実際に失業の認定を受けた基本手当の支給に係る日ではなく、失業認定日の直前にこの「失業の認定を受けた基本手当の支給に係る日」が連続しているものとみなされた日）がないときや、在職老齢年金の仕組みにより、老齢厚生年金の全部又は一部の支給が停止されているときは、その月の分の老齢厚生年金については、支給停止されない。また、基本手当の受給期間が経過した後等に行われる事後精算の仕組みにより、直近の各月について、老齢厚生年金の支給停止が行われなかったものとみなされる場合がある。

C　×　根拠 法60－Ⅰ②、法附則17の２－Ⅰ　CH9 Sec7④

老齢厚生年金の受給権を有する65歳以上の配偶者が遺族厚生年金の受給権を取得したとき（同一の支給事由に基づく遺族基礎年金の支給を受けるときを除く。）は、「死亡した者の老齢厚生年金相当額の４分の３に相当する額（以下本解説において「原則の遺族厚生年金の額」という。）」又は「原則の遺族厚生年金の額に３分の２を乗じて得た額と当該配偶者の老齢厚生年金の額（加給年金額を除く。）に２分の１を乗じて得た額を合算した額」のうちいずれか多い額を当該配偶者に支給する遺族厚生年金の額とする。

D　×　根拠 法46－Ⅵ　CH9 Sec4⑤

加給年金額の加算の対象となる配偶者が、障害等級３級の障害厚生年金を受給している場合も、当該加給年金額は支給停止される。なお、障害手当金を受給する場合は支給停止されない。

E　○　根拠 法44－Ⅰ、78の11　CH9 Sec8①

老齢厚生年金の額の計算の基礎となる被保険者期間の月数が240以上であることが、加給年金額の加算要件の１つとされているが、この場合、離婚時みなし被保険者期間を除いた（実際の）被保険者期間の月数が240以上であることを要する。

問9 正解 B　正解率 49%

A ○ 根拠 法附則8の2-ⅠⅡ　CH9 Sec5②

B × 根拠 法附則8の2-Ⅰ、20-Ⅱ　CH9 Sec5②、Sec9①

2以上の種別の被保険者であった期間を有する者に係る老齢厚生年金について、いわゆる長期加入者の老齢厚生年金の支給要件である「被保険者期間が44年以上であること」の判定については、2以上の種別の被保険者であった期間に係る被保険者期間を合算せず、各号の厚生年金被保険者期間ごとに行う。

C ○ 根拠 法附則29-Ⅰ　CH9 Sec7⑧

最後に国民年金の被保険者の資格を喪失した日（同日において日本国内に住所を有していた者にあっては、同日後初めて、日本国内に住所を有しなくなった日）から起算して2年が経過していなければ、脱退一時金の他の支給要件を満たす限り、その支給を請求することができる。

D ○ 根拠 法附則29-Ⅲ　CH9 Sec7⑩

E ○ 根拠 法36-Ⅰ、38-Ⅰ、44の3-ⅠⅡ、64の2、法附則17　CH9 Sec7④

設問の者は、次の①又は②のいずれかを選択することができる。

① 老齢厚生年金の支給繰下げの申出をし、遺族厚生年金の受給権を取得した月の翌月分から繰り下げた老齢厚生年金の支給を受ける。

② 支給繰下げの申出をせずに通常の裁定請求をし、65歳に達した月の翌月分から通常の老齢厚生年金の支給を受ける。

問10 正解 D　正解率 39%

A × 根拠 法58-Ⅰ①④、58-Ⅱ　CH9 Sec7④

設問のように、死亡した者が、短期要件（被保険者が死亡したこと）に該当し、かつ、長期要件（保険料納付済期間と保険料免除期間とを合算した期間が25年以上である者が死亡したこと）にも該当するときは、その遺族が遺族厚生年金を請求したときに別段の申出をした場合を除き、短期要件のみに該当し、長期要件には該当しないものとみなされる。

B × 根拠 法56-③　CH9 Sec6⑩

障害の程度を定めるべき日において障害手当金の支給事由に係る傷病について

労災保険法の規定による障害補償給付を受ける権利を有する者には、障害手当金は支給されない。

C　×　根拠　法66-Ⅰ、国年法41-Ⅱ　CH9 Sec7⑥

子に対する遺族基礎年金及び遺族厚生年金は、配偶者が遺族基礎年金及び遺族厚生年金の受給権を有する期間、原則として、その支給を停止するとされており、設問のようにその配偶者が他の年金たる保険給付を選択受給することにより配偶者に対する遺族基礎年金及び遺族厚生年金の支給が停止される場合であっても、子に対する遺族基礎年金及び遺族厚生年金の支給停止は解除されず、引き続き支給停止となる。

D　○　根拠　法78の２-Ⅰただし書、令３の12の４、則78の２-Ⅰ①、78の２の２-Ⅰ、78の３-Ⅰ①　―

設問にある法律婚の期間と事実婚の期間は対象期間として通算されず、平成23年３月の離婚が成立した日の翌日から起算して２年を経過しているため、平成13年４月から平成23年３月までの期間についていわゆる合意分割の請求を行うことはできない。

得点UP!

対象期間

⑴ 対象期間は、原則として、次の①～③に掲げる場合の区分に応じ、当該①～③に定める期間とする。

① 離婚（婚姻の届出をしていないが事実上婚姻関係と同様の事情にあった者について、当該事情が解消した場合を除く。以下同じ。）をした場合・・・婚姻が成立した日から離婚が成立した日までの期間

② 婚姻の取消しをした場合・・・婚姻が成立した日から婚姻が取り消された日までの期間

③ 婚姻の届出をしていないが事実上婚姻関係と同様の事情にあった当事者について、当該当事者の一方の被扶養配偶者である第3号被保険者であった当該当事者の他方が当該第3号被保険者としての国民年金の被保険者の資格を喪失し、当該事情が解消したと認められる場合（当該当事者が婚姻の届出をしたことにより当該事情が解消した場合を除く。）・・・婚姻の届出をしていないが事実上婚姻関係と同様の事情にあった当事者の一方が当該当事者の他方の被扶養配偶者である第3号被保険者であった期間〔当該事情が解消しない間に当該第3号被保険者であった期間が複数ある場合にあっては、これらの期間を通算した期間（以下「事実婚第3号被保険者期間」という。）とする。〕

⑵ 婚姻が成立した日前から婚姻の届出をしていないが事実上婚姻関係と同様の事情にあった当事者について、当該当事者が婚姻の届出をしたことにより当該事情が解消し、①又は②に掲げる場合に該当した場合における対象期間は、上記⑴にかかわらず、①又は②に掲げる場合の区分に応じ、当該①又は②に定める期間と事実婚第3号被保険者期間を通算した期間とする。

E × 根拠 法63-Ⅰ② CH9 Sec7⑦

遺族厚生年金の受給権は、受給権者が婚姻（届出をしていないが、事実上婚姻関係と同様の事情にある場合を含む。）をしたときは、消滅する。

国民年金法

問１　正解　B　　　正解率 63%

A　×　根拠 法36-ⅠⅡ　　CH8 Sec5⑩

法30条１項の障害基礎年金は、受給権者が、刑事施設、労役場その他これらに準ずる施設に拘禁されているときであっても、その支給は停止されない。

B　○　根拠 法85-Ⅰ①②、(16)法附則19-Ⅳ、(26)法附則14-Ⅲ　　CH8 Sec3②

C　×　根拠 法附則５-Ⅴ～Ⅷ、９の２-Ⅰカッコ書、(６)法附則23-Ⅴ～Ⅷ、(16)法附則23-Ⅴ～Ⅷ　　CH8 Sec2④

65歳未満の任意加入被保険者は、(特別支給の）老齢厚生年金の受給権を取得した場合であっても、その資格は喪失しない。また、65歳未満の任意加入被保険者は、(繰上げ支給の）老齢基礎年金の支給を受けることはできない。なお、特例の任意加入被保険者が、老齢基礎年金又は老齢厚生年金の受給権を取得した日の翌日にその資格を喪失するとする記述については正しい。

D　×　根拠 (60)法附則16-Ⅰ　　CH8 Sec4⑨

遺族厚生年金の支給を受けることができるときであっても、振替加算の規定により加算された額に相当する部分の支給は停止されない。

E　×　根拠 法115、128-Ⅰ　　CH8 Sec10①

国民年金基金は、加入員又は加入員であった者の障害に関し、一時金の支給を行うことはない。

確認してみよう！

国民年金基金は、加入員又は加入員であった者に対し、年金の支給を行い、あわせて加入員又は加入員であった者の死亡に関し、一時金の支給を行うものとする。

問２　正解　E　　　正解率 75%

A　○　根拠 法21-Ⅲ　　CH8 Sec9③

B　○　根拠 (60)法附則20-Ⅰ　　CH8 Sec5②

C　○　根拠 法９-⑥　　CH8 Sec2③

D ○ 根拠 法130-Ⅱ、基金令24-Ⅰ CH8 Sec10③

E × 根拠 法附則9の4の2-ⅠⅡ CH8 Sec2⑥

設問の届出に係る時効消滅不整合期間は、届出が行われた日以後、「学生納付特例期間」とみなされる。

問3 正解 A 正解率 87%

A × 根拠 法7-Ⅰ③、9、則1の3 CH8 Sec2①

設問の場合、第3号被保険者はその資格を喪失しない。

B ○ 根拠 法7-Ⅰ②③、法附則3 CH8 Sec2①

老齢厚生年金を受給する66歳の厚生年金保険の被保険者は第2号被保険者ではないため、この者の配偶者は第3号被保険者とならない。

C ○ 根拠 法7-Ⅰ①、則1の2-② CH8 Sec2①

確認してみよう！

次に掲げる者は、「国民年金法の適用を除外すべき特別の理由がある者として厚生労働省令で定める者」に該当し、第1号被保険者とならない。

① 日本の国籍を有しない者であって、出入国管理及び難民認定法（「入管法」という。）の規定に基づく活動として法務大臣が定める活動のうち、本邦に相当期間滞在して、病院若しくは診療所に入院し疾病若しくは傷害について医療を受ける活動又は当該入院の前後に当該疾病若しくは傷害について継続して医療を受ける活動を行うもの及びこれらの活動を行う者の日常生活上の世話をする活動を行うもの（医療滞在ビザにより滞在するもの）

② 日本の国籍を有しない者であって、入管法の規定に基づく活動として法務大臣が定める活動のうち、本邦において1年を超えない期間滞在し、観光、保養その他これらに類似する活動を行うもの（観光・保養を目的とするロングステイビザにより滞在するもの）

D ○ 根拠 法7-Ⅰ③、則1の3-③ CH8 Sec2①

確認してみよう！

次に掲げる者は、「外国において留学をする学生その他の日本国内に住所を有しないが渡航目的その他の事情を考慮して日本国内に生活の基礎があると認められる者として厚生労働省令で定める者」に該当し、他の要件を満たす限り、第３号被保険者となることができる。
① 外国において留学をする学生
② 外国に赴任する第２号被保険者に同行する者
③ 観光、保養又はボランティア活動その他就労以外の目的で一時的に海外に渡航する者
④ 第２号被保険者が外国に赴任している間に当該第２号被保険者との身分関係が生じた者であって、②に掲げる者と同等と認められるもの
⑤ ①～④に掲げる者のほか、渡航目的その他の事情を考慮して日本国内に生活の基礎があると認められる者

E ○ 根拠 (16)法附則23-Ⅰ① CH8 Sec2②

問４ 正解 Ｂ（アとオ） 正解率 70%

ア ○ 根拠 法137の17-Ⅰ、基金令45 CH8 Sec10④

イ × 根拠 法124-Ⅳ —

監事は、代議員会において、学識経験を有する者及び代議員のうちから、それぞれ「１人」を選挙することとされている。

確認してみよう！

国民年金基金の役員
① 国民年金基金（基金）に、役員として理事及び監事を置く。
② 理事は、代議員において互選する。ただし、理事の定数の３分の１（吸収合併によりその地区を全国とした地域型基金にあっては、２分の１）を超えない範囲内については、代議員会において、基金の業務の適正な運営に必要な学識経験を有する者のうちから選挙することができる。
③ 理事のうち１人を理事長とし、理事が選挙する。
④ 監事は、代議員会において、学識経験を有する者及び代議員のうちから、それぞれ１人を選挙する。
⑤ 役員の任期は、３年を超えない範囲内で規約で定める期間とする。ただし、補欠の役員の任期は、前任者の残任期間とする。
⑥ 監事は、理事又は基金の職員と兼ねることができない。

ウ × 根拠 法90の３、(16)法附則19、(26)法附則14 CH8 Sec3⑥

学生納付特例制度は、法本則に規定される恒久措置であり、時限措置ではない。なお、納付猶予制度を令和12年6月までの時限措置とする記述については正しい。

エ ✕ 根拠 法127-Ⅲ　CH8 Sec10②

国民年金基金の加入員は、申出により（任意に）その資格を喪失することはできない。

オ ○ 根拠 則21-Ⅰ　—

問5 正解 C　正解率 89%

A ✕ 根拠 法7-Ⅱ、令4、S61.3.31庁保発13号　CH8 Sec2①

設問の配偶者は、被扶養配偶者に該当するため、第3号被保険者となる。

B ✕ 根拠 法附則9の4の7-Ⅰ、令14の14　—

設問の申出書は、「日本年金機構」に提出しなければならない。

C ○ 根拠 法96-ⅣⅤ　CH8 Sec3⑩

D ✕ 根拠 令15-Ⅰ、16-ⅠⅡ　—

政府が設問の共済払いの基礎年金の支払に係る資金の交付をするときは、必要な資金を「日本銀行」に交付することにより行うこととされている。

E ✕ 根拠 法85-Ⅰ①③　CH8 Sec3②

設問の20歳前傷病による障害基礎年金の給付に要する費用については、当該費用の100分の20に相当する額と残りの部分（100分の80）の「2分の1」に相当する額を合計した、当該費用の「100分の60」に相当する額を負担することとされている。

問6 正解 B　正解率 93%

A ○ 根拠 法101-ⅠⅥ　—

B ✕ 根拠 法37の2-Ⅱ、39-Ⅱ　CH8 Sec6⑦

被保険者等が死亡したことにより、配偶者が遺族基礎年金の受給権を取得した当時胎児であった子が生まれたときは、その子は、将来に向かって被保険者等の死亡の当時その者によって生計を維持していたものとみなされ、また、配偶者は、将来に向かってその者の死亡の当時その子と生計を同じくしていたものとみなされるため、配偶者の遺族基礎年金の額は、当該子が生まれた日の属する月の翌月から改定される。

C ○ 根拠 令１の２-③へ、則62 —

D ○ 根拠 則40-Ⅴ —

E ○ 根拠 法５-Ⅳ～Ⅵ —

確認してみよう！

「保険料納付済期間」とは、第１号被保険者としての被保険者期間のうち納付された保険料〔法96条（督促及び滞納処分）の規定により徴収された保険料を含み、保険料の一部免除の規定によりその一部の額につき納付することを要しないものとされた保険料につきその残余の額が納付又は徴収されたものを除く。〕に係るもの及び法88条の２（産前産後の保険料免除）の規定により納付することを要しないものとされた保険料に係るもの、第２号被保険者としての被保険者期間並びに第３号被保険者としての被保険者期間を合算した期間をいう。

問７ 正解 A

正解率 74%

A × 根拠 法41-Ⅱ CH8 Sec6⑧

配偶者に対する遺族基礎年金が法41条の2,1項（所在不明による支給停止）の規定によりその支給を停止されているときは、子に対する遺族基礎年金は、その支給を停止されない。

B ○ 根拠 (60)法附則14-ⅠⅣ CH8 Sec4⑨⑩⑪

C ○ 根拠 S47.6.19庁保発21号 —

D ○ 根拠 法12-ⅠⅤ CH8 Sec2⑥

E ○ 根拠 法120-Ⅰ、基金令７ —

問８ 正解 E

正解率 35%

A × 根拠 法27ただし書、(16)法附則10-Ⅰ⑮ CH8 Sec4⑧

設問の全額免除期間のうち年金額の計算に反映されるのは、「480から保険料納付済期間の月数を控除して得た月数〔設問の場合、480月−420月＝60月（５年)〕」

が限度となる〔全額免除期間120月（10年）のうち残りの60月（５年）は老齢基礎年金の額に反映されない。〕。また、年金額の計算に反映される全額免除期間は、平成21年４月１日前にあることからその３分の１の月数が年金額の計算に反映されることとなる。したがって、老齢基礎年金の額は「780,900円×440月÷480月」となり、設問の者に満額の老齢基礎年金は支給されない。

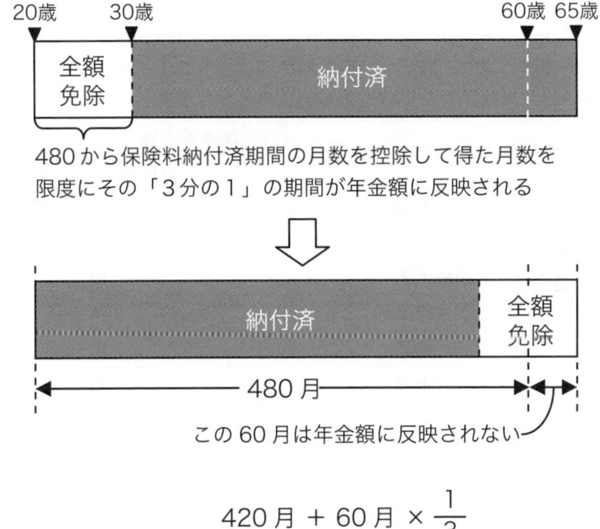

$$780{,}900\text{円} \times \frac{420\text{月} + 60\text{月} \times \frac{1}{3}}{480\text{月}}$$

$$=780{,}900\text{円} \times \frac{440\text{月}}{480\text{月}}$$

B　×　根拠　法33-Ⅱ　CH8 Sec5⑧

令和３年度における子の加算のない障害等級１級の障害基礎年金の額は、障害等級２級の障害基礎年金の額（780,900円）を1.25倍にした「976,125円」となる(設問のような端数処理は行われない。)。

C　×　根拠　法39の２-Ⅰ　CH8 Sec6⑥

遺族基礎年金の受給権者が４人の子のみである場合、令和３年度における遺族基礎年金の受給権者の子それぞれが受給する遺族基礎年金の額は、「780,900円、224,700円、74,900円及び74,900円を合計した金額」を子の数で除して得た金額と

令和３年度(第53回)
択一式

なる。

D ✕ 根拠 法52の４－Ⅰ CH8 Sec7③

設問の場合の死亡一時金の額は「12万円」であり、設問のような名目手取り賃金変動率による改定は行われない。

E ○ 根拠 法附則９の３の２－Ⅲ、令14の３の２ CH8 Sec7④

確認してみよう！

脱退一時金の額の算定に当たり、保険料の額に２分の１を乗じて得た額に乗じる数は、保険料納付済期間等の月数に応じて次のとおりである。

保険料納付済期間等の月数	保険料の額に２分の１を乗じて得た額に乗じる数
６月以上12月未満	6
12月以上18月未満	12
18月以上24月未満	18
24月以上30月未満	24
30月以上36月未満	30
36月以上42月未満	36
42月以上48月未満	42
48月以上54月未満	48
54月以上60月未満	54
60月以上	60

問９ 正解 C

正解率 74%

A ○ 根拠 法31 CH8 Sec5⑦

B ○ 根拠 (60)法附則11－Ⅲ CH8 Sec9⑤

C ✕ 根拠 法20－Ⅰ、法附則９の２の４ CH8 Sec9⑤

障害厚生年金の額の多寡又は受給権者の年齢にかかわらず、障害厚生年金と老齢基礎年金が併給されることはない。

D ○ 根拠 法20－Ⅰ CH8 Sec9⑤

異なる支給事由により支給される遺族基礎年金及び遺族厚生年金は、併給することができず、いずれか一方を選択して受給することとなる。

E ○ 根拠 法20-Ⅰ、52の6、厚年法38-Ⅰ　CH8 Sec7③

同一の支給事由に基づくものであっても、遺族厚生年金と寡婦年金は併給することができず、また、寡婦年金を選択した者は死亡一時金の支給を受けることはできない。一方、遺族厚生年金と死亡一時金について、調整規定は存在せず、遺族厚生年金の支給を受ける者は、死亡一時金の支給を受けることができる。

問10 正解 B

正解率 59%

A × 根拠 (60)法附則14-Ⅱただし書　CH8 Sec4⑨

設問の妻は中高齢の期間短縮の特例に該当するため、当該妻の受給する老齢厚生年金は、その額の計算の基礎となる厚生年金保険の被保険者期間の月数が240であるものとみなされる。このため、設問の妻に振替加算は行われない。

B ○ 根拠 法20-ⅠⅡⅣ　CH8 Sec9⑤

C × 根拠 法30の2-Ⅰ～Ⅲ　CH8 Sec5③

設問の女性は、初診日において第3号被保険者であり、また、22歳から60歳までの全ての期間が保険料納付済期間であることから、初診日の前日における保険料納付要件を満たすことになる。特別支給の老齢厚生年金の受給権を有することは事後重症による障害基礎年金の支給に影響せず、障害認定日後の63歳の時に、事後重症による障害基礎年金の請求を行った場合、設問の女性には、事後重症による障害基礎年金が支給される。

D × 根拠 法35-③　CH8 Sec5⑪

厚生年金保険法47条2項に規定する障害等級（3級以上）に該当する程度の障害の状態に該当しなくなった日から起算して同項に規定する障害等級に該当する程度の障害の状態に該当することなく3年を経過したときであっても、当該3年を経過した日において、当該受給権者が65歳未満であるときは、障害基礎年金の受給権は消滅しない。

E × 根拠 法19-ⅠⅡ　CH8 Sec9①

遺族基礎年金の受給権者である丙の死亡の当時当該遺族基礎年金の支給の要件となり、その額の加算の対象となっていた乙（甲の子）は、未支給年金の規定の適用については、丙の子とみなされ、丙の実子である丁と同順位の未支給の遺族基礎年金の請求権者となる。

令和２年度
（2020年度・第52回）
解答・解説

合格基準点

選択式

総得点**25点**以上、かつ、
各科目**3点**以上
（ただし、労一、社一及び健保は**2点**可）

択一式

総得点**44点**以上、かつ、
各科目**4点**以上

受験者データ

項目	人数等
受験申込者数	49,250人
受験者数	34,845人
合格者数	2,237人
合格率	6.4%

繰り返し記録シート(令和2年度)

解いた回数	科目	問題No.	点数	解いた回数	科目	点数
選択式1回目	労基安衛	問1	／5	択一式1回目	労基安衛	／10
	労災	問2	／5		労災徴収	／10
	雇用	問3	／5		雇用徴収	／10
	労一	問4	／5		労一社一	／10
	社一	問5	／5		健保	／10
	健保	問6	／5		厚年	／10
	厚年	問7	／5		国年	／10
	国年	問8	／5		合計	／70
		合計	／40			

解いた回数	科目	問題No.	点数	解いた回数	科目	点数
選択式2回目	労基安衛	問1	／5	択一式2回目	労基安衛	／10
	労災	問2	／5		労災徴収	／10
	雇用	問3	／5		雇用徴収	／10
	労一	問4	／5		労一社一	／10
	社一	問5	／5		健保	／10
	健保	問6	／5		厚年	／10
	厚年	問7	／5		国年	／10
	国年	問8	／5		合計	／70
		合計	／40			

解いた回数	科目	問題No.	点数	解いた回数	科目	点数
選択式3回目	労基安衛	問1	／5	択一式3回目	労基安衛	／10
	労災	問2	／5		労災徴収	／10
	雇用	問3	／5		雇用徴収	／10
	労一	問4	／5		労一社一	／10
	社一	問5	／5		健保	／10
	健保	問6	／5		厚年	／10
	厚年	問7	／5		国年	／10
	国年	問8	／5		合計	／70
		合計	／40			

令和２年度
（2020年度・第52回）
解答・解説
選択式

正解一覧

問	記号	番号	正解
問1	A	⑬	工事着手14日前まで
	B	⑯	時間的，場所的な拘束
	C	⑳	報酬の支払方法、公租公課の負担
	D	⑦	6　月
	E	③	1.5
問2	A	⑧	合理的
	B	⑯	転　任
	C	⑳	要介護状態
	D	⑤	介　護
	E	③	18
問3	A	⑨	20時間以上
	B	⑯	31日以上
	C	④	10
	D	⑰	公共職業安定所長
	E	②	4
問4	A	⑦	雇用動向調査
	B	⑩	就労条件総合調査
	C	⑥	雇用均等基本調査
	D	⑳	労働力調査
	E	⑨	就業構造基本調査
問5	A	⑭	120兆
	B	⑲	年　金
	C	⑥	1年6か月
	D	⑦	1又は2以上の市町村
	E	③	48,000
問6	A	⑬	地方社会保険医療協議会に諮問する
	B	⑱	標準報酬月額が28万円
	C	③	125,570円
	D	⑧	所轄公共職業安定所長
	E	⑮	当該事業の意義及び内容
問7	A	⑨	国民の理解
	B	⑫	受給権を取得した日から起算して1年を経過した日
	C	⑳	老齢基礎年金及び付加年金並びに障害基礎年金
	D	⑤	按分割合
	E	②	2　年
問8	A	⑪	国民の生活水準
	B	⑦	改　定
	C	⑤	60歳以上65歳未満
	D	⑳	当該被保険者期間の3分の2
	E	⑬	実施機関たる共済組合等

問１　労働基準法及び労働安全衛生法

根拠　労基法96の２－Ⅰ、最一小H8.11.28横浜南労働基準監督署長事件、安衛法21－Ⅱ、66－Ⅰ、則45の２－Ⅰ、526－Ⅰ

A	⑬	工事着手14日前まで	CH1 Sec10⑦	正解率 73%
B	⑯	時間的、場所的な拘束	—	正解率 90%
C	⑳	報酬の支払方法、公租公課の負担	—	正解率 27%
D	⑦	６　月	CH2 Sec8①	正解率 89%
E	③	1.5	—	正解率 22%

問２　労働者災害補償保険法

根拠　法７－Ⅱ、則７－①

A	⑧	合理的	CH3 Sec2③	正解率 98%
B	⑯	転　任	CH3 Sec2③	正解率 88%
C	⑳	要介護状態	CH3 Sec2③	正解率 97%
D	⑤	介　護	CH3 Sec2③	正解率 96%
E	③	18	CH3 Sec2③	正解率 80%

問３　雇用保険法

根拠　法４－Ⅰ、６、38－Ⅰ①、則６－Ⅰ、行政手引20301、20555

A	⑨	20時間以上	CH4 Sec2②	正解率 81%
B	⑯	31日以上	CH4 Sec2②	正解率 82%
C	④	10	CH4 Sec2⑤	正解率 98%
D	⑰	公共職業安定所長	CH4 Sec2⑤	正解率 96%
E	②	４	CH4 Sec2①	正解率 95%

問4 労務管理その他の労働に関する一般常識

根拠「雇用動向調査（厚生労働省）」、「就労条件総合調査（厚生労働省）」、「雇用均等基本調査（厚生労働省）」、「労働力調査（総務省）」、「就業構造基本調査（総務省）」

A	⑦	雇用動向調査	—	正解率 56%
B	⑩	就労条件総合調査	CH6 Sec5②	正解率 62%
C	⑥	雇用均等基本調査	CH6 Sec5②	正解率 38%
D	⑳	労働力調査	CH6 Sec5②	正解率 59%
E	⑨	就業構造基本調査	CH6 Sec5②	正解率 28%

解説

〈社会保険労務士試験で問われる主な労働統計の概要〉

労働力調査（D）	我が国における就業及び不就業の状態を明らかにするための基礎資料を得ることを目的としている。
毎月勤労統計調査	雇用、給与及び労働時間について、その変動を毎月明らかにすることを目的としている。
就労条件総合調査（B）	主要産業における企業の労働時間制度、賃金制度等について総合的に調査し、我が国の民間企業における就労条件の現状を明らかにすることを目的としている。
賃金構造基本統計調査	我が国の賃金構造の実態を詳細に把握することを目的として行われるもので、労働者の雇用形態、就業形態、職種、性、年齢、学歴、勤続年数、経験年数別等に明らかにするものである。
雇用均等基本調査（C）	男女の雇用均等問題に係る雇用管理の実態を把握することを目的としている。
労働組合基礎調査	労働組合及び労働組合員の産業、企業規模、加盟上部組合別の分布等、労働組合組織の実態を明らかにすることを目的としている。

問５ 社会保険に関する一般常識

根拠 「平成29年度社会保障費用統計（国立社会保障・人口問題研究所）」、介保法67-Ⅰ、則103、国保法13-ⅠⅡ、確拠法69、令36-①

A	⑭	120兆	—	正解率 52%
B	⑲	年　金	—	正解率 83%
C	⑥	１年６か月	—	正解率 58%
D	⑦	１又は２以上の市町村	—	正解率 33%
E	③	48,000	CH10 Sec2①	正解率 68%

解説

Eについて、確定拠出年金個人型年金の第１号加入者の拠出限度額については、国民年金の付加保険料又は国民年金基金の掛金の納付に係る額があるときは、68,000円から付加保険料又は国民年金基金の掛金の額を控除した額をその月に係る拠出限度額とすることとされている。したがって、設問の場合は、国民年金基金の掛金を月額20,000円納付していることから、**E**に入る金額は、68,000－20,000＝48,000（円）となる。

問６ 健康保険法

根拠 法74-Ⅰ③、82-Ⅱ、115、181の２、令34-Ⅰ、41-Ⅰ、42-Ⅰ①、則29-ⅠⅡ

A	⑬	地方社会保険医療協議会に諮問する	CH7 Sec3①②	正解率 88%
B	⑱	標準報酬月額が28万円	CH7 Sec5②	正解率 72%
C	③	125,570円	CH7 Sec5⑫	正解率 61%
D	⑧	所轄公共職業安定所長	CH7 Sec2⑦	正解率 75%
E	⑮	当該事業の意義及び内容	—	正解率 43%

解説

Cについて、高額療養費算定基準額は、80,100円＋(700,000円－267,000円)×１％＝84,430円である。したがって、高額療養費は、210,000円－84,430円＝125,570円となる。

問7 厚生年金保険法

根拠 法31の2、44の3－Ⅰ、78の2－Ⅰ

A ⑨ 国民の理解 — 正解率 37%

B ⑫ 受給権を取得した日から起算して1年を経過した日 CH9 Sec4⑧ 正解率 95%

C ⑳ 老齢基礎年金及び付加年金並びに障害基礎年金 CH9 Sec4⑧ 正解率 79%

D ⑤ 按分割合 CH9 Sec8① 正解率 92%

E ② 2　年 CH9 Sec8① 正解率 92%

問8 国民年金法

根拠 法4、37、94の2－Ⅱ

A ⑪ 国民の生活水準 CH8 Sec8① 正解率 77%

B ⑦ 改　定 CH8 Sec8① 正解率 63%

C ⑤ 60歳以上65歳未満 CH8 Sec6② 正解率 77%

D ⑳ 当該被保険者期間の3分の2 CH8 Sec6② 正解率 62%

E ⑬ 実施機関たる共済組合等 CH8 Sec3③ 正解率 80%

令和2年度
(2020年度・第52回)
解答・解説
択一式

正解一覧

労基安衛	問1	D
	問2	D
	問3	B
	問4	D
	問5	D
	問6	B
	問7	B
	問8	C
	問9	E
	問10	A
労災徴収	問1	B
	問2	B
	問3	C
	問4	E
	問5	A
	問6	A：× B：× C：× E：×
	問7	D
	問8	C
	問9	D
	問10	A
雇用徴収	問1	D
	問2	A
	問3	C
	問4	E
	問5	D
	問6	C
	問7	E
	問8	E
	問9	C
	問10	D
労一社一	問1	D
	問2	C
	問3	A：× B：× C：× D：×
	問4	B
	問5	B
	問6	D
	問7	C
	問8	B
	問9	D
	問10	B
健保	問1	A
	問2	B
	問3	B
	問4	D
	問5	E
	問6	A
	問7	E
	問8	C
	問9	C
	問10	D
厚年	問1	D
	問2	A
	問3	D
	問4	A
	問5	E
	問6	C
	問7	ア：○ イ：× ウ：○ エ：× オ：×
	問8	C
	問9	B
	問10	E
国年	問1	B
	問2	D
	問3	E
	問4	B
	問5	D
	問6	D
	問7	C
	問8	D
	問9	C
	問10	A

労働基準法及び労働安全衛生法

問１　正解　D　　正解率 50%

A　✕　根拠 法10　　CH1 Sec1④

株式会社の場合、「事業主」とは、法人そのものをいう。

確認してみよう！
労働基準法で使用者とは、事業主又は事業の経営担当者その他その事業の労働者に関する事項について、事業主のために行為をするすべての者をいう。

B　✕　根拠 法10、S22.9.13発基17号　　CH1 Sec1④

労働基準法の使用者とは、同法各条の義務についての履行の責任者をいい、形式にとらわれることなく、同法各条の義務について実質的に一定の権限を与えられているか否かによるものと解されている。したがって、設問のように「係長に与えられている責任と権限の有無にかかわらず、係長が『使用者』になることはない」とする記述は誤りである。

C　✕　根拠 法10、S22.9.13発基17号　　CH1 Sec1④

労働基準法各条の義務についての実質的な権限が与えられておらず、単に上司の命令の伝達者にすぎない場合は、同法上の使用者として取り扱われない。したがって、設問のように「課長がたまたま事業主等の上位者から権限外の事項について命令を受けて単にその命令を部下に伝達しただけ」の場合は、その伝達は課長が使用者として行ったこととはならない。

D　○　根拠 法10、S63.3.14基発150号　　CH1 Sec1④

E　✕　根拠 法10、派遣法44、H20.7.1基発0701001号　　CH1 Sec1④

派遣先における指揮命令権者も、一部の規定については、労働者派遣法44条に定める労働基準法の適用に関する特例の規定に基づき、労働基準法上の使用者となる。

問２　正解　D　　正解率 32%

A　✕　根拠 法106　　CH1 Sec10⑧

就業規則については、その全文を周知させなければならない。なお、労働基準法及び労働基準法に基づく命令については、設問のとおり、その要旨を労働者に周知させることで足りる。

確認してみよう！

周知義務

労働基準法及び労働基準法に基づく命令	要旨
就業規則、労使協定及び労使委員会の決議	全文

B ✕ 根拠 法106、H12.1.1基発１号 —

設問の周知は、対象労働者に限らず、すべての労働者に対して行うことが義務付けられている。

C ✕ 根拠 法102 CH1 Sec10⑬

労働基準監督官が、設問の賃金及び割増賃金の不払について事業主の財産を差し押さえる職務を行う旨の規定はない。なお、設問文前半の「労働基準法違反の罪について、刑事訴訟法に規定する司法警察官の職務を行う」旨の記述は正しい。

D ○ 根拠 則59 —

E ✕ 根拠 則57-Ⅰ —

使用者は、事業を開始した場合にはその事実を所轄労働基準監督署長に報告しなければならないが、事業を廃止した場合に所轄労働基準監督署長に報告する旨の規定はない。

問３ 正解 B 正解率 11%

A ○ 根拠 法64の３-Ⅱ、女性則２-Ⅰ①、３ CH1 Sec9⑤

B ✕ 根拠 法64の３-Ⅱ、女性則２-Ⅰ㉔、３ CH1 Sec9⑤

「さく岩機、鋲打機等身体に著しい振動を与える機械器具を用いて行う業務」に就かせてはならないこととされているのは、妊娠中の女性及び産後１年を経過しない女性であり、すべての女性について、当該業務に就かせることが制限されているわけではない。

得点UP!

＜女性の就業制限業務（24業務）の概要＞

業務の内容	妊娠中の女性	産後１年を経過しない女性	左記以外の女性
一定の重量物を取り扱う業務	×	×	×
有害物を発散する場所において行われる一定の業務	×	×	×
さく岩機、鋲打機等身体に著しい振動を与える機械器具を用いて行う業務	×	×	○
土砂が崩壊するおそれのある場所又は深さが５ｍ以上の地穴における業務	×	○	○
高さが５ｍ以上の場所で、墜落により労働者が危害を受けるおそれのあるところにおける業務	×	○	○
上記以外の19の業務	×	△	○

○＝就業可能
△＝申出により就業禁止
×＝就業禁止

C ○ 根拠 法64の３－Ⅰ、女性則２－Ⅰ④ CH1 Sec9⑤

Ｂの 得点UP! 参照。

D ○ 根拠 法64の３－Ⅰ、女性則２－Ⅰ⑭、Ⅱ CH1 Sec9⑤

設問の業務に就かせてはならないこととされているのは、妊娠中の女性であり、産後１年を経過しない女性について当該業務に就かせることは、制限されていない。Ｂの 得点UP! 参照。

E ○ 根拠 法64の３－Ⅰ、女性則２－Ⅰ⑦、Ⅱ CH1 Sec9⑤

Ｂの 得点UP! 参照。

問４ 正解 Ｄ 正解率 91%

A ○ 根拠 法３ CH1 Sec1②

なお、労働基準法３条（使用者は、労働者の国籍、信条又は社会的身分を理由として、賃金、労働時間その他の労働条件について、差別的取扱をしてはならない。）の「信条」とは、特定の宗教的又は政治的信念をいい、「社会的身分」とは、生来的な地位をいう。

B ○ 根拠 法５、S63.3.14基発150号 CH1 Sec1②

なお、労働基準法５条において禁止しているのは、精神又は身体の自由を不当に拘束する手段によって労働者の意思に反して労働を強制することであり、すなわち、「不当に拘束する手段」が「労働の強制」の目的と結びついており、かつ、「不当に拘束する手段」によって「労働の強制」に至らしめたものでなければならない。したがって、単に「怠けたから」「態度が悪いから」という理由で暴行があっても、労働の強制の目的がない場合には、同条違反とならない。

C ○ 根拠 法６、S23.3.2基発381号 CH1 Sec1②

なお、設問の「利益」は、介入する行為との因果関係があれば、使用者より利益を得る場合のみに限らず、労働者又は第三者より利益を得る場合をも含む。

D × 根拠 法７、S23.10.30基発1575号 CH1 Sec1②

設問の場合は、労働基準法７条違反となる。

確認してみよう！

★ 労働基準法７条

使用者は、労働者が労働時間中に、選挙権その他公民としての権利を行使し、又は公の職務を執行するために必要な時間を請求した場合においては、拒んではならない。但し、権利の行使又は公の職務の執行に妨げがない限り、請求された時刻を変更することができる。

E ○ 根拠 法11、S30.10.10基発644号 CH1 Sec3①

問５ 正解 D（ア・イ・ウ・オの四つ） 正解率 60%

ア ○ 根拠 法14-Ⅰ①、H15.10.22基発1022001号 CH1 Sec2③

契約期間の上限については、令和３年度択一式労基**問２**Aの確認してみよう！参照。

イ ○ 根拠 法15-Ⅰ、H11.3.31基発168号 ―

確認してみよう！

絶対的明示事項は、次の①～⑧に掲げる事項である。なお、絶対的明示事項のうち、昇給に関する事項（④及び⑧に係る昇給に関する事項）以外の事項については、書面の交付等により、明示しなければならない。

<table>
<tr><td rowspan="12">絶対的明示事項</td><td>①</td><td>労働契約の期間に関する事項</td></tr>
<tr><td>②</td><td>就業の場所及び従事すべき業務に関する事項（就業の場所及び従事すべき業務の変更の範囲を含む。）</td></tr>
<tr><td>③</td><td>始業及び終業の時刻、所定労働時間を超える労働の有無、休憩時間、休日、休暇並びに労働者を２組以上に分けて就業させる場合における就業時転換に関する事項</td></tr>
<tr><td>④</td><td>賃金（退職手当等を除く。）の決定、計算及び支払の方法、賃金の締切り及び支払の時期並びに昇給に関する事項</td></tr>
<tr><td>⑤</td><td>退職に関する事項（解雇の事由を含む。）</td></tr>
<tr><td colspan="2">有期労働契約であって当該労働契約の期間の満了後に当該労働契約を更新する場合があるものの締結の場合（①～⑤のほか、下記⑥）</td></tr>
<tr><td>⑥</td><td>有期労働契約を更新する場合の基準に関する事項（労働契約法に規定する通算契約期間又は有期労働契約の更新回数に上限の定めがある場合には当該上限を含む。）</td></tr>
<tr><td colspan="2">その契約期間内に労働者が労働契約法の無期転換申込みをすることができることとなる有期労働契約の締結の場合（①～⑥のほか、下記⑦⑧）</td></tr>
<tr><td>⑦</td><td>無期転換申込みに関する事項</td></tr>
<tr><td>⑧</td><td>無期転換申込みに係る期間の定めのない労働契約の内容である労働条件のうち上記①～⑤までに掲げる事項</td></tr>
</table>

ウ　○　根拠　法20、S33.2.13基発90号　　CH1 Sec2④

なお、解雇予告の意思表示の取消しに対して、労働者の同意がない場合は、予告期間の満了をもって解雇されることとなるので、自己退職（任意退職）の問題は生じない。

確認してみよう！

解雇予告

<table>
<tr><td rowspan="2">解雇予告</td><td>30日以上前の予告</td><td rowspan="2">併用可</td></tr>
<tr><td>平均賃金の30日分以上の解雇予告手当の支払い</td></tr>
</table>

<table>
<tr><td rowspan="2">解雇予告の除外</td><td>天災事変その他やむを得ない事由のために事業の継続が不可能</td><td rowspan="2">所轄労働基準監督署長の認定が必要</td></tr>
<tr><td>労働者の責に帰すべき事由</td></tr>
</table>

エ × 根拠 法20、S63.3.14基発150号 CH1 Sec2④

事業場が火災により焼失した場合には、原則として「天災事変その他やむを得ない事由」に該当するが、火災による焼失が事業主の故意又は重大な過失に基づく場合は、「天災事変その他やむを得ない事由」に該当しない。

オ ○ 根拠 法23 CH1 Sec2⑤

確認してみよう！

賃金については、賃金支払日が請求から７日目の日よりも前に到来する場合や、権利者からの請求がない場合については、その賃金支払日までに支払わなければならない。また、退職手当については、たとえ請求があってから７日を超える場合でも、あらかじめ就業規則等で定められた支払時期に支払えば足りる。

問６ 正解 B

正解率 89%

A ○ 根拠 法32、S33.10.11基収6286号 CH1 Sec4①

確認してみよう！

労働基準法32条の「労働時間」とは、使用者の明示又は黙示の指示によって、労働者が使用者の指揮命令下に置かれている時間をいう。労働時間に該当するかどうかは、労働者の行為が使用者の指揮命令下に置かれたものと評価することができるかどうかによって客観的に定まるものであって、労働契約、就業規則、労働協約等の定めのいかんにより決定されるものではない。

B × 根拠 法32の３-Ⅳ CH1 Sec5③

１箇月以内の清算期間を定めてフレックスタイム制を実施する場合には、設問の労使協定を行政官庁に届け出る必要はない。

C ○ 根拠 法36-ⅢⅣ CH1 Sec6③

D ○ 根拠 法37、最一小S35.7.14小島撚糸事件 CH1 Sec6④

E ○ 根拠 法39-Ⅶ、則24の６ CH1 Sec8④

確認してみよう！

使用者の時季指定による付与

使用者は、年次有給休暇（その年に付与される日数が10労働日以上である労働者に係るものに限る。）の日数のうち５日については、原則として基準日から１年以内の期間に、労働者ごとにその時季を定めることにより与えなければならない。なお、労働者の時季指定又は計画的付与により有給休暇を与えた場合においては、当該与えた有給休暇の日数（当該日数が５日を超える場合には、５日）分については、時季を定めることにより与えることを要しない。

問７　正解　B

正解率 87%

A ✕ 根拠 法89、S23.10.30基発1575号　—

設問の内容を就業規則に記載するか否かは、当事者の自由であるとされている。

B ○ 根拠 法90、S23.10.30基発1575号　—

C ✕ 根拠 法89、S61.6.6基発333号　CH1 Sec10①

派遣元の使用者が労働基準法89条の就業規則の作成義務を負うのは、派遣中の労働者とそれ以外の労働者を合わせて常時10人以上の労働者を使用している場合とされているため、設問の場合は同条の就業規則の作成義務を負う。

D ✕ 根拠 法89　—

労働基準法89条の就業規則の作成義務が課せられる要件である「常時10人以上の労働者を使用する」については、企業単位ではなく事業場を単位としてみるものである。したがって、設問のように２つの工場がそれぞれ独立した事業場と考えられる場合には、いずれの工場も「常時10人以上の労働者を使用する」との要件を満たさず、就業規則の作成義務を負わない。

E ✕ 根拠 法91、S63.3.14基発150号　CH1 Sec10③

設問の場合は、労働基準法91条（制裁規定の制限）による制限を受けない。なお、遅刻・早退した時間分を超える賃金カットは制裁規定の制限を受ける。

得点UP！

出勤停止処分を受けた場合の出勤停止期間中の賃金カット／昇給の欠格条件の定め／制裁として格下げになったことによる賃金の低下などは、減給の制裁に該当しない。

問8 正解 C　　正解率 80%

A × 根拠 法66の8－Ⅰ、則52の2－Ⅰ　　CH2 Sec9①

設問の「1月当たり60時間を超え」を「1月当たり80時間を超え」と読み替えると、正しい記述となる。

確認してみよう！

面接指導のまとめ

	長時間労働者	研究開発業務従事者	高度プロフェッショナル制度の対象労働者
労働時間等の要件	週40時間超の労働時間が月80時間超 かつ 疲労の蓄積	週40時間超の労働時間が月100時間超	週40時間超の健康管理時間が月100時間超
労働者からの申出	要 （申出により実施）	不要 （申出がなくても実施）	不要 （申出がなくても実施）

B × 根拠 法66の8の2－Ⅰ、則52の7の2－Ⅰ　　CH2 Sec9①

設問の「1月当たり80時間を超えた場合」を「1月当たり100時間を超えた場合」と読み替えると、正しい記述となる。**A**の確認してみよう！参照。

得点UP！

研究開発に係る業務に従事する労働者については、休憩時間を除き1週間当たり40時間を超えて労働させた場合におけるその超えた時間が1月当たり100時間を超えない場合であっても、当該超えた時間が1月当たり80時間を超え、かつ、疲労の蓄積が認められる場合には、安衛法66条の8,1項（長時間労働者に対する面接指導）の規定により、その者の申出があったときは、面接指導を行わなければならない。

C ○ 根拠 法66の8の4－Ⅰ、則52の7の4－Ⅰ　　CH2 Sec9①

Aの確認してみよう！参照。

D × 根拠 法66の8の3、H31.3.29基発0329第2号　　CH2 Sec9①

労働時間の状況の把握に関して、高度プロフェッショナル制度により労働する労働者はその対象から除かれるが、労働基準法41条によって労働時間等に関する規定の適用が除外される労働者はその対象となる。

確認してみよう！

労働時間の状況の把握は、労働者の健康確保措置を適切に実施するためのものであり、その対象となる労働者は、高度プロフェッショナル制度対象労働者を除き、①研究開発業務従事者、②事業場外労働のみなし労働時間制の適用者、③裁量労働制の適用者、④管理監督者等（法41条の規定によって労働時間等に関する規定の適用が除外される労働者）、⑤派遣労働者（派遣先の使用者が労働時間の状況の把握義務を負う）、⑥短時間労働者、⑦有期雇用労働者を含めた全ての労働者である。

E　✕　根拠　法66の８－Ⅲ、則52の６－Ⅰ他　　CH2 Sec9①

設問の記録を保存すべき年限は「５年」とされている。

問９　正解　E　　正解率　85%

A　○　根拠　法２－②③、S47.9.18発基91号　　CH2 Sec1③

確認してみよう！

・労働安全衛生法で「労働者」とは、労働基準法９条に規定する労働者（同居の親族のみを使用する事業又は事務所に使用される者及び家事使用人を除く。）をいう。
・労働安全衛生法で「事業者」とは、事業を行う者で、労働者を使用するものをいう（個人企業にあってはその事業主個人、会社その他の法人の場合には法人そのものを指す。）。

B　○　根拠　S47.9.18発基91号　　—

C　○　根拠　法10－Ⅱ、S47.9.18基発602号　　CH2 Sec2①

D　○　根拠　法３－ⅡⅢ、S47.9.18発基91号　　CH2 Sec1②

確認してみよう！

・設計者等の責務
　機械、器具その他の設備を設計し、製造し、若しくは輸入する者、原材料を製造し、若しくは輸入する者又は建設物を建設し、若しくは設計する者は、これらの物の設計、製造、輸入又は建設に際して、これらの物が使用されることによる労働災害の発生の防止に資するように努めなければならない。（法３－Ⅱ）
・注文者等の責務
　建設工事の注文者等仕事を他人に請け負わせる者は、施工方法、工期等について、安全で衛生的な作業の遂行をそこなうおそれのある条件を附さないように配慮しなければならない。（法３－Ⅲ）

E ✕ 根拠 法119-①、122 CH2 Sec10⑤

法人の従業者が設問の違反行為をしたときは、行為者として罰則の対象となる。

問10 正解 A 正解率 74%

A ✕ 根拠 法59-Ⅰ、則35-Ⅰ CH2 Sec6②

臨時に雇用する労働者についても、雇入れ時の安全衛生教育は行わなければならない。

B ○ 根拠 法59-Ⅱ、則35-Ⅰ CH2 Sec6②

雇入れ時の安全衛生教育の規定は、労働者の作業内容を変更したときについて準用するとされている。

C ○ 根拠 法59、60、S47.9.18基発602号 CH2 Sec6②

D ○ 根拠 法59-Ⅲ、則36-⑤ CH2 Sec6②

得点UP!

特別教育の対象業務は、つり上げ荷重が5トン未満のクレーン運転業務／つり上げ荷重が1トン未満の移動式クレーン運転（道路上の走行運転を除く。）業務／最大荷重1トン未満のフォークリフト運転（道路上の走行運転を除く。）業務…等である。

E ○ 根拠 法60、令19-② CH2 Sec6②

得点UP!

職長教育の対象業種は、①建設業／②製造業（一定のものを除く。）／③電気業／④ガス業／⑤自動車整備業／⑥機械修理業である。

労働者災害補償保険法（労働保険の保険料の徴収等に関する法律を含む。）

問１ 正解 B　　正解率 94%

A ○ 根拠 法12の２の２－Ⅱ　　CH3 Sec7⑧

確認してみよう！

相対的支給制限

労働者が故意の犯罪行為若しくは重大な過失により、又は正当な理由がなくて療養に関する指示に従わないことにより、負傷、疾病、障害若しくは死亡若しくはこれらの原因となった事故を生じさせ、又は負傷、疾病若しくは障害の程度を増進させ、若しくはその回復を妨げたときは、政府は、保険給付の全部又は一部を行わないことができる。

得点UP！

具体的な支給制限の内容

・故意の犯罪行為又は重過失の場合

支給制限の対象となる保険給付	支給制限の内容
休業（補償）等給付 障害（補償）等給付 傷病（補償）等年金	保険給付のつど所定給付額の30％を減額 （ただし、年金給付については、療養開始日の翌日から起算して３年以内に支払われる分に限る）

・療養に関する指示違反の場合

支給制限の対象となる保険給付	支給制限の内容
休業（補償）等給付	事案１件につき、10日分相当額を減額
傷病（補償）等年金	事案１件につき、年金額の10／365相当額を減額

B × 根拠 法12の２の２－Ⅱ　　CH3 Sec7⑧

業務遂行中の負傷の原因となった事故が、負傷した労働者の故意の犯罪行為によって生じた場合には、政府は保険給付の全部又は一部を行わないことができる。

Aの 確認してみよう！ 参照。

C ○ 根拠 法12の２の２－Ⅱ　　CH3 Sec7⑧

Aの 確認してみよう！ 参照。

D ○ 根拠 法12の２の２－Ⅱ　　CH3 Sec7⑧

支給制限されるのは、「正当な理由がなくて」療養に関する指示に従わない場合である（Aの 確認してみよう! 参照)。なお、「正当な理由がなくて」とは、そのような事情があれば誰しもが療養の指示に従うことができなかったであろうと認められる場合をいい、労働者の単なる主観的な事情は含まれない。

E ○ 根拠 法12の2の2－Ⅱ　CH3 Sec7⑧

Aの 確認してみよう! 参照。

問2 正解 B　正解率 94%

A ○ 根拠 法10　CH3 Sec7②

確認してみよう!

障害補償年金差額一時金及び障害年金差額一時金については、それぞれ、遺族補償給付及び遺族給付とみなして、死亡の推定の規定が適用される。

B × 根拠 法10　CH3 Sec7②

設問の場合、「労働者が行方不明となった日」に、当該労働者は死亡したものと推定する。

C ○ 根拠 法12の3－Ⅰ　CH3 Sec7⑨

D ○ 根拠 法12の3－Ⅱ　CH3 Sec7⑨

なお、本問の「不正受給者からの費用徴収の規定」における「事業主」は、請負事業の一括により元請負人が事業主とされる場合には、その元請負人をいう。また、労働保険事務組合は、当該規定の適用について「事業主」とみなされる。

E ○ 根拠 法11－Ⅱ　CH3 Sec7③

なお、未支給の保険給付を受けるべき同順位者が2人以上あるときは、その1人がした請求は、全員のためその全額につきしたものとみなし、その1人に対してした支給は、全員に対してしたものとみなす。

問3 正解 C　正解率 12%

A ○ 根拠 則46の18－②イ　CH3 Sec9①

B ○ 根拠 則46の18－③へ　CH3 Sec9①

C × 根拠 則46の18－①イ（2）　CH3 Sec9①

設問の「１メートル」を「２メートル」と読み替えると、正しい記述となる。

D ○ 根拠 則46の18-⑤ロ　CH3 Sec9①

E ○ 根拠 則46の18-④　CH3 Sec9①

問４ 正解 E（ア・イ・ウ・エ・オの五つ） 正解率 35%

ア ○ 根拠 法46、51-①　CH3 Sec10②

確認してみよう！

事業主等（事業主、派遣先の事業主又は船員派遣の役務の提供を受ける者）が、次のいずれかに該当するときは、６月以下の懲役又は30万円以下の罰金に処せられる。

① 行政庁による報告又は文書の提出命令に違反して報告をせず、若しくは虚偽の報告をし、又は文書の提出をせず、若しくは虚偽の記載をした文書を提出した場合

② 立入検査における行政庁職員の質問に対して答弁をせず、若しくは虚偽の陳述をし、又は検査を拒み、妨げ、若しくは忌避した場合

※ 労働保険事務組合又は一人親方等の団体が、上記①②のいずれかに該当する場合におけるその違反行為をした当該労働保険事務組合又は一人親方等の団体の代表者又は代理人、使用人その他の従業者にも同様の罰則が適用される。

なお、事業主等以外の者（第三者を除く。）が一定の違反行為をした場合は、６月以下の懲役又は20万円以下の罰金に処せられる。

イ ○ 根拠 法46、51-①　CH3 Sec10②

アの 確認してみよう！ 参照。

ウ ○ 根拠 法46、51-①　CH3 Sec10②

アの 確認してみよう！ 参照。

エ ○ 根拠 法48-ⅠⅡ、51-②　CH3 Sec10②

アの 確認してみよう！ 参照。

オ ○ 根拠 法48-ⅠⅡ、51-②　CH3 Sec10②

アの 確認してみよう！ 参照。

問5　正解　A　　正解率 64%

A　○　根拠 法15-Ⅱ、法別表第2、則14-ⅠⅤ、則別表第1、S50.9.30基発565号、H16.6.4基発0604002号　CH3 Sec5①

設問は、いわゆる加重の場合に該当し、その障害補償給付の額は、現在の身体障害の該当する障害等級に応ずる障害補償給付の額（給付基礎日額の223日分）から、既にあった身体障害の該当する障害等級に応ずる障害補償給付の額（給付基礎日額の156日分）を差し引いた額（給付基礎日額の67日分）となる。令和3年度労災択一式**問5** Aの 確認してみよう！ 参照。

B　×　根拠 法15-Ⅱ、法別表第2、則14-ⅠⅤ、則別表第1、S50.9.30基発565号、H16.6.4基発0604002号　CH3 Sec5①

解説A参照。

C　×　根拠 法15-Ⅱ、法別表第2、則14-ⅠⅤ、則別表第1、S50.9.30基発565号、H16.6.4基発0604002号　CH3 Sec5①

解説A参照。

D　×　根拠 法15-Ⅱ、法別表第2、則14-ⅠⅤ、則別表第1、S50.9.30基発565号、H16.6.4基発0604002号　CH3 Sec5①

解説A参照。

E　×　根拠 法15-Ⅱ、法別表第2、則14-ⅠⅤ、則別表第1、S50.9.30基発565号、H16.6.4基発0604002号　CH3 Sec5①

解説A参照。

問6　正解　A:×、B:×、C:×、E:×

A　×　根拠 法14-Ⅰ、支給金則3-Ⅰ　CH3 Sec4③、Sec8②

設問の場合、（所定労働時間労働した場合に支払われる賃金の額＝給付基礎日額の100％とすると）休業補償給付の額は（給付基礎日額の100％－給付基礎日額の20％）×100分の60、休業特別支給金の額は（給付基礎日額の100％－給付基礎日額の20％）×100分の20であり、これらの額（と設問の労働に対して支払われる賃金の額）を合わせても、給付基礎日額の100％とならない。

B　×　根拠 法19　CH3 Sec4④

設問の場合のほか、当該負傷又は疾病に係る療養の開始後３年を経過した日後において傷病補償年金を受けることとなった場合においても、傷病補償年金を受けることとなった日において、当該使用者は労働基準法81条の規定による打切補償を支払ったものとみなされ、解雇制限が解除される。

※　本設問については、「打切補償を支払ったものとみなされ、・・・解雇制限は解除される」のは、「療養開始後３年を経過した日において傷病補償年金を受けている場合」に限られないことから、誤りの内容と判断している。なお、「『その日（療養開始後３年を経過した日）において、』打切補償を支払ったものとみなされ、・・・解雇制限は解除される」のは、「療養開始後３年を経過した日において傷病補償年金を受けている場合」に限られる。

C　×　根拠　法16の２－Ⅰ　　CH3 Sec6①

死亡した労働者Ｙの19歳の子については、厚生労働省令で定める障害の状態にある場合でなければ、遺族補償年金の受給資格者とならない。

確認してみよう！

遺族（補償）等年金の受給資格と順位

<table>
<tr><th colspan="5">労働者の死亡の当時</th></tr>
<tr><th>順位</th><th colspan="2">身分</th><th>生計維持</th><th>年齢・障害</th></tr>
<tr><td rowspan="2">①</td><td rowspan="2">配偶者</td><td>妻</td><td rowspan="13">死亡労働者の収入によって生計を維持</td><td>ー</td></tr>
<tr><td>夫</td><td>60歳以上
又は 一定の障害の状態</td></tr>
<tr><td>②</td><td colspan="2">子</td><td>18歳に達する日以後の最初の３月31日までの間にある
又は 一定の障害の状態</td></tr>
<tr><td>③</td><td colspan="2">父母</td><td>60歳以上
又は 一定の障害の状態</td></tr>
<tr><td>④</td><td colspan="2">孫</td><td>18歳に達する日以後の最初の３月31日までの間にある
又は 一定の障害の状態</td></tr>
<tr><td>⑤</td><td colspan="2">祖父母</td><td>60歳以上
又は 一定の障害の状態</td></tr>
<tr><td>⑥</td><td colspan="2">兄弟姉妹</td><td>18歳に達する日以後の最初の３月31日までの間にある
若しくは 60歳以上
又は 一定の障害の状態</td></tr>
<tr><td>⑦</td><td colspan="2">夫</td><td rowspan="4">55歳以上60歳未満(一定の障害の状態にない)</td></tr>
<tr><td>⑧</td><td colspan="2">父母</td></tr>
<tr><td>⑨</td><td colspan="2">祖父母</td></tr>
<tr><td>⑩</td><td colspan="2">兄弟姉妹</td></tr>
</table>

D （正誤の判定を行うことが困難であるため削除）

E ✕ 根拠 法19の2、則18の3の4－Ⅰ、18の3の5－ⅡⅢ CH3 Sec5④

介護に要する費用を支出して介護を受けた日がない月（支給すべき事由が生じた月を除く。）であっても、親族又はこれに準ずる者による介護を受けた日がある月については、厚生労働省令で定める最低保障額が支給される。また、「介護に要した費用の額の証明書」は、介護に要する費用を支出して介護を受けた日がある場合に限り、添付するものとされている。

確認してみよう！

介護（補償）等給付の額（常時介護を要する場合）

原則	実費（177,950円が上限）
最低保障 （親族等による介護を受けた日がある月）	81,290円

※支給事由の生じた月については、最低保障は行われない。
※随時介護を要する場合には、177,950円を88,980円に、81,290円を40,600円にそれぞれ読み替える。

－参考－
問題D
障害補償給付を支給すべき身体障害の障害等級については、同一の業務災害により身体障害が2以上ある場合で、一方の障害が第14級に該当するときは、重い方の身体障害の該当する障害等級による。

解答D
正誤判定不能。本設問は、その記載された内容から正誤の判定を行うことが困難であったと判断された〔本来は、正しい内容（○）として出題されるべきものであった。〕。
※ 同一の業務災害により身体障害が2つある場合で、一方の障害が第14級に該当するときは、重い方の身体障害の該当する障害等級によることとなる。ただし、設問は「身体障害が2以上ある場合」としており、第14級の障害の他に障害が複数あること（例えば、第14級のほか、第13級が2つある場合など）が考えられ、このような場合には障害等級の併合繰上げが行われるため、必ずしも「重い方の身体障害の該当する障害等級による」こととはならない。以上のことから、正誤の判定を行うことが困難と判断されたものと思われる。

問7 正解 D 正解率 80%

A ○ 根拠 支給金則6－Ⅳ CH3 Sec8②

なお、算定基礎年額の上限額である150万円は、スライド率が適用される場合には、150万円をスライド率で除して得た額とされており、スライド率が１を下回るときには、算定基礎年額が150万円を超えることもある。本問は「正しい肢」として出題されているが、「スライド率が適用される場合でも」とあえてスライド率の適用に触れた上で「150万円を超えることはない」としていることから、正しいとはいえない。

※　本問**問７**には、単純かつ明白な「誤りの肢」であるD肢があり、D肢が正解（誤りの肢）とされた。

確認してみよう！

✪ 算定基礎年額

（原則）

ⓐ　複数事業労働者以外の労働者の算定基礎年額

　算定基礎年額は、負傷又は発病の日以前１年間（雇入後１年に満たない者については、雇入後の期間）に当該労働者に対して支払われた特別給与の総額とする。

ⓑ　複数事業労働者の算定基礎年額

　複数事業労働者の算定基礎年額は、上記ⓐにより当該複数事業労働者を使用する事業ごとに算定した算定基礎年額に相当する額を合算した額とする。

（特例）

上記（原則ⓐ又はⓑ）によって算定された額が、次の㋐又は㋑のうち、いずれか低い額を超える場合には、その低い額を算定基礎年額とする。

㋐　給付基礎日額×365×100分の20相当額

㋑　150万円

B　○　根拠　支給金則５の２－Ⅱ、11－Ⅱ、S56.6.27基発393号、H7.7.31基発492号

CH3 Sec8②

「当分の間、事務処理の便宜を考慮し、傷病（補償）等年金の支給の決定を受けた者は、傷病特別支給金の申請を行ったものとして取り扱って差し支えない」とされており、また、「傷病特別年金の支給の申請については、当分の間、休業特別支給金の支給申請の際に特別給与の総額についての届出を行っていない者を除き、事務処理の便宜を考慮し、傷病（補償）等年金の支給の決定を受けた者は、申請を行ったものとして取り扱って差し支えない」とされている。

なお、傷病特別支給金及び傷病特別年金の支給の申請は、傷病（補償）等年金が（請求ではなく）所轄労働基準監督署長の職権により支給されるものであるから、その支給の請求と同時に行うことはない。

C ○ 根拠 支給金則20 CH3 Sec8③

いわゆる第三者行為災害による損害賠償との調整は、特別支給金については行われない。

確認してみよう！

保険給付と特別支給金との相違点

- 不正受給者からの費用徴収の対象とならない（不当利得として民事上の返還手続が必要となる。）。
- 事業主からの費用徴収の対象とならない。
- 損害賠償との調整（第三者行為災害・事業主責任災害）は行われない。
- 国民年金、厚生年金保険の給付との併給調整は行われない。
- 譲渡、差押え等は禁止されていない。

D × 根拠 支給金則３-Ⅵ CH3 Sec8③

設問の「５年」を「２年」と読み替えると、正しい記述となる。

確認してみよう！

休業特別支給金の申請期限は２年、休業特別支給金以外の特別支給金の申請期限は５年である。

E ○ 根拠 支給金則20 CH3 Sec8③

国民年金及び厚生年金保険の給付との調整は、特別支給金については行われない。Cの確認してみよう！参照。

問８ 正解 C 正解率 80%

A × 根拠 法８-Ⅰ、則７ CH5 Sec2②

「立木の伐採の事業」については、請負事業の一括の対象とはされていない。請負事業の一括の対象となるのは、労災保険に係る保険関係が成立している事業のうち「建設の事業」が数次の請負によって行われる場合である。

B × 根拠 法８-Ⅰ CH5 Sec2②④

請負事業の一括は、届け出ることによって行われるのではなく、法律上当然に行われる。

C ○ 根拠 法８-Ⅰ、則７ CH5 Sec2②

D × 根拠 法８-Ⅰ CH5 Sec2②

請負事業の一括が行われる場合には、「この法律（労働保険徴収法）の規定の適用については」、その事業は一の事業とみなされ、元請負人のみが当該事業の事業主とされる。「更に労働関係の当事者として下請負人やその使用する労働者に対して使用者となる」わけではない。

E　×　根拠 法８－Ⅰ　CH5 Sec2②

「元請負人がこれを納付しないとき、所轄都道府県労働局歳入徴収官は、下請負人に対して、その請負金額に応じた保険料を納付するよう請求することができる」とする規定はない。請負事業の一括が行われた場合には、労働保険徴収法の規定の適用については、元請負人のみが当該事業の事業主とされ、同法上の保険料の納付の義務を負うこととなる。

問９　正解　D　正解率 44%

A　○　根拠 法12－Ⅲ　CH5 Sec6①

B　○　根拠 法12－Ⅲ　CH5 Sec6①

C　○　根拠 法12－Ⅲ　CH5 Sec6①

D　×　根拠 法12－Ⅲ　CH5 Sec6①

「令和元年度から令和３年度」ではなく、「令和２年度から令和４年度」である。継続事業のメリット制は、「連続する３保険年度中の最後の３月31日において労災保険に係る保険関係が成立した後３年以上経過したもの」が対象となる。

E　○　根拠 法９、12－Ⅲ　—

継続事業の一括が行われた場合、メリット制の適用は指定事業について行われる（指定事業以外の事業については保険関係が消滅する。）。したがって、メリット制に関する労災保険に係る保険関係の成立期間は、当該指定事業の労災保険に係る保険関係成立の日から起算し、指定事業以外の事業に係る一括前の保険料及び一括前の災害に係る給付は、指定事業のメリット収支率の算定基礎に算入しない。

問10　正解　A　正解率 72%

A　○　根拠 法13　CH5 Sec3⑤

なお、「厚生労働大臣の定める率」は、現在「零（0）」とされている。

B　×　根拠 則21-Ⅰただし書　CH5 Sec3⑤

当該月数に1月未満の端数があるときはその月数を「切り捨てる」のではなく、「これを1月とする」とされている。

C　×　根拠 則21、22、則別表第4　CH5 Sec3⑤

特別加入保険料算定基礎額は、原則として、特別加入者の種類を問わず、「特別加入保険料算定基礎額表（則別表第4）」に定められており、「第2種特別加入者の特別加入保険料算定基礎額は第1種特別加入者のそれよりも原則として低い」ということはない。

D　×　根拠 則23、則別表第5　CH5 Sec3⑤

第2種特別加入保険料率は、労働保険徴収法施行規則別表第5（第2種特別加入保険料率表）において、事業又は作業の種類に応じて定められており、「事業又は作業の種類を問わず同一の率」とはされていない。

E　×　根拠 法14-Ⅱ、14の2-Ⅱ　CH5 Sec3⑤

第2種特別加入保険料率は、「第2種特別加入者に係る保険給付及び社会復帰促進等事業に要する費用の予想額に照らし、将来にわたって、労災保険の事業に係る財政の均衡を保つことができるものでなければならない」とされており、第3種特別加入保険料率についても当該規定を準用するものとされている。

雇用保険法（労働保険の保険料の徴収等に関する法律を含む。）

問１ 正解 D
正解率 88%

A ✕ 根拠 法83-①、86-Ⅰ ―

設問の場合には、行為者を罰する（６箇月以下の懲役又は30万円以下の罰金）ほか、その法人又は人に対しても罰金刑が科される。

B ✕ 根拠 則11-Ⅰ ―

設問の場合は、当該届出をした事業主のみならず、被保険者でなくなったことの事実がないと認められた者に対しても通知しなければならない。

C ✕ 根拠 法６-⑥、行政手引20604 CH4 Sec2⑤

雇用保険の被保険者が設問の者（法６条６号に掲げる適用除外に該当する者）に該当するに至ったときは、「その日の属する月の翌月の初日から」ではなく、「その日に」雇用保険の被保険者資格を喪失したものとして取り扱われる。

確認してみよう！

適用除外

①	１週間の所定労働時間が20時間未満である者（特例高年齢被保険者及び日雇労働被保険者に該当することとなる者を除く）
②	同一の事業主の適用事業に継続して31日以上雇用されることが見込まれない者（前２月の各月において18日以上同一の事業主の適用事業に雇用された者及び日雇労働者であって日雇労働被保険者に該当することとなる者を除く）
③	季節的に雇用される者であって、次のいずれかに該当するもの（日雇労働被保険者に該当することとなる者を除く） ⓐ　４箇月以内の期間を定めて雇用される者 ⓑ　１週間の所定労働時間が20時間以上30時間未満である者
④	学校教育法に規定する学校、専修学校又は各種学校の学生又は生徒であって、一定の者（いわゆる昼間学生等）
⑤	船員であって、漁船（政令で定めるものに限る）に乗り組むため雇用される者（１年を通じて船員として適用事業に雇用される場合を除く）
⑥	国、都道府県、市町村その他これらに準ずるものの事業に雇用される者のうち、離職した場合に、他の法令、条例、規則等に基づいて支給を受けるべき諸給与の内容が、求職者給付及び就職促進給付の内容を超えると認められる者であって、厚生労働省令（雇用保険法施行規則４条）で定めるもの

D ○ 根拠 法４-Ⅰ、行政手引20551 ―

E ✕ 根拠 行政手引20556 —

設問の者は、「当該認可の申請がなされた日」ではなく「任意加入の認可があった日」に被保険者資格を取得する。

問2 正解 A 正解率 72%

A ○ 根拠 行政手引51254 —

確認してみよう！

失業の認定が行われるためには、前回の認定日から今回の認定日の前日までの期間（認定対象期間）に、原則として2回以上の求職活動を行った実績（求職活動実績）があることが必要である。

B ✕ 根拠 行政手引51252 CH4 Sec3③

失業の認定は、受給資格者本人の求職の申込みによって行われるものであるから、代理人による失業の認定はできない。なお、①未支給給付を請求しようとする場合（受給資格者が死亡した場合）又は②受給資格者が公共職業訓練等を行う施設に入校中の場合には、代理人による失業の認定を受けることができる。

C ✕ 根拠 行政手引51254 —

設問の者については、労働の意思を有するものとして取り扱うことはできない。なお、求職活動と並行して創業の準備・検討を行う場合にあっては、その者が自営の準備に専念するものではなく、公共職業安定所の職業紹介に応じられる場合には、労働の意思を有するものと扱うことが可能である。

D ✕ 根拠 行政手引50102、51254 —

雇用保険の被保険者となり得る短時間就労を希望する場合は、労働の意思を有するものと推定されるが、設問のように雇用保険の被保険者となり得ない短時間就労を希望する者は、労働の意思を有するものと推定されない。

E ✕ 根拠 行政手引51254 —

書類選考、筆記試験、採用面接等が一の求人に係る一連の選考過程である場合には、そのいずれまでを受けたかにかかわらず、一の応募として取り扱われる。

問3 正解 C 正解率 61%

A ○ 根拠 法24 —

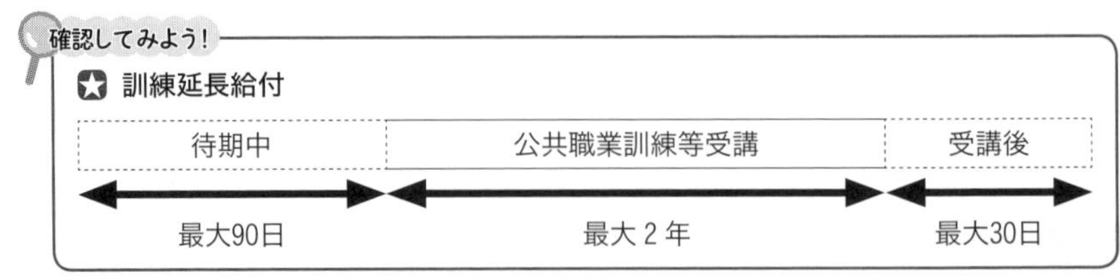

B ○ 根拠 法24の２－ⅠⅡ　CH4 Sec4①

なお、個別延長給付の適用対象者となるのは、就職が困難である受給資格者以外の受給資格者のうち特定理由離職者（希望に反して契約更新がなかったことにより離職した者に限る。）である者若しくは特定受給資格者又は就職が困難である受給資格者であって、一定の要件に該当するものである。

C × 根拠 法25－Ⅰ、令６－Ⅰ　CH4 Sec4①

広域延長給付の対象となるのは、その地域における基本手当の初回受給率が全国平均の「２倍以上」となり、かつ、その状態が継続すると認められる場合である。

D ○ 根拠 法27－Ⅱ　—

得点UP！

全国延長給付の発動基準

連続する４月間の各月における全国の基本手当の受給率が４％を超え、同期間の各月における初回受給率が低下する傾向になく、かつ、これらの状態が継続すると認められる場合である。

E ○ 根拠 法附則５－Ⅰ　CH4 Sec4①

確認してみよう！

地域延長給付の対象者

受給資格に係る離職の日が令和９年３月31日以前である就職が困難な受給資格者以外の受給資格者のうち特定理由離職者（希望に反して契約更新がなかったことにより離職した者に限る。）である者又は特定受給資格者であって、厚生労働省令で定める基準に照らして雇用機会が不足していると認められる地域として厚生労働大臣が指定する地域内に居住し、かつ、公共職業安定所長が指導基準に照らして再就職を促進するために必要な職業指導を行うことが適当であると認めたもの（個別延長給付を受けることができる者を除く。）である。

問4　正解　E　正解率 80%

A　×　根拠 法37-Ⅰ、行政手引53002　CH4 Sec4②

疾病又は負傷のため職業に就くことができない状態が当該受給資格に係る離職前から継続している場合には、傷病手当は支給されない。傷病手当は、受給資格者が、離職後公共職業安定所に出頭し、求職の申込みをした後において、疾病又は負傷のために、継続して15日以上職業に就くことができない場合に支給されるものである。

B　×　根拠 法37-Ⅰ、行政手引53002　—

設問の場合には、傷病手当は支給されない。

C　×　根拠 法37-Ⅰ、行政手引53002　—

つわり又は切迫流産（医学的に疾病と認められるものに限る。）のため職業に就くことができない場合には、その原因となる妊娠（受胎）の日が求職申込みの日前であっても、当該つわり又は切迫流産が求職申込後に生じたときには、傷病手当が支給され得る。

D　×　根拠 法37-Ⅳ、行政手引53004　CH4 Sec4②

訓練延長給付に係る基本手当を受給中の受給資格者については、傷病手当は支給されない。

確認してみよう！

傷病手当は、受給資格者の所定給付日数から当該受給資格に基づき既に基本手当を支給した日数を差し引いた日数を限度として支給するものであり、所定給付日数を超えて基本手当の支給を行う延長給付受給中に支給されることはない。

E　○　根拠 法37-Ⅰ、行政手引53002　CH4 Sec4②

求職の申込み時点において疾病又は負傷の状態にある場合であっても、疾病又は負傷のために職業に就くことができない状態となったのが求職の申込み後であるときは、他の要件を満たす限り傷病手当が支給される。

問5　正解　D　正解率 75%

A　○　根拠 法52-Ⅰ③、行政手引90704　CH4 Sec10⑥

日雇労働求職者給付金の支給を受けることができる者が公共職業安定所の紹介する業務に就くことを拒んだときは、その拒んだ日から起算して7日間は、日雇労働求職者給付金を支給しないとされているが、職業安定法20条（２項ただし書を除く。）の規定に該当する事業所（同盟罷業又は作業所閉鎖の行われている事業所等）に紹介されたときは、この限りでないとされている。

確認してみよう！

日雇労働求職者給付金の支給を受けることができる者が公共職業安定所の紹介する業務に就くことを拒んだときは、その拒んだ日から起算して７日間は、日雇労働求職者給付金を支給しない。ただし、次のいずれかに該当するときは、この限りでない。

① 紹介された業務が、その者の能力からみて不適当であると認められるとき。
② 紹介された業務に対する賃金が、同一地域における同種の業務及び同程度の技能に係る一般の賃金水準に比べて、不当に低いとき。
③ 職業安定法20条の規定に該当する事業所（同盟罷業又は作業所閉鎖の行われている事業所等）に紹介されたとき（一定の場合を除く。）。
④ その他正当な理由があるとき。

B ○ 根拠 法34-Ⅱ　CH4 Sec10⑤

C （改正により削除）

D × 根拠 法61の９-Ⅱ　CH4 Sec10⑤

不正受給により育児休業給付金の支給停止処分を受けた受給資格者が、当該育児休業給付金の支給に係る育児休業を開始した日に養育していた子以外の子について新たに育児休業給付金の支給要件を満たしたときは、新たな受給資格に係る育児休業給付金を受けることができる。

確認してみよう！

<育児休業給付の給付制限>

① 偽りその他不正の行為により育児休業給付の支給を受け、又は受けようとした者には、当該給付の支給を受け、又は受けようとした日以後、育児休業給付を支給しない。ただし、やむを得ない理由がある場合には、育児休業給付の全部又は一部を支給することができる。
② 上記①により育児休業給付の支給を受けることができない者とされたものが、偽りその他不正の行為により育児休業給付の支給を受け、又は受けようとした日以後、当該育児休業給付の支給に係る育児休業を開始した日に養育していた子以外の子について新たに育児休業を開始し、育児休業給付の支給を受けることができる者となった場合には、上記①にかかわらず、当該育児休業に係る育児休業給付を支給する。

E ○ 根拠 法61の３-①　CH4 Sec10⑤

確認してみよう！

偽りその他不正の行為により高年齢雇用継続基本給付金の支給を受け、又は受けようとした者には、やむを得ない理由がある場合を除き、当該給付の支給を受け、又は受けようとした日以後、高年齢雇用継続基本給付金を支給しない。

問6　正解　C　正解率 61%

A ○ 根拠 法78　—

B ○ 根拠 法79-Ⅰ　CH4 Sec10⑪

C × 根拠 法74-Ⅰ　CH4 Sec10⑪

設問の権利については、「行使することができることを知った時から」ではなく「行使することができる時から」2年を経過したときは、時効によって消滅する。

D ○ 根拠 法69-Ⅱ　CH4 Sec10⑩

確認してみよう！

不服申立て

被保険者となったこと若しくは被保険者でなくなったことの確認、失業等給付及び育児休業等給付（以下「失業等給付等」という。）に関する処分又は不正受給による失業等給付等の返還命令若しくは納付命令の処分に不服のある者は、**雇用保険審査官**に対して審査請求をし、その決定に不服のある者は、**労働保険審査会**に対して再審査請求をすることができる。

E ○ 根拠 法70　CH4 Sec10⑩

問7　正解　E　正解率 22%

A （改正により削除）

B （改正により削除）

C × 根拠 則130-Ⅰ　—

高年齢受給資格者も、職場適応訓練の対象となる受給資格者に含まれる。

D （改正により削除）

E ○ 根拠 則123　—

令和2年度（第52回）
択一式

問８　正解　E　　正解率 29%

A　○　根拠 則27-Ⅰ、28-Ⅰ　　CH5 Sec4④

設問の場合、６月１日から９月30日までの間に保険関係が成立した事業であるため、概算保険料を２回に分けて納付することができ、最初の期分の納付期限は保険関係成立の日の翌日から起算して50日目の日である８月20日となる。

B　○　根拠 則28-Ⅰカッコ書、28-Ⅱ　　CH5 Sec4④

設問の場合、保険関係成立の日からその日の属する期の末日までの期間が２月以内であるため、その日の属する期の次の期の末日（11月30日）までが第１期となり、最初の期分の納付期限は保険関係成立の日の翌日から起算して20日目の日である６月21日となる。

C　○　根拠 則30-Ⅱ　　CH5 Sec4⑤

設問の場合、７月１日に保険料算定基礎額の増加が見込まれることから、当該増加概算保険料を３回に分けて納付することができ、最初の期分の納付期限は増加が見込まれた日の翌日から起算して30日目の日である７月31日となる。

D　○　根拠 法１　　CH5 Sec1①

E　×　根拠 法12-Ⅴ　　―

設問の「同意を得て」を「意見を聴いて」とすると、正しい記述となる。

問９　正解　C　　正解率 88%

A　○　根拠 則38の２　　CH5 Sec5⑤

なお、政府は、口座振替納付を希望する旨の申出があった場合には、その納付が確実と認められ、かつ、その申出を承認することが労働保険料の徴収上有利と認められるときに限り、その申出を承認することができる。

B　○　根拠 法21の２-Ⅱ、則38の５　　CH5 Sec5⑤

C　×　根拠 法23-Ⅵ　　CH5 Sec7①

「使用期間が終了するまで返還してはならない」という規定はない。なお、使用する日雇労働被保険者から日雇労働被保険者手帳の提出を受けた事業主は、その者から請求があったときは、これを返還しなければならないとされている。

D ○ 根拠 則40-Ⅱ —

E ○ 根拠 則42-Ⅳ CH5 Sec7②

確認してみよう！

- 雇用保険印紙購入通帳は、その交付の日の属する保険年度に限り、その効力を有する。
- 有効期間の更新を受け、新たに交付を受けた雇用保険印紙購入通帳は、更新前の雇用保険印紙購入通帳の有効期間が満了する日の翌日の属する保険年度に限り、その効力を有する。

問10 正解 D

正解率 68%

A × 根拠 法41-Ⅱ CH5 Sec9⑥

政府が行う徴収金の徴収の告知は、時効の更新の効力を「生ずる」とされている。

B × 根拠 行審法18-ⅠⅡ CH5 Sec9⑤

設問の期間を超えた場合であっても、「正当な理由があるとき」は、審査請求をすることができる。

C × 根拠 法31-Ⅰ① CH5 Sec9④

「当該事業に係る一般保険料の額」ではなく、「当該事業に係る一般保険料の額のうち雇用保険率に応ずる部分の額」である。

確認してみよう！

- 労災保険に係る保険料については、事業主が全額負担するため、労働者負担はない。
- 雇用保険に係る保険料については、二事業（就職支援法事業を除く。）分については事業主のみが負担し、それ以外の分については労使で折半して負担する。

D ○ 根拠 法31-ⅠⅡ CH5 Sec9④

確認してみよう！

日雇労働被保険者は、印紙保険料の額の２分の１の額を負担するほか、一般保険料の額（労災保険分及び二事業分を除く。）の２分の１の額を負担する。

賃金の日額	印紙保険料の額	事業主負担額	被保険者負担額
11,300円以上	176円	88円	88円
8,200円以上11,300円未満	146円	73円	73円
8,200円未満	96円	48円	48円

E　✕　根拠 法11-Ⅰ、改正前法11の２　—

設問のような規定はない。

－参考－
令和２年３月31日までは、保険年度の初日において64歳以上の高年齢労働者（短期雇用特例被保険者及び日雇労働被保険者を除く。）がいる場合には、一般保険料のうち、当該高年齢労働者に支払う賃金総額に雇用保険率を乗じて得た額の納付が免除されていた（法改正により令和２年４月１日に廃止）。

労務管理その他の労働及び社会保険に関する一般常識

問1 正解 D　正解率 53%

A ○ 根拠「平成30年若年者雇用実態調査(厚生労働省)」 —

B ○ 根拠「平成30年若年者雇用実態調査(厚生労働省)」 —

C ○ 根拠「平成30年若年者雇用実態調査(厚生労働省)」 —

D × 根拠「平成30年若年者雇用実態調査(厚生労働省)」 —

全労働者に占める若年労働者の割合は27.3%となっており、その内訳は若年正社員が17.2%、正社員以外の若年労働者が10.2%となっている。若年正社員は若年労働者の「約半分」ではなく、「6割を超え（17.2÷27.3≒63%）」ている。

E ○ 根拠「平成30年若年者雇用実態調査(厚生労働省)」 —

問2 正解 C　正解率 34%

A × 根拠「平成30年労働安全衛生調査(実態調査)(常用労働者10人以上の民営事業所を対象)(厚生労働省)」 —

傷病を抱えた何らかの配慮を必要とする労働者に対して、治療と仕事を両立できるような取組を行っている事業所の割合は「55.8%」となっている（「約3割」ではない。）。

B × 根拠「平成30年労働安全衛生調査(実態調査)(常用労働者10人以上の民営事業所を対象)(厚生労働省)」 —

産業医を選任している事業所の割合は29.3%（設問の通り、約3割）となっており、産業医の選任義務がある事業所規模50人以上でみると、「84.6%」となっている（「ほぼ100%」ではない。）。

C ○ 根拠「平成30年労働安全衛生調査(実態調査)(常用労働者10人以上の民営事業所を対象)(厚生労働省)」 —

D × 根拠「平成30年労働安全衛生調査(実態調査)(常用労働者10人以上の民営事業所を対象)(厚生労働省)」 —

受動喫煙防止対策に取り組んでいる事業所の割合は「88.5%」となっている

（「約６割」ではない。）。

E　✕　根拠「平成30年労働安全衛生調査（実態調査）（常用労働者10人以上の民営事業所を対象）（厚生労働省）」　—

強いストレスとなっている内容（主なもの３つ以内）をみると、「仕事の質・量」（59.4％）、「仕事の失敗、責任の発生等」（34.0％）、「対人関係（セクハラ・パワハラを含む。）」（31.3％）が上位３つを占めている。

問3　正解　A：✕、B：✕、C：✕、D：✕　正解率 85％

A　✕　根拠 育介法７－Ⅰ　CH6 Sec2⑥

育児休業の申出をした労働者は、その後当該申出に係る育児休業開始予定日とされた日の前日までに、厚生労働省令で定める事由が生じた場合には、その事業主に申し出ることにより、当該申出に係る育児休業開始予定日を「１回に限り」当該育児休業開始予定日とされた日前の日に変更することができるとされている。なお、１歳に達する日までの期間内に２回の育児休業を申し出る場合には、各１回変更の申出をすることができる。

B　✕　根拠 H30.12.28厚労告430号　—

「短時間・有期雇用労働者及び派遣労働者に対する不合理な待遇の禁止等に関する指針（平成30.12.28厚労告430号）」では、パートタイム・有期雇用労働法８条及び９条に基づき、短時間・有期雇用労働者の待遇に関して、原則となる考え方及び具体例を示している。同指針では、基本給については、「基本給であって、労働者の能力又は経験に応じて支給するものについて、通常の労働者と同一の能力又は経験を有する短時間・有期雇用労働者には、能力又は経験に応じた部分につき、通常の労働者と同一の基本給を支給しなければならない。また、能力又は経験に一定の相違がある場合においては、その相違に応じた基本給を支給しなければならない。」と原則となる考え方を示しており、設問のケースは、問題とならないとしている。

C　✕　根拠 障雇法43－Ⅲ、70、則６、33、則附則６、H21.4.2厚労告275号、R5.7.7厚労告228号　CH6 Sec3⑤

対象障害者である労働者の数の算定に当たって、対象障害者である短時間労働者〔１週間の所定労働時間が、当該事業主の事業所に雇用する通常の労働者の１

週間の所定労働時間に比し短く、かつ、厚生労働大臣の定める時間数（30時間）未満である常時雇用する労働者をいう。〕及び重度身体障害者、重度知的障害者又は精神障害者である特定短時間労働者〔短時間労働者のうち、1週間の所定労働時間が厚生労働大臣の定める時間の範囲内（10時間以上20時間未満）にある労働者をいい、一定のものを除く。〕は、その1人をもって、「0.5人」の対象障害者である労働者に相当するものとみなされる。なお、当分の間、精神障害者である短時間労働者は、その1人をもって、1人の対象障害者である労働者に相当するものとみなされる 。

確認してみよう！

対象障害者である労働者の数の算定に当たっては、次表に掲げる区分に応じて、1人をもって、それぞれ右欄の数に換算して計算する。

障害者の区分	換算数
①重度身体障害者又は重度知的障害者である労働者（短時間労働者を除く。）	2
②重度身体障害者又は重度知的障害者である短時間労働者	1
③対象障害者である短時間労働者※	0.5
④上記②③にかかわらず、重度身体障害者、重度知的障害者又は精神障害者である特定短時間労働者	0.5

※　当分の間、精神障害者である短時間労働者は、その1人をもって、1人の対象障害者である労働者に相当するものとみなす。

D　✕　根拠　個紛法1、H13.9.19厚労省発地129号、基発832号、職発568号、雇児発610号、政発218号　—

法1条の「労働関係」とは、労働契約又は事実上の使用従属関係から生じる労働者と事業主の関係をいうこととされている。

E　（改正により削除）

問4　正解　B　正解率　7%

A　〇　根拠　労組法2-②、7-③　CH6 Sec1①

団体の運営のための経費の支出につき使用者の経理上の援助を受けるものは、労働組合法上の労働組合とはならず、また、使用者が労働組合の運営のための経費の支払につき経理上の援助を与えることは不当労働行為として禁止されているが、ここにいう「経理上の援助」については、「労働者が労働時間中に時間又は賃金を失うことなく使用者と協議し、又は交渉することを使用者が許すことを妨げるものではなく、且つ、厚生資金又は経済上の不幸若しくは災厄を防止し、若しくは救済するための支出に実際に用いられる福利その他の基金に対する使用者の寄附及び最小限の広さの事務所の供与を除くものとする。」とされている。したがって、使用者から最小限の広さの事務所の供与を受けていても、労働組合法上の労働組合の要件に該当し得るとともに、使用者の支配介入として禁止される行為（不当労働行為）には該当しない。

B ✕ 根拠 最三小S50.11.28国労広島地本組合費請求事件 —

「労働組合の規約により組合員の納付すべき組合費が月を単位として月額で定められている場合には、組合員が月の途中で組合から脱退したときでも、特別の規定又は慣行等のない限り、その月の組合費の全額を納付する義務を免れないものというべきであり、所論のように脱退した日までの分を日割計算によって納付すれば足りると解することはできない。」とするのが、最高裁判所の判例である。

C ○ 根拠 労組法５－Ⅱ⑧ —

なお、同盟罷業の開始決定は、組合員又は代議員の過半数ではなく、組合員又は代議員の「直接無記名投票の過半数」と規定されているので、有効投票数の過半数で足りる。

D ○ 根拠 最一小H元.12.14三井倉庫港運事件 —

なお、設問の最高裁判所の判例では、「ユニオン・ショップ協定は、労働者が労働組合の組合員たる資格を取得せず又はこれを失った場合に、使用者をして当該労働者との雇用関係を終了させることにより間接的に労働組合の組織の拡大強化を図ろうとするものであるが、他方、労働者には、自らの団結権を行使するため労働組合を選択する自由があり、また、ユニオン・ショップ協定を締結している労働組合（締結組合）の団結権と同様、同協定を締結していない他の労働組合の団結権も等しく尊重されるべきである」とした上で、設問のように判示している。

E ○ 根拠 最三小S50.4.25丸島水門事件 —

設問の最高裁判所の判例では、「争議権を認めた法の趣旨が争議行為の一般市民法による制約からの解放にあり、労働者の争議権について特に明文化した理由が専らこれによる労使対等の促進と確保の必要に出たもので、窮極的には公平の原則に立脚するものであるとすれば、力関係において優位に立つ使用者に対して、一般的に労働者に対すると同様な意味において争議権を認めるべき理由はなく、また、その必要もないけれども、そうであるからといって、使用者に対し一切争議権を否定し、使用者は労働争議に際し一般市民法による制約の下においてすることのできる対抗措置をとりうるにすぎないとすることは相当でなく、個々の具体的な労働争議の場において、労働者側の争議行為によりかえって労使間の勢力の均衡が破れ、使用者側が著しく不利な圧力を受けることになるような場合には、衡平の原則に照らし、使用者側においてこのような圧力を阻止し、労使間の勢力の均衡を回復するための対抗防衛手段として相当性を認められるかぎりにおいては、使用者の争議行為も正当なものとして是認されると解すべきである。」としている。

問5 正解 B（アとエ） 正解率 32%

ア × 根拠 社労士法２-Ｉ①の６ CH10 Sec2③

設問の場合、紛争の目的の価額の上限は「120万円」とされている。

イ ○ 根拠 社労士法２の２-Ｉ、25の９の２、特定商取引に関する法律26-Ｉ⑧ニ、令５、令別表２-㉖、H27.3.30基発0330第３号・年管発0330第３ —

社会保険労務士又は社会保険労務士法人が行う社労士法２条１項の業務（いわゆる第１号業務、第２号業務及び第３号業務）及び２条の2,1項の業務（補佐人の業務）並びに社会保険労務士法人が行うこれらの業務（社労士法25条の9,1項及び25条の９の２）に係る役務の提供については、社労士法の規定により役務の提供を受ける者の利益を保護することができると認められるため、特定商取引に関する法律が定める規制（役務提供事業者等に対する規制）の適用が除外されている。

ウ ○ 根拠 社労士法14の12-Ｉ —

エ × 根拠 社労士法25の33 CH10 Sec2③

設問の「会則の定めにかかわらず」を「会則の定めるところにより」と読み替えると、正しい記述となる。

オ ○ 根拠 社労士法27の２ CH10 Sec2③

令和２年度（第52回） 択一式

問６ 正解 D

正解率 46%

A ✕ 根拠 確給法28-Ⅰ ―

加入者である期間を計算する場合には、月によるものとし、加入者の資格を取得した月から加入者の資格を喪失した「月の前月」までをこれに算入する。なお、「規約で別段の定めをした場合にあっては、この限りでない」とする記述は正しい。

B ✕ 根拠 確給法55-Ⅱ CH10 Sec2②

加入者は、政令で定める基準に従い規約で定めるところにより、事業主が拠出すべき掛金の「一部」を負担することができる。「全部」を加入者が負担することはできない。

C ✕ 根拠 確給法33 CH10 Sec2②

年金給付の支払期間及び支払期月は、終身又は「５年」以上にわたり、年１回以上定期的に支給するものでなければならない。なお、その他の記述は正しい。

D ○ 根拠 確給法39 ―

なお、障害給付金の受給権者が、①老齢給付金を支給されたとき、②脱退一時金を支給されたとき、又は③当該傷病について労働基準法による障害補償、労働者災害補償保険法による障害補償給付、複数事業労働者障害給付、障害給付若しくは船員保険法による障害を支給事由とする給付を受ける権利を取得したときは、政令で定める基準に従い規約で定めるところにより、障害給付金の全部又は一部の支給を停止することができる。

E ✕ 根拠 確給法40 ―

老齢給付金の受給権は、「老齢給付金の受給権者が死亡したとき」、「老齢給付金の支給期間が終了したとき」のほか、「老齢給付金の全部を一時金として支給されたとき」についても、消滅する。

問７ 正解 C

正解率 80%

A ○ 根拠 船保法118 ―

得点UP!

育児休業等をしている被保険者（産前産後休業期間中の保険料免除の規定を受けている被保険者を除く。）を使用する船舶所有者が、厚生労働大臣に申出をしたときは、次の①、②に掲げる場合の区分に応じ、当該①、②に定める月の当該被保険者に関する保険料（その育児休業等の期間が１月以下である者については、標準報酬月額に係る保険料に限る。）は、徴収しない。

① その育児休業等を開始した日の属する月とその育児休業等が終了する日の翌日が属する月とが異なる場合･･･その育児休業等を開始した日の属する月からその育児休業等が終了する日の翌日が属する月の前月までの月

② その育児休業等を開始した日の属する月とその育児休業等が終了する日の翌日が属する月とが同一であり、かつ、当該月における育児休業等の日数として厚生労働省令で定めるところにより計算した日数が14日以上である場合･･･当該月

B ○ 根拠 船保法35-Ⅰ —

なお、遺族年金を受けることができる遺族とされるのは、妻（婚姻の届出をしていないが、事実上婚姻関係と同様の事情にあった者を含む。）以外の者にあっては、被保険者又は被保険者であった者の死亡の当時次に掲げる要件に該当した場合に限られる〔①③の者のうち、55歳以上60歳未満の間は支給停止される（若年停止）。〕。

① 夫（婚姻の届出をしていないが、事実上婚姻関係と同様の事情にあった者を含む。以下同じ。）、父母又は祖父母については、55歳以上であること。

② 子又は孫については、18歳に達する日以後の最初の３月31日までの間にあること。

③ 兄弟姉妹については、18歳に達する日以後の最初の３月31日までの間にあること又は55歳以上であること。

④ ①～③の要件に該当しない夫、子、父母、孫、祖父母又は兄弟姉妹については、厚生労働省令で定める障害の状態にあること。

C × 根拠 船保法69-Ⅰ CH10 Sec1②

船員保険法の規定による傷病手当金には、待期期間は設けられていないため、職務外の事由による疾病又は負傷等につき職務に服することができなくなったときは、「その初日」から職務に服することができない期間、傷病手当金が支給される。

D ○ 根拠 船保法41-Ⅰ —

E　〇　根拠　船保法93　CH10 Sec1②

なお、行方不明手当金の支給を受ける期間は、被保険者が行方不明となった日の翌日から起算して３月が限度とされており、また、被保険者の行方不明の期間に係る報酬が支払われる場合においては、その報酬の額の限度において行方不明手当金は支給されない。

問８　正解　B　正解率 84%

A　〇　根拠　児手法３-Ⅰ　CH10 Sec1⑤

なお、児童手当法にいう「父」には、母が児童を懐胎した当時婚姻の届出をしていないが、その母と事実上婚姻関係と同様の事情にあった者が含まれる。

B　✕　根拠　児手法８-Ⅳ　CH10 Sec1⑤

児童手当は、毎年「２月、４月、６月、８月、10月及び12月」の６期に、それぞれの前月までの分を支払う。なお、その他の記述は正しい。

C　〇　根拠　児手法９-Ⅰ　―

なお、児童手当の支給を受けている者につき、児童手当の額が減額することとなるに至った場合における児童手当の額の改定は、その事由が生じた日の属する月の翌月から行う。

D　〇　根拠　児手法12-Ⅰ　―

E　〇　根拠　児手法31　CH10 Sec1⑤

問９　正解　D　正解率 84%

A　〇　根拠　社審法５-Ⅰ　―

なお、再審査請求についても、政令の定めるところにより、文書又は口頭ですることができる。

B　〇　根拠　社審法５の２　―

なお、再審査請求についても、同様である。

C　〇　根拠　社審法10-Ⅴ　―

社会保険審査官及び社会保険審査会法（社審法）９条１項によれば、社会保険審査官は、審査請求がされたときは、審査請求を却下する場合を除き、原処分をした保険者〔石炭鉱業年金基金、国民年金事業の管掌者、国民年金基金、日本年金機構、財務大臣（その委任を受けた者を含む。）又は健康保険法若しくは船員保険法の規定により健康保険若しくは船員保険の事務を行う厚生労働大臣等を含む。〕及びその他の利害関係人に通知しなければならない。

上記の審査請求は、原処分の執行を停止しないが、社会保険審査官は、原処分の執行により生ずることのある償うことの困難な損害を避けるため緊急の必要があると認めるときは、職権でその執行を停止することができる（また、いつでも当該執行の停止を取り消すことができる）とされており、執行の停止及び執行の停止の取消は、文書により、且つ、理由を附し、原処分をした保険者に通知することによって行われる。また、社会保険審査官は、執行の停止又は執行の停止の取消をしたときは、審査請求人及び社審法9条1項の規定により通知を受けた保険者以外の利害関係人に通知しなければならないとされている。

D ✕ 根拠 社審法12の2 —

審査請求の取下げは、文書でしなければならない（口頭ですることはできない。）。

E ○ 根拠 社審法32-ⅠⅢ —

なお、健康保険法、船員保険法、厚生年金保険法等の保険料等の賦課等に関して不服がある場合の社会保険審査会に対する審査請求については、当該処分があったことを知った日の翌日から起算して3月を経過したときは、することができないが、正当な事由によりこの期間内に審査請求をすることができなかったことを疎明したときは、この限りでない。

問10 正解 B 正解率 54%

A ✕ 根拠 介保法66-Ⅰ、則99 —

設問の場合には、被保険者証の返還及び被保険者資格証明書の交付ではなく、原則として、被保険者証の提出を求め、当該被保険者証に「支払方法変更の記載」をすることとされている（支払方法の変更の記載がなされている間は、現物給付の方法による保険給付が償還払いの方法により行われることとなる。）。

B ○ 根拠 国保法63の2-ⅠⅢ、則32の2 —

なお、介護保険法においては、市町村は、被保険者証に支払方法変更の記載を受けている要介護被保険者等であって、保険料の納期限から１年６か月が経過するまでの間に当該保険料を納付しないことにより保険給付の全部又は一部の支払の一時差止がなされているものが、なお滞納している保険料を納付しない場合においては、あらかじめ、当該要介護被保険者等に通知して、当該一時差止に係る保険給付の額から当該要介護被保険者等が滞納している保険料額を控除することができる、とされている。

C　×　根拠 船保法120-Ⅱ　—

船員保険の一般保険料率は、原則として、疾病保険料率と災害保健福祉保険料率とを合計して得た率であるが、後期高齢者医療制度の被保険者である船員保険の被保険者の一般保険料率は「災害保健福祉保険料率」のみとされている。したがって、後期高齢者医療制度の被保険者である船員保険の被保険者に係る保険料額は、標準報酬月額及び標準賞与額にそれぞれ一般保険料率（災害保健福祉保険料率）を乗じて得た額となる。

D　（改正により削除）

E　（改正により削除）

健康保険法

問1 正解 A　　正解率 18%

A ✕ 根拠 法198-Ⅰ、204の7-Ⅰ　　—

設問の「全国健康保険協会」を「厚生労働大臣」と読み替えると、正しい記述となる。

B ○ 根拠 法161-Ⅰ、S2.9.2保理3240号　　CH7 Sec7④

C ○ 根拠 法63-Ⅳ　　CH7 Sec5⑤

なお、厚生労働大臣は、患者申出療養の申出に係る療養を患者申出療養として定めることとした場合には、その旨を当該申出を行った者に速やかに通知するものとされており、また、患者申出療養の申出について検討を加え、当該申出に係る療養を患者申出療養として定めないこととした場合には、理由を付して、その旨を当該申出を行った者に速やかに通知するものとされている。

D ○ 根拠 法3-Ⅰ⑨イ、(24)法附則46-Ⅰ、R4.9.28保保発0928第6号　　—

通常の月の所定労働時間を年換算（×12）した上で、1週間当たりの所定労働時間を求める〔÷52（1年≒52週)〕こととなる。

得点UP！

1週間の所定労働時間が20時間以上であることの要件

① １週間の所定労働時間とは、就業規則、雇用契約書等により、その者が通常の週に勤務すべきこととされている時間をいう。この場合の「通常の週」とは、祝祭日及びその振替休日、年末年始の休日、夏季休暇等の特別休日（週休日その他概ね１か月以内の期間を周期として規則的に与えられる休日以外の休日）を含まない週をいう。

② １週間の所定労働時間が短期的かつ周期的に変動し、通常の週の所定労働時間が一通りでない場合は、当該周期における１週間の所定労働時間の平均により算定された時間を１週間の所定労働時間とする。

③ 所定労働時間が１か月の単位で定められている場合は、当該所定労働時間を12分の52で除して得た時間を１週間の所定労働時間とする。

④ 所定労働時間が１か月の単位で定められている場合で、特定の月の所定労働時間が例外的に長く又は短く定められているときは、当該特定の月以外の通常の月の所定労働時間を12分の52で除して得た時間を１週間の所定労働時間とする。

⑤ 所定労働時間が１年の単位で定められている場合は、当該所定労働時間を52で除して得た時間を１週間の所定労働時間とする。

⑥ 所定労働時間は週20時間未満であるものの、事業主等に対する事情の聴取やタイムカード等の書類の確認を行った結果、実際の労働時間が直近２月において週20時間以上である場合で、今後も同様の状態が続くことが見込まれるときは、当該所定労働時間は週20時間以上であることとして取り扱うこととする。

⑦ 所定労働時間が、就業規則、雇用契約書等から明示的に確認できない場合は、実際の労働時間を事業主等から事情を聴取した上で、個別に判断することとする。

E ○ 根拠 令25の２ —

確認してみよう！

地域型健康保険組合は、当該合併が行われた日の属する年度及びこれに続く５箇年度に限り、不均一の一般保険料率を決定することができる。

問２ 正解 B 正解率 24％

A × 根拠 法71-Ⅱ①、H10.7.27老発485号・保発101号 —

設問の医師、歯科医師又は薬剤師については、取消し後２年が経過した日に再登録が行われたものとみなされるのではなく、取消し後２年未満で再登録が認められる。保険医又は保険薬剤師の登録の取消しが行われた場合には、原則として取消し後５年間は再登録を行わないものとされているが、一定の特別な事情を有する医師、歯科医師又は薬剤師については、取消し後５年未満であっても再登録を行うことができるとされており、その事情によって再登録を認めることができる期間が定められている。設問の場合には、取消し後2年未満で再登録を認めることができるとされている。

B ○ 根拠 法115の2、令43の2、H21.4.30保保発0430002号 CH7 Sec5⑬

C × 根拠 法附則3-Ⅰ、則163 CH7 Sec2⑨

特定健康保険組合となるためには、厚生労働大臣の認可を受けなければならない。

確認してみよう！
特定健康保険組合は、その認可を受けようとするとき、又はその認可の取消しを受けようとするときは、組合会において組合会議員の定数の3分の2以上の多数により議決しなければならない。

D × 根拠 法95-① CH7 Sec3③

設問の場合、厚生労働大臣は、指定訪問看護事業者の指定を取り消すことができる。

E × 根拠 法63-Ⅰ、99-Ⅰ、S26.5.1保文発1346号、S26.10.16保文発4111号
CH7 Sec5②、Sec6①

設問の場合、所定の要件を満たしていれば、傷病手当金も支給される。

問3 正解 B（ア） 正解率 87%

ア ○ 根拠 法99-Ⅰ、S29.10.25保険発261号 CH7 Sec6①

確認してみよう！
労働安全衛生法68条により伝染の恐れある保菌者に対し事業主が休業を命じたがその者の症状からして労務不能と認められぬ場合の傷病手当金の請求は、法上労務不能と認められぬので支給しない。

イ × 根拠 法88-Ⅰ、R6.3.5厚労告62号 —

指定訪問看護は、原則として利用者1人につき「週3日」を限度として受けられるとされている。

ウ （改正により削除）

エ　×　根拠 法３－Ⅰ③　CH7 Sec2⑥

所在地が一定しない事業所に使用される者は、使用期間にかかわらず、被保険者となることはない。

オ　×　根拠 法３－Ⅶ①、則37の２　CH7 Sec2⑩

設問の被保険者の被扶養者である配偶者の父は、被保険者と同一世帯に属しておらず、また、国内居住要件等も満たしていないため、被扶養者と認められない。

問４　正解　Ｄ　正解率 70%

Ａ　○　根拠 法159の２　―

Ｂ　○　根拠 法63－Ⅰ、保険医療機関及び保険医療養担当規則20－①ハ、S28.4.3保険発59号　CH7 Sec5②

健康診断は、療養の給付の対象として行ってはならないとされている。なお、健康診断の結果、保険医が特に治療を必要と認めた場合は、その後の診察については療養の給付の対象となる。

Ｃ　○　根拠 法106、法附則３－Ⅵ、H23.6.3保保発0603第２号　―

なお、設問の場合、出産したときに、船員保険の被保険者であったときは、健康保険法の規定に基づく出産育児一時金は支給されない（船員保険法の規定に基づく出産育児一時金の対象となる。）。

Ｄ　×　根拠 法115、令42－Ⅸ、H21.4.30厚労告291号、292号　CH7 Sec5⑫

療養のあった月の標準報酬月額が53万円以上である70歳未満の被保険者が、慢性腎不全で人工腎臓を実施する療養を受けている場合には、当該療養に係る高額療養費算定基準額は「20,000円」とされている。

Ｅ　○　根拠 法35、S50.3.29保険発25号・庁保険発８号　CH7 Sec2⑦

なお、自宅待機の者の標準報酬月額の決定については、現に支払われる休業手当等に基づき決定され、その後、自宅待機の状況が解消したときは、随時改定の対象となる。

問５　正解　Ｅ（エとオ）　正解率 91%

ア　×　根拠 法３－Ⅶ、S27.6.23保文発3533号　CH7 Sec2⑩

被保険者が世帯主である必要もない。

イ ✕ 根拠 法37-Ⅰ CH7 Sec2⑧

保険者は、正当な理由があると認めるときは、この期間を経過した後の申出であっても、受理することができる。

なお、正当な理由とは、「天災地変の場合など、交通、通信関係にスト等によって法定期間内に届出ができなかった場合が考えられる（S24.8.11保文発1400号）」とされており、単に法律を知らなかった（法律の不知）というだけでは正当な理由として認められない。

ウ ✕ 根拠 法３-Ⅰ④ CH7 Sec2⑥

設問の場合、一般の被保険者とはならない。季節的業務に４か月以内の期間を限って使用される者は、一般の被保険者とはならず、継続して４か月を超えて使用されることになっても、一般の被保険者とはならない。なお、当初から継続して４か月を超える予定で使用される者は、初めから一般の被保険者となる。

エ ○ 根拠 法３-Ⅰ、35、36、S26.12.3保文発5255号 —

オ ○ 根拠 法161-Ⅱ、S2.2.18保理578号、S4.1.18事発125号 CH7 Sec7⑤

問６ 正解 A 正解率 68%

A ✕ 根拠 法104、法附則３-ⅤⅥ CH7 Sec6⑧

資格喪失後の傷病手当金の継続給付の支給要件を満たしている者であっても、資格喪失後に特例退職被保険者の資格を取得した場合には、当該傷病手当金の継続給付を受けることはできない。

確認してみよう！

資格喪失後に任意継続被保険者の資格を取得した場合には、傷病手当金の継続給付を受けることができる。

B ○ 根拠 法120、S3.3.14保理483号 —

なお、設問の不支給の決定は、偽りその他不正の行為があった日から１年を経過したときは、することができない。

C ○ 根拠 法57-Ⅰ、S31.11.7保文発9218号 CH7 Sec9③

なお、被保険者と第三者との間において示談が成立し、被保険者の有する損害賠償請求権を消滅させた場合であっても、その消滅の効力は、保険者が保険給付の価額の限度において既に取得している第三者に対する損害賠償請求権には及び得ない。

D ○ 根拠 法119、S26.5.9保発37号 CH7 Sec9①

保険者は、被保険者又は被保険者であった者が、正当な理由なしに療養に関する指示に従わないときは、保険給付の一部を行わないことができるが、「療養の指示に従わないとき」とは、①保険者又は療養担当者の療養の指示に関する明白な意思表示があったにもかかわらずこれに従わない場合、②診療担当者より受けた診断書、意見書等により一般に療養の指示と認められる事実があったにもかかわらずこれに従わないため、療養上の障害を生じ著しく給付費の増加をもたらすと認められる場合などが該当する。

E ○ 根拠 法116、S36.7.5保険発63号の２ CH7 Sec9①

死亡は最終的１回限りの絶対的な事故であるとともに、この死亡に対する保険給付としての埋葬料は、被保険者であった者に生計を依存していた者で埋葬を行う者に対して支給されるという性質のものであるから、設問の場合には、支給制限は行われない。

問７ 正解 E

正解率 38%

A ○ 根拠 法129-Ⅱ① CH7 Sec8⑦

B ○ 根拠 法７の31-ⅡⅢ —

確認してみよう！

健康保険組合の一時借入金

健康保険組合は、支払上現金に不足を生じたときは、準備金に属する現金を繰替使用し、又は一時借入金をすることができる。また、繰替使用した金額及び一時借入金は、当該会計年度内に返還しなければならない。

C ○ 根拠 法150-Ⅵ、則154 CH7 Sec10①

D ○ 根拠 法218 CH7 Sec10③

E × 根拠 法165-ⅠⅡ、令49 CH7 Sec07⑤

設問の場合において前納すべき額は、前納に係る期間の各月の保険料の額から、前納に係る期間の各月の保険料の額の合計額から、その期間の各月の保険料の額を年４分の利率による複利現価法によって前納に係る期間の最初の月から当該各月までのそれぞれの期間に応じて割り引いた額の合計額を控除した額を控除した額である。

問８ 正解 **C** 正解率 **64%**

A ○ 根拠 則25-Ⅲ CH7 Sec4④

設問の特定法人については、①報酬月額の届出（報酬月額算定基礎届）、②報酬月額変更の届出（報酬月額変更届）及び③賞与額の届出（賞与支払届）について、原則として、電子情報処理組織を使用して行うものとされている（電子申請の義務化）。

B ○ 根拠 法199-Ⅱ —

確認してみよう！

厚生労働大臣は、保険医療機関等の指定の申請があった場合において、保険医療機関等の指定の申請に係る病院若しくは診療所又は薬局の開設者又は管理者が、次に該当するときは、その指定をしないことができる。
また、厚生労働大臣は、指定訪問看護事業者の指定の申請があった場合において、指定訪問看護事業者の指定の申請者が、次に該当するときは、その指定をしてはならない。

・社会保険各法の定めるところにより納付義務を負う保険料、負担金又は掛金（「社会保険料」という。）について、当該申請をした日の前日までに、社会保険各法の規定に基づく滞納処分を受け、かつ、当該処分を受けた日から正当な理由なく３月以上の期間にわたり、当該処分を受けた日以降に納期限の到来した社会保険料のすべて（当該処分を受けた者が、当該処分に係る社会保険料の納付義務を負うことを定める法律によって納付義務を負う社会保険料に限る。）を引き続き滞納している者であるとき。

C × 根拠 法30、令７-Ⅰ CH7 Sec1④

設問の「３分の２以上」を「３分の１以上」と、「30日以内」を「20日以内」と読み替えると、正しい記述となる。

確認してみよう！

組合会の招集等

① 組合会の招集は、緊急を要する場合を除き、開会の日の前日から起算して前５日目に当たる日が終わるまでに、会議に付議すべき事項、日時及び場所を示し、規約で定める方法に従ってしなければならない。
② 理事長は、規約で定めるところにより、毎年度１回通常組合会を招集しなければならない。
③ 理事長は、必要があるときは、いつでも臨時組合会を招集することができる。
④ 理事長は、組合会が成立しないとき、又は理事長において緊急を要すると認めるときは、組合会の議決を経なければならない事項で緊急に行う必要があるものを処分することができる。
⑤ 理事長は、上記④による処置については、次の組合会においてこれを報告し、その承認を求めなければならない。

D ○ 根拠 法75の２－Ⅰ②、則56の２ CH7 Sec5②

設問の場合、一部負担金の支払を免除することができるほか、一部負担金を減額すること、又は保険医療機関若しくは保険薬局に対する支払に代えて、一部負担金を直接に徴収することとし、その徴収を猶予することができる。

E ○ 根拠 法87－Ⅰ、則66、H11.3.30保険発39号・庁保険発７号 —

問９ 正解 C 正解率 44%

A ○ 根拠 法３－Ⅶ①、則37の２－②、R5.6.19保保発0619第１号 —

「外国に赴任する被保険者に同行する者」については、「日本国内に住所を有しないが、日本国内に生活の基礎があると認められる者」として、国内居住要件の例外として取り扱われる。設問はその確認方法に関する問題である。

B ○ 根拠 法41－Ⅰ、R5.6.27事務連絡 —

給与の締め日が変更になったため、支払基礎日数が暦日を超えて増加した場合は、通常受ける報酬以外の報酬を受けることとなるため、定時決定の際には、超過分の報酬を除外した上で、その他の月の報酬との平均を算出することとされている。

得点UP!

支払基礎日数が減少した場合

給与締め日の変更によって給与支給日数が減少した場合であっても、支払基礎日数が17日以上であれば、通常の定時決定の方法によって標準報酬月額を算定する。
また、給与締め日の変更によって給与支給日数が減少し、支払基礎日数が17日未満となった場合には、その月を除外した上で報酬の平均を算出し、標準報酬月額を算定する。

C ✕ 根拠 法43-Ⅰ、R5.6.27事務連絡 —

設問の場合、実際に変動後の報酬を受けた月を起算月として随時改定の対象となる。

なお、昇給等による固定的賃金の変動後に、給与計算期間の途中で育児休業に入ったこと、又は給与計算期間の途中で育児休業から復帰したことにより、変動が反映された報酬が支払われているものの、継続した3月間のうちに支払基礎日数が17日未満となる月がある場合については、随時改定の対象とはならない。

D ○ 根拠 法42-Ⅰ、R5.6.27事務連絡 —

E ○ 根拠 法3-Ⅰ、35、S13.10.22社庶229号、S26.11.28保文発5177号

CH7 Sec2⑦

問10 正解 D 正解率 61%

A ✕ 根拠 法99-ⅠⅡ、S33.7.8保険発95号 CH7 Sec6①

設問の場合、休業補償給付の額が傷病手当金の額を下回るときは、その差額が傷病手当金として支給される。

B ✕ 根拠 則26-Ⅰ、29-Ⅰ、H31.3.29年管管発0329第7号 —

設問の場合は、当該事実を確認できる書類の添付は必要ない。かつては、被保険者資格喪失届及び被保険者報酬月額変更届を届け出る際、届出の受付年月日より60日以上遡る場合又は既に届出済である標準報酬月額を大幅に引き下げる場合は、当該事実を確認できる書類を添付しなければならなかったが、現在は、行政手続コスト削減により、添付書類は廃止されている。

C ✕ 根拠 法33 CH7 Sec2②

設問の申出があった場合であっても、事業主に適用事業所でなくするための認

可の申請をする義務は生じない。

D ○ 根拠 法159、則135-Ⅱ　CH7 Sec7④

確認してみよう！

育児休業等をしている被保険者（産前産後休業期間中の保険料免除の規定を受けている被保険者を除く。）が使用される事業所の事業主が、保険者等に申出をしたときは、次の①、②に掲げる場合の区分に応じ、当該①、②に定める月の当該被保険者に関する保険料（その育児休業等の期間が１月以下である者については、標準報酬月額に係る保険料に限る。）は、徴収しない。

① その育児休業等を開始した日の属する月とその育児休業等が終了する日の翌日が属する月とが異なる場合･･･その育児休業等を開始した日の属する月からその育児休業等が終了する日の翌日が属する月の前月までの月

② その育児休業等を開始した日の属する月とその育児休業等が終了する日の翌日が属する月とが同一であり、かつ、当該月における育児休業等の日数として厚生労働省令で定めるところにより計算した日数が14日以上である場合･･･当該月

E × 根拠 法99-Ⅰカッコ書、102-Ⅰ　CH7 Sec6②

出産手当金は、労務に服さなかった期間に対して支給されるものであり、通常の労務に服している期間については支給されない。

厚生年金保険法

問1 正解 D　正解率 89%

A ○ 根拠 則63-Ⅰ　CH9 Sec2⑩

B ○ 根拠 法38の2-Ⅰただし書　CH9 Sec9⑦

なお、設問の受給権者の申出があった場合において、その額の一部につき支給を停止されている年金たる保険給付について、その支給停止が解除されたときは、年金たる保険給付の全額の支給が停止されることとなる。

C ○ 根拠 法58-Ⅰ④、59-Ⅰカッコ書　—

確認してみよう！

失踪の宣告の場合の取扱い

・行方不明となった当時を基準に判断されるもの
①生計維持関係、②被保険者等要件、③保険料納付要件
・死亡したとみなされた日を基準に判断されるもの
①身分関係、②年齢、③障害の状態

D × 根拠 法52-Ⅲ　CH9 Sec6⑦

設問の場合、原則として、当該受給権者は実施機関の診査を受けた日から起算して1年を経過した日後でなければ改定の請求を行うことはできない。なお、障害厚生年金の受給権者の障害の程度が増進したことが明らかである場合として厚生労働省令で定める場合には、実施機関の診査を受けた日から起算して1年を経過した日後でなくても改定の請求を行うことができる。

E ○ 根拠 法44-Ⅱ　CH9 Sec4⑤

問2 正解 A　正解率 78%

A × 根拠 則1-ⅠⅡ　CH9 Sec2⑨

設問の場合、2以上の事業所に使用されるに至った日から10日以内に、所定の事項を記載した届書を日本年金機構に提出しなければならない。

なお、第1号厚生年金被保険者は、同時に2以上の事業所に使用されるに至ったときは、当該2以上の事業所に係る日本年金機構の業務が同一の年金事務所の管轄である場合についても、10日以内に、所定の事項を記載した届書を、日本年

金機構に提出しなければならない。

B ○ 根拠 法90-Ⅳ CH9 Sec10⑦

C ○ 根拠 則15-Ⅰ CH9 Sec2②

D ○ 根拠 則13の２-Ⅰ CH9 Sec1⑤

E ○ 根拠 法63-Ⅲ CH9 Sec7⑦

妻と子は同順位であるため、子が出生しても妻の有する遺族厚生年金の受給権は消滅しない。

問3 正解 D（ウとエ） 正解率 78%

ア × 根拠 法19、81-Ⅱ CH9 Sec2⑦、Sec10④

月末日で退職したときは、その翌月が資格喪失月となるため、退職した日が属する月の保険料は徴収される。

イ × 根拠 令３の12の14 —

設問の場合、当該特定被保険者が死亡した日の前日に３号分割標準報酬改定請求があったものとみなされる。

ウ ○ 根拠 法100の５-Ⅰ CH9 Sec10⑥

なお、財務大臣は、設問の委任に基づき、滞納処分等その他の処分の権限の全部又は一部を行ったときは、滞納処分等その他の処分の執行の状況及びその結果を厚生労働大臣に報告するものとされている。

エ ○ 根拠 法100の６-Ⅰ CH9 Sec10⑥

なお、日本年金機構は、滞納処分等実施規程を定め、厚生労働大臣の認可を受けなければならず、また、徴収職員は、滞納処分等に係る法令に関する知識並びに実務に必要な知識及び能力を有する日本年金機構の職員のうちから、厚生労働大臣の認可を受けて、日本年金機構の理事長が任命するものとされている。

オ × 根拠 法53-②③ CH9 Sec6⑨

支給停止された障害厚生年金の受給権者が65歳に達する日の前日までに障害等級３級に該当する程度の障害の状態となったときは、当該障害厚生年金の支給停止が解除され、支給が再開される。なお、障害厚生年金の受給権は、受給権者が、障害等級に該当する程度の障害の状態に該当しなくなった日から起算して障害等級に該当する程度の障害の状態に該当することなく3年を経過し、かつ、当該受給権者が65歳に達しているときは、消滅する。

問4 正解 A　　正解率 40%

A ○ 根拠 令3の12の12　　—

得点UP!

合意分割に係る対象期間標準報酬総額を計算する場合における対象期間に係る被保険者期間については、厚生労働省令で定めるところにより、対象期間の初日の属する月が被保険者期間であるときはその月をこれに算入し、対象期間の末日の属する月が被保険者期間であるときはその月をこれに算入しない。ただし、対象期間の初日と末日が同一の月に属するときは、その月は、対象期間に係る被保険者期間に算入しない。

B × 根拠 法47　　CH9 Sec6①

設問の場合、初診日要件、障害認定日における障害の程度要件及び原則的な保険料納付要件を満たしているため、障害厚生年金は支給される。なお、特例による保険料納付要件は、初診日において65歳以上の者には適用されない。

C × 根拠 法52-Ⅶ、国年法36-Ⅱ　　CH9 Sec6⑦

設問の場合、障害基礎年金については支給停止が解除され、障害厚生年金については、障害等級3級から2級に改定されることになるため、障害等級2級の障害基礎年金及び障害厚生年金が支給される。なお、実施機関の職権による改定及び増進改定請求は、65歳以上の者であって、かつ、障害厚生年金の受給権者（当該障害厚生年金と同一の支給事由に基づく国民年金法による障害基礎年金の受給権を有しないものに限る。）については、行わない。

D × 根拠 法50-Ⅲ　　CH9 Sec6⑥

障害等級3級の障害厚生年金の最低保障額は、障害等級2級の障害基礎年金の年金額の4分の3に相当する額である。

E × 根拠 法47　　CH9 Sec6①

初診日において厚生年金保険の被保険者でなかった者には、障害厚生年金が支給されることはない。

問５　正解　E　　正解率 88%

A　〇　根拠 法25　　CH9 Sec3①

B　〇　根拠 法59-Ⅱ　　CH9 Sec7③

父母は、配偶者又は子が遺族厚生年金の受給権を取得したときは、遺族厚生年金を受けることができる遺族としない。

なお、孫は、配偶者、子又は父母が、祖父母は、配偶者、子、父母又は孫が遺族厚生年金の受給権を取得したときは、それぞれ遺族厚生年金を受けることができる遺族としない。

C　〇　根拠 法78の22　　―

確認してみよう！

第１号厚生年金被保険者期間、第２号厚生年金被保険者期間、第３号厚生年金被保険者期間又は第４号厚生年金被保険者期間（「各号の厚生年金被保険者期間」という。）のうち２以上の被保険者の種別に係る被保険者であった期間を有する者に係る老齢厚生年金について、年金額を計算するに当たっては、各号の厚生年金被保険者期間に係る被保険者期間ごとに計算する。

D　〇　根拠 法41-Ⅰ　　CH9 Sec9⑤

E　×　根拠 法41-Ⅱ　　CH9 Sec9⑤

老齢厚生年金については、保険給付として支給を受けた金銭を標準として、租税その他の公課を課することができる。

問６　正解　C　　正解率 23%

A　×　根拠 法２の５-②、令１-Ⅰ③ホ　　―

設問の事務は、国家公務員共済組合連合会が行う。

B　×　根拠 法６-Ⅳ、則13の３　　CH9 Sec1③

設問の場合、当該事業所に使用される者（適用除外の規定に該当する者及び特定４分の３未満短時間労働者を除く。）の２分の１以上の同意を得たことを証する書類を添えることを要する。

確認してみよう！

任意適用取消の認可を受けようとする事業主は、当該事業所に使用される者（適用除外の規定に該当する者及び特定４分の３未満短時間労働者を除く。）の４分の３以上の同意を得たことを証する書類を添えて、厚生年金保険任意適用取消申請書を日本年金機構に提出しなければならない。

C ○ 根拠 則15-Ⅲ、29の２ —

D × 根拠 則13の２-Ⅳ CH9 Sec1⑤

設問の場合、当該事実があった日から10日以内に、所定の事項を記載した届書を提出しなければならない。

E × 根拠 法９、S24.7.28保発74号 CH9 Sec2①

株式会社の代表取締役及び代表取締役以外の取締役は、いずれも被保険者となることがある。

問７ 正解 ア：○、イ：×、ウ：○、エ：×、オ：× 正解率 73%

ア ○ 根拠 法12-⑤ロ CH9 Sec2①

確認してみよう！

特定適用事業所に使用される者であって、その１週間の所定労働時間が同一の事業所に使用される通常の労働者の１週間の所定労働時間の４分の３未満である短時間労働者又はその１月間の所定労働日数が同一の事業所に使用される通常の労働者の１月間の所定労働日数の４分の３未満である短時間労働者に該当し、かつ、①～③までのいずれかの要件に該当するものは、厚生年金保険の被保険者とならない。
① １週間の所定労働時間が20時間未満であること。
② 報酬について、標準報酬月額に係る資格取得時決定の規定の例により算定した額が、88,000円未満であること。
③ 学校教育法に規定する高等学校の生徒、大学の学生その他の厚生労働省令で定める者であること。

イ × 根拠 法12-⑤、(24)法附則17-Ⅰ CH9 Sec2①

いわゆる４分の３基準を満たさない短時間労働者について、「当該事業所に継続して１年以上使用されることが見込まれないこと」は、適用除外の対象とされていないため、他の適用除外の事由に該当しない場合は、厚生年金保険の被保険者となる。**ア**の確認してみよう！参照。

※ 出題当時は、いわゆる４分の３基準を満たさない短時間労働者について、「当該

事業所に継続して１年以上使用されることが見込まれないこと」が、適用除外の対象とされていたため、正しい（○）内容であった。

ウ　○　根拠 (24)法附則17-Ⅴ　CH9 Sec2①

※　厳密には、国又は地方公共団体の適用事業所に使用される特定４分の３未満短時間労働者については、当該適用事業所が特定適用事業所でなくても、被保険者となることとされている。

確認してみよう！

特定適用事業所（特定適用事業所に該当しなくなった適用事業所に使用される厚生年金保険の被保険者である特定４分の３未満短時間労働者を使用する適用事業所を含む。）以外の適用事業所の事業主は、次の①②に掲げる場合に応じ、当該①②に定める同意を得て、実施機関に当該事業主の１又は２以上の適用事業所に使用される特定４分の３未満短時間労働者について「厚生年金保険の被保険者としない」とする規定の適用を受けない旨の申出をすることができる（厚生年金保険の被保険者とする旨の申出をすることができる。）。

①　当該事業主の１又は２以上の適用事業所に使用される厚生年金保険の被保険者、70歳以上の使用される者及び特定４分の３未満短時間労働者（「２分の１以上同意対象者」という。）の過半数で組織する労働組合があるとき・・・当該労働組合の同意

②　上記①の労働組合がないとき・・・ⓐ又はⓑに掲げる同意

　ⓐ　当該事業主の１又は２以上の適用事業所に使用される２分の１以上同意対象者の過半数を代表する者の同意

　ⓑ　当該事業主の１又は２以上の適用事業所に使用される２分の１以上同意対象者の２分の１以上の同意

エ　×　根拠 (24)法附則17-Ⅱ　CH9 Sec2①

特定適用事業所に該当しなくなった適用事業所に使用される特定４分の３未満短時間労働者は、事業主が実施機関に所定の申出をしない限り、厚生年金保険の被保険者となる。

確認してみよう！

特定適用事業所に該当しなくなった適用事業所に使用される特定４分の３未満短時間労働者については、「厚生年金保険の被保険者としない」とする規定は、適用しない（厚生年金保険の被保険者となる。）。ただし、当該適用事業所の事業主が、次の①②に掲げる場合に応じ、当該①②に定める同意を得て、実施機関（厚生労働大臣及び日本私立学校振興・共済事業団に限る。）に当該特定４分の３未満短時間労働者について「厚生年金保険の被保険者としない」とする規定の適用を受ける旨の申出をした場合は、この限りでない（厚生年金保険の被保険者としない。）。

① 当該事業主の１又は２以上の適用事業所に使用される厚生年金保険の被保険者及び70歳以上の使用される者（「４分の３以上同意対象者」という。）の４分の３以上で組織する労働組合があるとき・・・当該労働組合の同意

② 上記①の労働組合がないとき・・・ⓐ又はⓑに掲げる同意

ⓐ 当該事業主の１又は２以上の適用事業所に使用される４分の３以上同意対象者の４分の３以上を代表する者の同意

ⓑ 当該事業主の１又は２以上の適用事業所に使用される４分の３以上同意対象者の４分の３以上の同意

オ ✕ 根拠 (24)法附則17の３ CH9 Sec2④

当分の間、適用事業所以外の事業所に使用される特定４分の３未満短時間労働者については、法10条１項（任意単独被保険者）の規定にかかわらず、厚生年金保険の被保険者としないこととされている。

問８ 正解 C 正解率 32%

A ○ 根拠 則35-ⅠⅢ CH9 Sec2⑩

確認してみよう！

現況届

厚生労働大臣は、住民基本台帳法30条の９の規定による老齢厚生年金の受給権者に係る機構保存本人確認情報の提供を受けることができない場合には、当該受給権者に対し、所定の事項を記載し、かつ、自ら署名した届書（自ら署名することが困難な受給権者にあっては、当該受給権者の代理人が署名した届書）を毎年厚生労働大臣が指定する日（指定日）までに提出することを求めることができる。

B ○ 根拠 法68-ⅠⅡ CH9 Sec7⑥

C ✕ 根拠 法10-Ⅰ、29 —

設問の場合、その旨を当該事業所の事業主に通知しなければならない。

なお、事業主は、任意単独被保険者に係る認可の通知があったときは、すみやかに、これを被保険者に通知しなければならない。

D ○ 根拠 法61-Ⅰ　CH9 Sec7④

E ○ 根拠 法77-①、96-Ⅰ　CH9 Sec9⑨

確認してみよう！

支給停止

次に掲げる者に支給する年金たる保険給付は、それぞれ次に該当する場合には、その額の全部又は一部につき、その支給を停止することができる。

① 受給権者・・・正当な理由がなくて、実施機関が必要があると認めて行ったその者の身分関係、障害の状態その他受給権の消滅、年金額の改定若しくは支給の停止に係る事項に関する書類その他の物件の提出の命令に従わず、又は当該職員をしてこれらの事項に関して行った質問に応じなかったとき。

② 障害等級に該当する程度の障害の状態にあることにより、年金たる保険給付の受給権を有し、又はその者について加算が行われている子

ⓐ 正当な理由がなくて、実施機関が必要があると認めて行ったその指定する医師の診断を受けるべき旨の命令に従わず、又は当該職員をして行ったこれらの者の障害の状態の診断を拒んだとき。

ⓑ 故意若しくは重大な過失により、又は正当な理由がなくて療養に関する指示に従わないことにより、その障害の回復を妨げたとき。

一時差止め

受給権者が、正当な理由がなくて、厚生労働大臣に対して行うべき厚生労働省令の定める事項の届出をせず、又は厚生労働省令の定める書類その他の物件を提出しないときは、保険給付の支払を一時差し止めることができる。

問9 正解 B　正解率 56%

A × 根拠 法43-Ⅲ　CH9 Sec4⑦

設問の場合、資格喪失日である令和2年6月30日（70歳到達日）から起算して1月を経過した日が属する月である令和2年7月分から年金額が改定される。

確認してみよう！

被保険者である受給権者がその被保険者の資格を喪失し、かつ、被保険者となることなくして被保険者の資格を喪失した日から起算して1月を経過したときは、その被保険者の資格を喪失した月前における被保険者であった期間を老齢厚生年金の額の計算の基礎とするものとし、資格を喪失した日（①その事業所又は船舶に使用されなくなったとき、②任意適用事業所の取消又は任意単独被保険者の資格喪失の認可があったとき、又は③適用除外の規定に該当するに至ったときのいずれかに該当するに至った日にあっては、その日）から起算して1月を経過した日の属する月から、年金の額を改定する。

B ○ 根拠 則15の2-Ⅰ、22-Ⅰ④ CH9 Sec2②③

C × 根拠 法10 CH9 Sec2④

任意単独被保険者となるための認可の申請をするに当たっては、必ず事業主の同意を得なければならない。設問のような例外規定は設けられていない。

D × 根拠 H29.3.17年管管発0317第5号 —

事業主等に対する事情の聴取やタイムカード等の書類の確認を行った結果、実際の労働時間又は労働日数が直近の2か月において4分の3基準を満たしている場合で、今後も同様の状態が続くことが見込まれるときは、4分の3基準を満たしているものとして取り扱うこととされている。

なお、設問の4分の3基準に係る「1週間の所定労働時間及び1月間の所定労働日数」とは、就業規則、雇用契約書等により、その者が通常の週及び月に勤務すべきこととされている時間及び日数をいい、所定労働時間又は所定労働日数が、就業規則、雇用契約書等から明示的に確認できない場合は、実際の労働時間又は労働日数を事業主等から事情を聴取した上で、個別に判断するものとされている。

E × 根拠 法附29-Ⅰ② CH9 Sec7⑧

障害厚生年金の受給権を有したことがある者は、脱退一時金の支給を請求することはできない。

問10 正解 E（オのみ） 正解率 82%

ア ○ 根拠 法58-Ⅰ② CH9 Sec7①

イ ○ 根拠 法附則8、20 CH9 Sec9①

2以上の種別の被保険者であった期間を有する者については、特別支給の老齢厚生年金の要件である「1年以上の被保険者期間を有すること」に該当するか否かは、その者の2以上の被保険者の種別に係る被保険者であった期間に係る被保険者期間を合算し、一の期間に係る被保険者期間のみを有するものとみなして判断する。

ウ （改正により削除）

エ ○ 根拠 法55 CH9 Sec6⑩

障害手当金は、その傷病が治っていない場合には、支給されることはない。

オ　×　根拠 法59-Ⅰ　　CH9 Sec7③

子がいることは、夫が遺族厚生年金を受けることができる遺族となるための要件とされていない。

※　本問**問10**の**A**及び**E**は、本試験ではそれぞれ（アとウ）、（ウとオ）とされていたが、改正によりウを削除したため、**A**及び**E**をそれぞれ（アのみ）、（オのみ）と改題している。

国民年金法

問1 正解 B（アとエ） 正解率 83%

ア ○ 根拠 法21-Ⅱ CH8 Sec9③

イ × 根拠 法30-Ⅰ CH8 Sec5②

障害基礎年金の支給に係る保険料納付要件は、初診日の前日において、当該初診日の属する月の前々月までに被保険者期間があるときに問われるものであり、当該初診日の属する月の前々月までに被保険者期間がないものについては、保険料納付要件は問われない。したがって、障害認定日において障害等級に該当する程度の障害の状態にある設問の者には、障害基礎年金が支給される。

ウ × 根拠 H26.3.31年発0331第７号 CH8 Sec6⑤

認定対象者の収入について、前年の収入が年額850万円以上であっても、定年退職等の事情により近い将来の年収が年額850万円未満となると認められるのであれば、収入に関する認定要件に該当するものとされる。

確認してみよう！

収入に関する認定要件

① 生計維持認定対象者（障害厚生年金及び障害基礎年金の生計維持認定対象者は除く。）に係る収入に関する認定に当たっては、次のいずれかに該当する者は、厚生労働大臣の定める金額（年額850万円）以上の収入を将来にわたって有すると認められる者以外の者に該当するものとする。

ⓐ 前年の収入（前年の収入が確定しない場合にあっては、前々年の収入）が年額850万円未満であること。

ⓑ 前年の所得（前年の所得が確定しない場合にあっては、前々年の所得）が年額655.5万円未満であること。

ⓒ 一時的な所得があるときは、これを除いた後、上記ⓐ又はⓑに該当すること。

ⓓ 上記のⓐ、ⓑ又はⓒに該当しないが、定年退職等の事情により近い将来（おおむね５年以内）収入が年額850万円未満又は所得が年額655.5万円未満となると認められること。

② 障害厚生年金及び障害基礎年金の生計維持認定対象者に係る収入に関する認定に当たっては、次のいずれかに該当する者は、厚生労働大臣の定める金額（年額850万円）以上の収入を有すると認められる者以外の者に該当するものとする。

ⓐ 前年の収入（前年の収入が確定しない場合にあっては、前々年の収入）が年額850万円未満であること。

ⓑ 前年の所得（前年の所得が確定しない場合にあっては、前々年の所得）が年額655.5万円未満であること。

ⓒ 一時的な所得があるときは、これを除いた後、上記ⓐ又はⓑに該当すること。

ⓓ 上記のⓐ、ⓑ又はⓒに該当しないが、定年退職等の事情により現に収入が年額850万円未満又は所得が年額655.5万円未満となると認められること。

エ ○ 根拠 法34-Ⅲ、則33の２の２-Ⅰ⑨　CH8 Sec5⑨

障害基礎年金の額の改定請求は、原則として、障害基礎年金の受給権を取得した日又は厚生労働大臣の診査を受けた日から起算して１年を経過した日後でなければ行うことができないが、障害基礎年金の受給権者の障害の程度が増進したことが明らかである場合として厚生労働省令で定める場合は、１年を経過していなくとも行うことができる。設問の場合は、これに該当する。

得点UP!

✪ 障害の程度が増進したことが明らかである場合として厚生労働省令で定める場合

「障害の程度が増進したことが明らかである場合として厚生労働省令で定める場合」は、障害基礎年金の受給権を取得した日又は厚生労働大臣による障害の程度の診査を受けた日のいずれか遅い日以後、次の①～⑪に掲げるいずれかの状態に至った場合（⑧に掲げる状態については、当該状態に係る障害の範囲が拡大した場合を含む。）である。

① 両眼の視力がそれぞれ0.03以下のもの
② 一眼の視力が0.04、他眼の視力が手動弁以下のもの
③ ゴールドマン型視野計による測定の結果、両眼のⅠ／四視標による周辺視野角度の和がそれぞれ80度以下かつⅠ／二視標による両眼中心視野角度が28度以下のもの
④ 自動視野計による測定の結果、両眼開放視認点数が70点以下かつ両眼中心視野視認点数が20点以下のもの
⑤ 両耳の聴力レベルが100デシベル以上のもの
⑥ 両上肢の全ての指を欠くもの
⑦ 両下肢を足関節以上で欠くもの
⑧ 四肢又は手指若しくは足指が完全麻痺したもの（脳血管障害又は脊髄の器質的な障害によるものについては、当該状態が6月を超えて継続している場合に限る。）
⑨ 心臓を移植したもの又は人工心臓（補助人工心臓を含む。）を装着したもの
⑩ 脳死状態又は遷延性植物状態（当該状態が3月を超えて継続している場合に限る。）となったもの
⑪ 人工呼吸器を装着したもの（1月を超えて常時装着している場合に限る。）

オ ✕ 根拠 法52の2-Ⅱ　CH8 Sec7③

死亡した者の死亡日においてその者の死亡により遺族基礎年金を受けることができる者があるときであっても、当該死亡日の属する月に当該遺族基礎年金の受給権が消滅した場合には、死亡一時金が支給される。

問2 正解 D　正解率 48%

令和2年度（第52回）
択一式

A ○ 根拠 法52の4　CH8 Sec7③

死亡日の属する月の前月までの第1号被保険者としての被保険者期間に係る死亡日の前日における付加保険料に係る保険料納付済期間が3年以上（36月以上）である者の遺族に支給する死亡一時金の額は、8,500円を加算した額とされる。

B ○ 根拠 法11-Ⅰ、87-Ⅱ　CH8 Sec2③⑤、Sec3⑤

設問の者は、令和元年12月31日に20歳に達するため、同日に被保険者の資格を

取得し、同月分の保険料から納付する義務を負うこととなる。

C ○ 根拠 法附則５－XII CH8 Sec10②

D × 根拠 法93－Ⅰ CH8 Sec3⑤

保険料４分の３免除期間、保険料半額免除期間又は保険料４分の１免除期間に係る納付すべき保険料についても、前納は可能である。

E ○ 根拠 法39－Ⅰ CH8 Sec6⑥

配偶者に支給する遺族基礎年金の額は、必ず子に係る加算額が加算された額となる。

問３ 正解 E

正解率 59%

A × 根拠 法30の３－Ⅱ CH8 Sec5④

初診日における被保険者等要件は、基準傷病について問われ、基準傷病以外の傷病については問われない。

B × 根拠 則１の４－Ⅱ CH8 Sec2⑥

第３号被保険者がその資格を取得した場合、それが20歳に達したことによるものであり、機構保存本人確認情報の提供を受けることにより20歳に達した事実を確認できるときであっても、資格取得の届出を要する。

なお、20歳に達したことにより第１号被保険者の資格を取得する場合であって、厚生労働大臣が住民基本台帳法の規定により当該第１号被保険者に係る機構保存本人確認情報の提供を受けることにより20歳に達した事実を確認できるときは、資格取得の届出を要しない。

C × 根拠 法109の３－ⅣⅤ —

保険料納付確認団体が設問の命令に違反したときは、厚生労働大臣は、当該保険料納付確認団体の指定を取り消すことができる。

D × 根拠 法52の２－Ⅰ CH8 Sec7③

設問の死亡者の場合、死亡日の前日において死亡日の属する月の前月までの第１号被保険者としての被保険者期間に係る保険料納付済期間の月数（18か月）及び保険料半額免除期間の月数（24か月）の２分の１に相当する月数（12か月）を合算した月数が30か月であり、「36か月以上」を満たさないため、死亡一時金は支給されない。

E ○ 根拠 法87の2、法附則5－Ⅸ　CH8 Sec3⑧

20歳以上65歳未満の任意加入被保険者は、付加保険料を納付する者となることができる。なお、65歳以上70歳未満の特例による任意加入被保険者は、付加保険料を納付する者となることはできない。

問4 正解 B　正解率 84%

A × 根拠 法114-④　CH8 Sec9⑧

設問の戸籍法の規定による死亡の届出義務者は、「10万円以下」の過料に処せられる。

B ○ 根拠 法附則9の3の2－Ⅰ①　CH8 Sec7④

脱退一時金は、①日本国内に住所を有するとき、②障害基礎年金その他政令で定める給付の受給権を有したことがあるとき、又は③最後に被保険者の資格を喪失した日（同日において日本国内に住所を有していた者にあっては、同日後初めて、日本国内に住所を有しなくなった日）から起算して2年を経過しているときは、その支給を請求することができない。

C × 根拠 法19－Ⅰ　CH8 Sec9①

従姉弟は、4親等の親族であり、未支給年金を請求することができる遺族の範囲に含まれない。

D × 根拠 法43　CH8 Sec7①

付加年金は、付加保険料納付済期間を有する者が老齢基礎年金の受給権を取得したときに限り、老齢基礎年金と併せて支給される。

E × 根拠 法18－Ⅰ、29、49－Ⅰ　CH8 Sec7②

設問の夫は老齢基礎年金の支給を受けたことがない（年金を支給すべき事由が生じた日の属する月にその権利が消滅した場合、年金は支給されない）ため、設問の妻には、寡婦年金が支給される。

問5 正解 D　正解率 35%

A × 根拠 法28－Ⅰ　CH8 Sec4⑪

60歳以上65歳未満の期間に任意加入被保険者であったことは、老齢基礎年金の支給繰下げの申出に影響しない。

B ✕ 根拠 法５−ⅠⅢ、(16)法附則19−Ⅳ、(26)法附則14−Ⅲ　CH8 Sec4⑤⑥

国民年金法における保険料全額免除期間に「産前産後期間の保険料免除」の規定により保険料を免除された期間は含まれない。産前産後期間の保険料免除に係る被保険者期間は、国民年金法において保険料納付済期間とされる。

C ✕ 根拠 法18の４、37　CH8 Sec6④

失踪の宣告を受けたことにより死亡したとみなされた者に係る法37条（遺族基礎年金の支給要件）の規定については、「死亡日」を「行方不明となった日」と読み替えて適用される。したがって、死亡日の前日において判断される保険料納付要件については、行方不明となった日の前日において判断されることとなる。

確認してみよう！

失踪の宣告の場合の取扱い

・行方不明となった当時を基準に判断されるもの
①生計維持関係、②被保険者等要件、③保険料納付要件
・死亡したとみなされた日を基準に判断されるもの
①身分関係、②年齢、③障害の状態

D ○ 根拠 法28−Ⅱ　CH8 Sec4⑪

確認してみよう！

66歳に達した日後に次に掲げる者が老齢基礎年金の支給繰下げの申出をしたときは、それぞれ次に定める日において、その申出があったものとみなされる。

①　75歳に達する日前に他の年金たる給付〔他の年金給付（付加年金を除く。）又は厚生年金保険法による年金たる保険給付（老齢を支給事由とするものを除く。）をいう。〕の受給権者となった者
→　他の年金たる給付を支給すべき事由が生じた日

②　75歳に達した日後にある者（上記①に該当する者を除く。）
→　75歳に達した日

E ✕ 根拠 法12の２−Ⅰ、則６の２の２−Ⅰ、H26.11.1年管管発1101第１号

CH8 Sec2⑥

配偶者である第２号被保険者が退職等により第２号被保険者でなくなったことにより、第３号被保険者であった者が第１号被保険者に該当することとなる場合

等は、その事実を日本年金機構において確認できるため、設問の「被扶養配偶者でなくなった旨の届書（被扶養配偶者非該当届）」の提出は不要とされる。

なお、第3号被保険者が、厚生年金保険の被保険者の資格を取得したことにより、又は死亡したことにより被扶養配偶者でなくなった場合についても、被扶養配偶者非該当届の提出を要しない。

得点UP!

第3号被保険者であった者の配偶者である第2号被保険者が、健康保険（全国健康保険協会管掌健康保険）の被扶養者でなくなったことの届出（当該第3号被保険者であった者が被扶養者でなくなったことの届出）を事業主を経由して日本年金機構に提出したときは、被扶養配偶者非該当届の提出があったものとみなされる。

問6 正解 D

正解率 80%

A ✕ 根拠 法27の2－Ⅱ、27の3－Ⅰ　CH8 Sec8①

年金額の改定は、受給権者が68歳に到達する年度よりも前の年度では、原則として「名目手取り賃金変動率」を基準として、68歳に到達した年度以後は、原則として「物価変動率」を基準として行われる。

B ✕ 根拠 法12－Ⅴ、則1の4－Ⅱ　CH8 Sec2⑥

法12条5項の規定による第3号被保険者の資格の取得の届出は、「日本年金機構」に提出することによって行わなければならない。

C ✕ 根拠 則36の4－Ⅰ　CH8 Sec2⑥

その障害の程度の審査が必要であると認めて厚生労働大臣が指定した障害基礎年金の受給権者は、厚生労働大臣が指定した年において、指定日までに、指定日前「3月以内」に作成されたその障害の現状に関する医師又は歯科医師の診断書を日本年金機構に提出しなければならない。

D ○ 根拠 法14、法附則7の5－Ⅰ　CH8 Sec2⑥

第2号厚生年金被保険者、第3号厚生年金被保険者又は第4号厚生年金被保険者は、当分の間、国民年金原簿の記録の対象とされていない。

確認してみよう！

国民年金原簿の記載事項

① 被保険者の氏名
② 資格の取得及び喪失、種別の変更に関する事項
③ 保険料の納付状況
④ 被保険者の基礎年金番号
⑤ 被保険者の性別、生年月日及び住所
⑥ 給付に関する事項
⑦ 法定免除、保険料全額免除、保険料４分の３免除、保険料半額免除、保険料４分の１免除、学生納付特例又は納付猶予に係る保険料に関する事項
⑧ 被保険者が国民年金基金の加入員であるときは当該基金の加入年月日

E ✕ 根拠 法15、法附則９の３の２、(60)法附則94-Ⅰ　CH8 Sec4①、Sec7④

国民年金法において、第１号被保険者としての加入期間に基づき支給されるものとして、付加年金、寡婦年金及び「死亡一時金」があり、そのほかに国民年金法附則上の給付として、特別一時金及び「脱退一時金」がある。

問７ 正解 C　正解率 61%

A ○ 根拠 法109の８-Ⅰ　―

B ○ 根拠 H23.3.23年発0323第１号　CH8 Sec4⑨

なお、設問の生計維持認定対象者に係る収入に関する認定の要件については、問１ウの確認してみよう！参照。

C ✕ 根拠 法73、105-Ⅲ、則51の３-Ⅰ　CH8 Sec9⑥

設問の配偶者が、正当な理由がなくて、設問の届書を提出しないときは、遺族基礎年金の支払を一時差し止めることができるとされている。

D ○ 根拠 法102-Ⅰ　CH8 Sec9⑧

E ○ 根拠 法128-Ⅴ　CH8 Sec10①

問８ 正解 D（ウとオ）　正解率 43%

ア ○ 根拠 法92の２、109条の４-Ⅰ⑰　―

イ ○ 根拠 法106-Ⅰ、109条の４-Ⅰ㉘　―

ウ ✕ 根拠 法107-Ⅰ、109の4-Ⅰ㉙ —

設問の権限に係る事務は、厚生労働大臣が自ら行うことができる。

エ ◯ 根拠 法108の3-ⅠⅡ —

オ ✕ 根拠 法14の3-Ⅱ —

厚生労働大臣は、設問の方針を定め、又は変更しようとするときは、あらかじめ、「社会保障審議会」に諮問しなければならない。

問9 正解 C 正解率 49%

A ✕ 根拠 法18-Ⅰ、49、(6)法附則11-Ⅸ CH8 Sec2②、Sec7②

特例による任意加入被保険者としての国民年金の被保険者期間は、寡婦年金の規定の適用については第1号被保険者としての国民年金の被保険者期間とみなされず、設問の死亡した夫は、寡婦年金の支給に係る「10年以上」の要件を満たしていないため、設問の妻に寡婦年金は支給されない。また、設問では夫の死亡時期が明記されていないが、設問の夫が令和2年5月以後まで生存していた場合、裁定請求の手続きの有無にかかわらず、原則として、夫は老齢基礎年金の支給を受けたこととされるため、この点においても、設問の妻に寡婦年金は支給されない。

B ✕ 根拠 法附則5-Ⅰ③Ⅴ CH8 Sec2②

満額の老齢基礎年金の支給を受けるための納付実績を有していない設問の在外邦人は、任意加入被保険者となるための申出をすることができる。

C ◯ 根拠 法附則5-Ⅰ②Ⅴ CH8 Sec2②

満額の老齢基礎年金の支給を受けるための納付実績を有していない設問の日本国内に住所を有する者は、任意加入被保険者となるための申出をすることができる。

D ✕ 根拠 法26、(60)法附則47-Ⅱ～Ⅳ、(16)法附則23-Ⅰ、旧厚年法19-Ⅲ CH8 Sec4⑤

設問の者は、受給資格期間として認められる期間を10年4か月※有し、老齢基礎年金の受給資格を満たしているため、特例による任意加入被保険者となることはできない。

※　12か月（昭和60年４月～昭和61年３月）×4/3＋60か月（昭和61年４月～平成３年３月）×6/5＋36か月（平成３年４月～平成６年３月）＝124月（10年４か月）

E　×　根拠　(16)法附則23-ⅢⅨ　CH8 Sec2②④、Sec3⑧

特例による任意加入被保険者は、付加保険料を納付することができない。

なお、「65歳に達した日に特例による任意加入被保険者の加入申出があったものとみなされる」とする記述は正しい。

問10　正解　A（アとウ）　正解率 73%

ア　×　根拠　法附則９の２-Ⅵ、46、令４の５-Ⅱ、12-Ⅱ　CH8 Sec4⑪、Sec7①

設問の者の付加年金及び老齢基礎年金の増額率は、「25.2%※」となる。

※　7/1000×36か月〔平成29年４月（65歳到達月）～令和２年３月（繰下げ申出月の前月）〕＝25.2%

イ　○　法89　CH8 Sec3⑥

ウ　×　法26、法附則９の３の２-Ⅳ　CH8 Sec7④

設問の者の平成７年４月から平成９年３月までの２年間は、当該期間に係る脱退一時金の支給を受けたことにより被保険者でなかったものとみなされ、また、合算対象期間ともされず、国民年金の保険料納付済期間を８年しか有しない設問の者は、老齢基礎年金の受給資格期間を満たさない。

エ　○　法94-Ⅰ　CH8 Sec3⑦

なお、追納が行われたときは、追納が行われた日に、追納に係る月の保険料が納付されたものとみなされる。

オ　○　則75　CH8 Sec3⑥